# 어휘가
# 문해력
# 이다

## 초등 4학년 2학기

교과서 어휘

KB214247

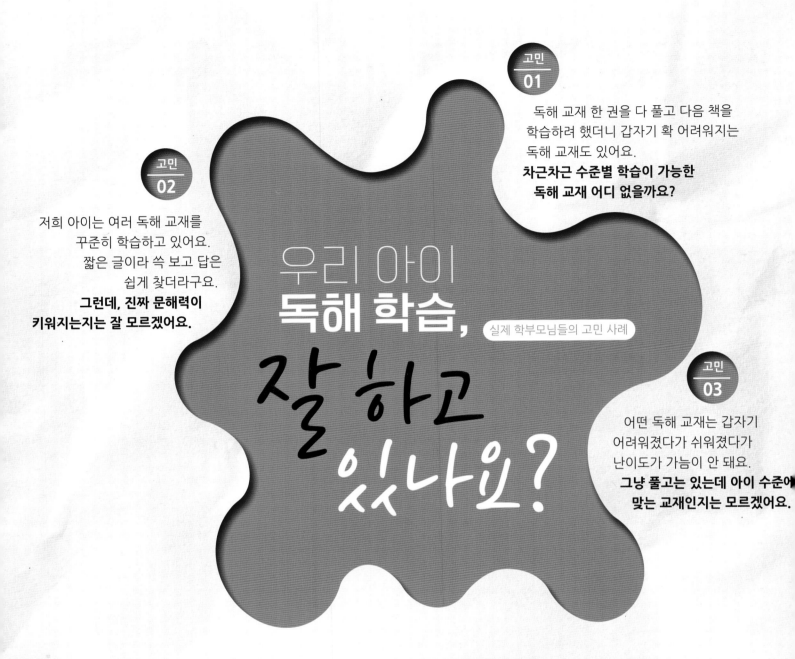

**국어 독해**, 이제
**특허받은 ERI로
해결**하세요!

EBS · 전국 문해력 전문가 · 이화여대 산학협력단이 공동 개발한 과학적
독해 지수 'ERI 지수' 최초 적용! 진짜 수준별 독해 학습을 만나 보세요.

* ERI(EBS Reading Index) 지수는 글의 수준을 체계화한 수치로,
  글의 난이도를 낱말, 문장, 배경지식 수준에 따라 산출하였습니다.

# 어휘가 문해력 이다

## 초등 4학년 2학기

교과서 어휘

교과서 내용을 이해하지 못하는 우리 아이?
평생을 살아가는 힘, '문해력'을 키워 주세요!

# '어휘가 문해력이다'
## 어휘 학습으로 문해력 키우기

**1** 교과서 학습 진도에 따라
**과목별(국어/사회/수학/과학)·학기별(1학기/2학기)로 어휘 학습이 가능합니다.**

교과 학습을 위한 필수 개념어를 단원별로 선별하여 단원의 핵심 내용을 이해하도록 구성하였습니다.
교과 학습 전 예습 교재로, 교과 학습 후 복습 교재로 활용할 수 있도록 필수 개념어를 엄선하여 수록
하였습니다.

**2** 교과 어휘를 학년별 2권, 한 학기별 4주 학습으로
**단기간에 어휘 학습이 가능합니다.**

한 학기에 310여 개의 중요 단어를 공부할 수 있습니다.
쉬운 뜻풀이와 교과서 내용을 담은 다양한 예문을 수록하여 학교 공부에 직접적으로 도움을 주고자
하였습니다.
해당 학기에 학습해야 할 중요 단어를 모두 모아 한 번에 살펴볼 수 있고, 국어사전에서 단어를 찾는
시간과 노력을 줄일 수 있습니다.

**3** **관용어, 속담, 한자 성어, 한자 어휘 학습까지 가능합니다.**

글의 맥락을 이해하고 응용하는 데 도움이 되는 관용어, 속담, 한자 성어뿐만 아니라 초등에서 중학
교육용 필수 한자 어휘 학습까지 놓치지 않도록 구성하였습니다.

**4** **확인 문제와 주간 어휘력 테스트를 통해 학습한 어휘를 점검할 수 있습니다.**

뜻풀이와 예문을 통해 학습한 어휘를 교과 어휘별로 바로바로 점검할 수 있도록 다양한 유형의 확인
문제를 수록하였습니다.
한 주 동안 학습한 어휘를 종합적으로 점검할 수 있는 주간 어휘력 테스트를 수록하였습니다.

**5** **효율적인 교재 구성으로 자학자습 및 가정 학습이 가능합니다.**

학습한 어휘를 해당 교재에서 쉽게 찾아볼 수 있도록 과목별로 '찾아보기' 코너를 구성하였습니다.
'정답과 해설'은 축소한 본교재에 정답과 자세한 해설을 실어 스스로 공부할 수 있도록 하였습니다.

# EBS ⟨당신의 문해력⟩ 교재 시리즈는 약속합니다.

교과서를 잘 읽고 더 나아가 많은 책과 온갖 글을 읽는 능력을 갖출 수 있도록
문해력을 이루는 핵심 분야별, 학습 단계별 교재를 준비하였습니다.
한 권 5회×4주 학습으로 아이의 공부하는 힘,
평생을 살아가는 힘을 EBS와 함께 키울 수 있습니다.

## 어휘가 문해력이다

**어휘** 실력이 교과서를 읽고 이해할 수 있는지를 결정하는 척도입니다.
⟨어휘가 문해력이다⟩는 교과서 진도를 나가기 전에 꼭 예습해야 하는 교재입니다.
20일이면 한 학기 교과서 필수 어휘를 완성할 수 있습니다.
교과서 수록 필수 어휘들을 교과서 진도에 맞춰
날짜별, 과목별로 공부하세요.

## 쓰기가 문해력이다

**쓰기**는 자기 생각을 표현하는 미래 역량입니다.
서술형, 논술형 평가의 비중은 점점 커지고 있습니다.
객관식과 단답형만으로는 아이들의 생각과 미래를 살펴볼 수 없기 때문입니다.
막막한 쓰기 공부. 이제 단어와 문장부터 하나씩 써 보며 차근차근 학습하는
⟨쓰기가 문해력이다⟩와 함께 쓰기 지구력을 키워 보세요.

## ERI 독해가 문해력이다

**독해**를 잘하려면 체계적이고 객관적인 단계별 공부가 필수입니다.
기계적으로 읽고 문제만 푸는 독해 학습은 체격만 키우고 체력은 미달인 아이를 만듭니다.
⟨ERI 독해가 문해력이다⟩는 특허받은 독해 지수 산출 프로그램을 적용하여 글의 난이도를
체계화하였습니다.
단어 · 문장 · 배경지식 수준에 따라 설계된 단계별 독해 학습을 시작하세요.

## 배경지식이 문해력이다

**배경지식**은 문해력의 중요한 뿌리입니다.
하루 두 장. 교과서의 핵심 개념을 글과 재미있는 삽화로 익히고 한눈에 정리할 수 있습니다.
시간이 부족하여 다양한 책을 읽지 못하더라도 교과서의 중요 지식만큼은 놓치지 않도록
⟨배경지식이 문해력이다⟩로 학습하세요.

## 디지털독해가 문해력이다

**디지털독해력**은 다양한 디지털 매체 속 정보를 읽어 내는 힘입니다.
아이들이 접하는 디지털 매체는 매일 수많은 정보를 만들어 내기 때문에
디지털 매체의 정보를 판단하는 문해력은 현대 사회의 필수 능력입니다.
⟨디지털독해가 문해력이다⟩로 교과서 내용을 중심으로 디지털 매체 속 정보를 확인하고
다양한 과제를 해결해 보세요.

# 이 책의 구성과 특징

## 1

**교과서 어휘** 국어/사회/수학/과학

**한자 어휘**

○── 교과목·단원별로 교과서 속 중요 개념 어휘와 관련 어휘로 교과 어휘 강화!

○── 초등·중학 교육용 필수 한자, 연관 한자어로 한자 어휘 강화!

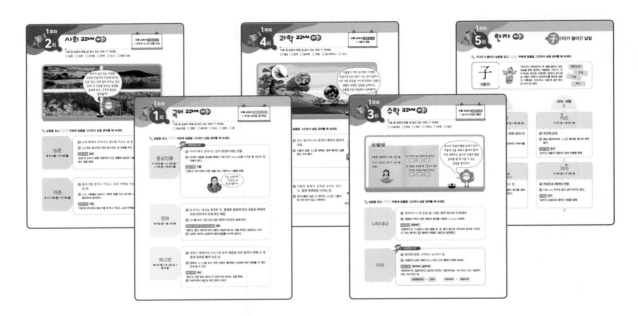

- 교과서 속 핵심 어휘를 엄선하여 교과목 특성에 맞게 뜻과 예문을 이해하기 쉽게 제시했어요.
- 어휘를 이해하는 데 도움이 되는 그림 및 사진 자료를 제시했어요.
- 대표 한자 어휘와 연관된 한자 성어, 초등 수준에서 꼭 알아야 할 속담, 관용어를 제시했어요.

## 2

**확인 문제**

○── 교과서(국어/사회/수학/과학) 어휘, 한자 어휘 학습을 점검할 수 있는 다양한 유형의 확인 문제 수록!

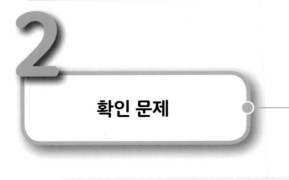
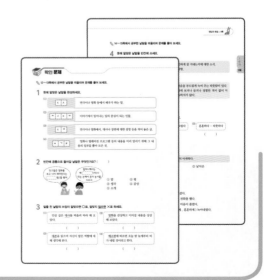

# 3

## 어휘력 테스트

한 주 동안 학습한 교과서 어휘, 한자 어휘를 종합적으로
점검할 수 있는 어휘력 테스트 수록!

다양한 유형의
어휘 문제로
한 주 마무리!

## 찾아보기

학습한 어휘를 찾아보기 쉽게 교과목별
ㄱ, ㄴ, ㄷ … 순서로 정리했어요.

## 정답과 해설

축소한 본교재에 정답과 해설을 실어 자학자습과
학습 지도를 수월히 할 수 있도록 했어요.

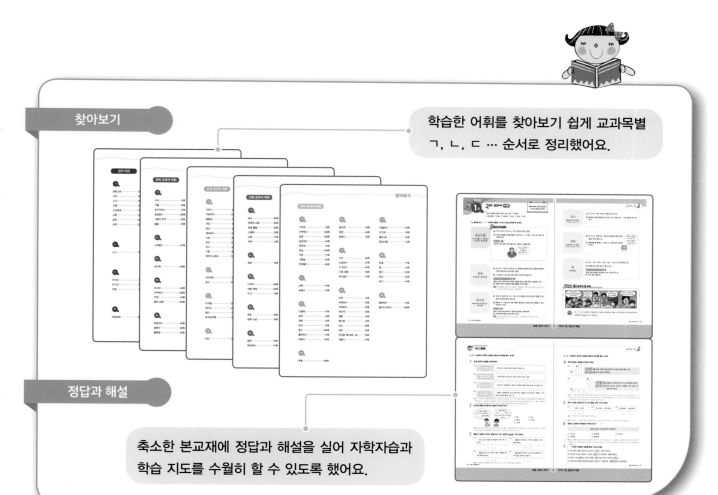

초등 4학년 2학기

# 교과서 연계 목록

✎ 『어휘가 문해력이다』 초등 4학년 2학기에 수록된 모든 어휘는 초등학교 4학년 2학기 국어, 사회, 수학, 과학 교과서에 실려 있습니다.

✎ 교과서 연계 목록을 살펴보면 과목별 교과서의 단원명에 따라 학습할 교재의 쪽을 한눈에 파악할 수 있습니다.

✎ 교과서 진도 순서에 맞춰 교재에서 해당하는 학습 회를 찾아 효율적으로 공부해 보세요!

## 국어 4-2

| 교과서 | 1. 이어질 장면을 생각해요 |
| 본교재 | 1주차 1회 12~13쪽 |

| 교과서 | 2. 마음을 전하는 글을 써요 |
| 본교재 | 1주차 1회 14~15쪽 |

| 교과서 | 3. 바르고 공손하게 |
| 본교재 | 2주차 1회 44~45쪽 |

| 교과서 | 4. 이야기 속 세상 |
| 본교재 | 2주차 1회 46~47쪽 |

| 교과서 | 5. 의견이 드러나게 글을 써요 |
| 본교재 | 3주차 1회 76~77쪽 |

| 교과서 | 6. 본받고 싶은 인물을 찾아봐요 |
| 본교재 | 3주차 1회 78~79쪽 |

| 교과서 | 7. 독서 감상문을 써요 |
| 본교재 | 4주차 1회 108~109쪽 |

| 교과서 | 8. 생각하며 읽어요 ~ 9. 감동을 나누며 읽어요 |
| 본교재 | 4주차 1회 110~111쪽 |

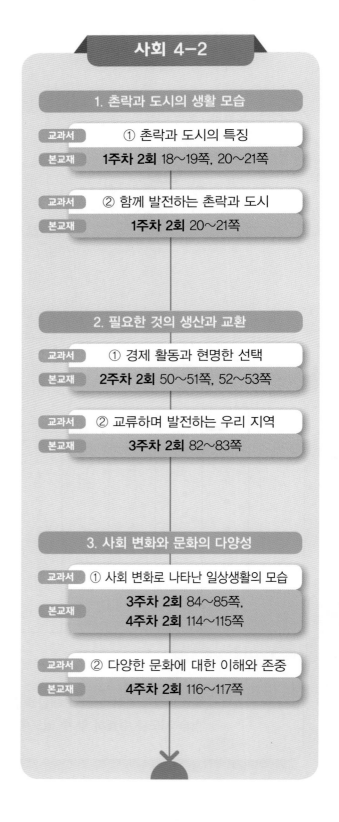

## 사회 4-2

### 1. 촌락과 도시의 생활 모습

| 교과서 | ① 촌락과 도시의 특징 |
| 본교재 | 1주차 2회 18~19쪽, 20~21쪽 |

| 교과서 | ② 함께 발전하는 촌락과 도시 |
| 본교재 | 1주차 2회 20~21쪽 |

### 2. 필요한 것의 생산과 교환

| 교과서 | ① 경제 활동과 현명한 선택 |
| 본교재 | 2주차 2회 50~51쪽, 52~53쪽 |

| 교과서 | ② 교류하며 발전하는 우리 지역 |
| 본교재 | 3주차 2회 82~83쪽 |

### 3. 사회 변화와 문화의 다양성

| 교과서 | ① 사회 변화로 나타난 일상생활의 모습 |
| 본교재 | 3주차 2회 84~85쪽, 4주차 2회 114~115쪽 |

| 교과서 | ② 다양한 문화에 대한 이해와 존중 |
| 본교재 | 4주차 2회 116~117쪽 |

## 수학 4-2

| 교과서 | 1. 분수의 덧셈과 뺄셈 |
| --- | --- |
| 본교재 | **1주차 3회** 24~25쪽 |

| 교과서 | 2. 삼각형 |
| --- | --- |
| 본교재 | **1주차 3회** 26~27쪽 |

| 교과서 | 3. 소수의 덧셈과 뺄셈 |
| --- | --- |
| 본교재 | **2주차 3회** 56~57쪽 |

| 교과서 | 4. 사각형 |
| --- | --- |
| 본교재 | **2주차 3회** 58~59쪽, **3주차 3회** 88~89쪽, 90~91쪽 |

| 교과서 | 5. 꺾은선그래프 |
| --- | --- |
| 본교재 | **4주차 3회** 120~121쪽 |

| 교과서 | 6. 다각형 |
| --- | --- |
| 본교재 | **4주차 3회** 122~123쪽 |

## 과학 4-2

| 교과서 | 1. 식물의 생활 |
| --- | --- |
| 본교재 | **1주차 4회** 30~31쪽 |

| 교과서 | 2. 물의 상태 변화 |
| --- | --- |
| 본교재 | **1주차 4회** 32~33쪽 |

| 교과서 | 3. 그림자와 거울 |
| --- | --- |
| 본교재 | **2주차 4회** 62~63쪽, 64~65쪽 |

| 교과서 | 4. 화산과 지진 |
| --- | --- |
| 본교재 | **3주차 4회** 94~95쪽, 96~97쪽 |

| 교과서 | 5. 물의 여행 |
| --- | --- |
| 본교재 | **4주차 4회** 126~127쪽, 128~129쪽 |

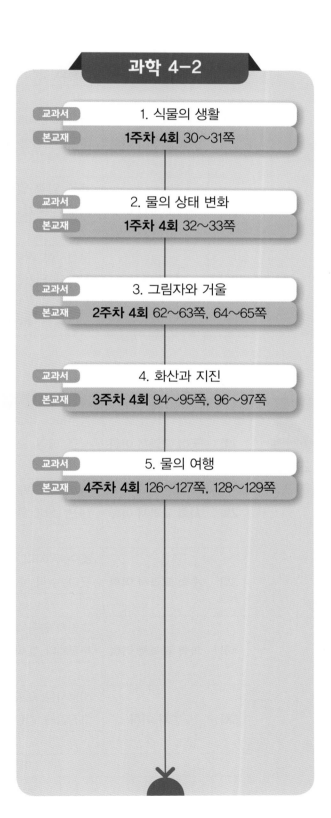

# 이 책의 차례

## 1 주차

| 회 | 과목 | 학습 어휘 | 쪽 |
|---|---|---|---|
| 1회 | 국어 교과서 어휘 | 중심인물, 영화, 예고편, 대사, 대본, 평 | 12~13 |
| | | 쑥스럽다, 당부, 안부, 낯설다, 훈훈하다, 위로 | 14~15 |
| | | 확인 문제 | 16~17 |
| 2회 | 사회 교과서 어휘 | 농촌, 어촌, 산지촌, 촌락, 도시, 문화 시설 | 18~19 |
| | | 고령화, 편의 시설, 귀촌, 교류, 직거래, 제철 | 20~21 |
| | | 확인 문제 | 22~23 |
| 3회 | 수학 교과서 어휘 | 나타내다, 미터, 리터, 가마니, 부족, 검산 | 24~25 |
| | | 이등변삼각형, 정삼각형, 예각삼각형, 둔각삼각형, 앞모양, 점 | 26~27 |
| | | 확인 문제 | 28~29 |
| 4회 | 과학 교과서 어휘 | 채집, 잎맥, 잎자루, 적응, 공기주머니, 가시 | 30~31 |
| | | 가열, 수증기, 증발, 끓음, 응결, 화상 | 32~33 |
| | | 확인 문제 | 34~35 |
| 5회 | 한자 어휘 | 부전자전, 자녀, 자손, 여자 | 36 |
| | | 단거리, 단기간, 일장일단, 단점 | 37 |
| | | 확인 문제 | 38~39 |
| | | 어휘력 테스트 | 40~41 |

## 2 주차

| 회 | 과목 | 학습 어휘 | 쪽 |
|---|---|---|---|
| 1회 | 국어 교과서 어휘 | 공손하다, 수고하다, 끼어들다, 줄임 말, 그림말, 표어 | 44~45 |
| | | 사건, 배경, 요소, 표지, 의롭다, 소심하다 | 46~47 |
| | | 확인 문제 | 48~49 |
| 2회 | 사회 교과서 어휘 | 경제 활동, 희소성, 자원, 한정되다, 현명한 선택, 품질 | 50~51 |
| | | 생산, 소비, 운반, 판매, 소득, 목돈 | 52~53 |
| | | 확인 문제 | 54~55 |
| 3회 | 수학 교과서 어휘 | 소수 두 자리 수, 소수 세 자리 수, 거리, 지점, 앞서다, 갈림길 | 56~57 |
| | | 긋다, 수직, 수선, 평행, 평행선, 삼각자 | 58~59 |
| | | 확인 문제 | 60~61 |
| 4회 | 과학 교과서 어휘 | 그림자 연극, 통과, 빛의 직진, 불투명, 무색, 사방 | 62~63 |
| | | 부딪치다, 빛의 반사, 조명, 비치다, 상하, 좌우 | 64~65 |
| | | 확인 문제 | 66~67 |
| 5회 | 한자 어휘 | 비몽사몽, 비공개, 시비, 비정 | 68 |
| | | 고진감래, 감탄고토, 고생, 노고 | 69 |
| | | 확인 문제 | 70~71 |
| | | 어휘력 테스트 | 72~73 |

# 3 주차

| 회 | 과목 | 학습 어휘 | 쪽 |
|---|---|---|---|
| 1회 | 국어 교과서 어휘 | 어찌하다, 어떠하다, 의견을 제시하는 글, 판결, 구분, 다문화 | 76~77 |
| | | 전기문, 가치관, 본받다, 시대 상황, 역사적, 발자취 | 78~79 |
| | | 확인 문제 | 80~81 |
| 2회 | 사회 교과서 어휘 | 경제적 교류, 대중 매체, 원산지, 품질 인증 표시, QR 코드, 특산물 | 82~83 |
| | | 저출산, 요양원, 출생아, 우대, 다자녀, 감소 | 84~85 |
| | | 확인 문제 | 86~87 |
| 3회 | 수학 교과서 어휘 | 평행선 사이의 거리, 쌍, 사다리꼴, 고정, 기둥, 잇다 | 88~89 |
| | | 마주 보다, 평행사변형, 마름모, 이웃하다, 덮다, 펼치다 | 90~91 |
| | | 확인 문제 | 92~93 |
| 4회 | 과학 교과서 어휘 | 마그마, 화산, 분화구, 용암, 화산재, 화산 분출물 | 94~95 |
| | | 화성암, 현무암, 화강암, 지진, 재난, 지열 발전 | 96~97 |
| | | 확인 문제 | 98~99 |
| 5회 | 한자 어휘 | 유구무언, 유해, 소유, 공유 | 100 |
| | | 막상막하, 하체, 하선, 승하차 | 101 |
| | | 확인 문제 | 102~103 |
| | | 어휘력 테스트 | 104~105 |

# 4 주차

| 회 | 과목 | 학습 어휘 | 쪽 |
|---|---|---|---|
| 1회 | 국어 교과서 어휘 | 흥미진진하다, 목록, 동기, 감명, 관심, 간략하다 | 108~109 |
| | | 따르다, 적절하다, 평가, 관련성, 낭독, 들려주다 | 110~111 |
| | | 확인 문제 | 112~113 |
| 2회 | 사회 교과서 어휘 | 정보화, 저작물, 세계화, 실시간, 유출, 의존 | 114~115 |
| | | 편견, 출신, 부당하다, 지원자, 장벽, 발휘 | 116~117 |
| | | 확인 문제 | 118~119 |
| 3회 | 수학 교과서 어휘 | 꺾은선그래프, 날수, 전년, 계속되다, 최고, 적설량 | 120~121 |
| | | 곡선, 다각형, 육각형, 정다각형, 대각선, 가장자리 | 122~123 |
| | | 확인 문제 | 124~125 |
| 4회 | 과학 교과서 어휘 | 물의 순환, 머무르다, 나무줄기, 스며들다, 흡수, 지하수 | 126~127 |
| | | 현황, 충분하다, 생활용수, 공업용수, 해수, 담수화 | 128~129 |
| | | 확인 문제 | 130~131 |
| 5회 | 한자 어휘 | 고향, 고국, 죽마고우, 고사 | 132 |
| | | 오비이락, 추락, 군락, 부락 | 133 |
| | | 확인 문제 | 134~135 |
| | | 어휘력 테스트 | 136~137 |

★ **찾아보기** • 138~143쪽

★ **【책 속의 책】** 정답과 해설

# 1주차 어휘 미리 보기

한 주 동안 공부할 어휘들이야. 쑥 한번 훑어볼까?

## 1회 학습 계획일 ◯월 ◯일

### 국어 교과서 어휘

| | |
|---|---|
| 중심인물 | 쑥스럽다 |
| 영화 | 당부 |
| 예고편 | 안부 |
| 대사 | 낯설다 |
| 대본 | 훈훈하다 |
| 평 | 위로 |

## 2회 학습 계획일 ◯월 ◯일

### 사회 교과서 어휘

| | |
|---|---|
| 농촌 | 고령화 |
| 어촌 | 편의 시설 |
| 산지촌 | 귀촌 |
| 촌락 | 교류 |
| 도시 | 직거래 |
| 문화 시설 | 제철 |

## 3회 학습 계획일 ◯월 ◯일

### 수학 교과서 어휘

| | |
|---|---|
| 나타내다 | 이등변삼각형 |
| 미터 | 정삼각형 |
| 리터 | 예각삼각형 |
| 가마니 | 둔각삼각형 |
| 부족 | 앞모양 |
| 검산 | 점 |

**4회** 학습 계획일 ◯월 ◯일

### 과학 교과서 어휘

| | |
|---|---|
| 채집 | 가열 |
| 잎맥 | 수증기 |
| 잎자루 | 증발 |
| 적응 | 끓음 |
| 공기주머니 | 응결 |
| 가시 | 화상 |

# 어휘력 테스트

2주차 어휘 학습으로 가 보자!

**5회** 학습 계획일 ◯월 ◯일

### 한자 어휘

| | |
|---|---|
| 부전자전 | 단거리 |
| 자녀 | 단기간 |
| 자손 | 일장일단 |
| 여자 | 단점 |

다음 중 낱말의 뜻을 잘 알고 있는 것에 ☑ 하세요.

☐ 중심인물  ☐ 영화  ☐ 예고편  ☐ 대사  ☐ 대본  ☐ 평

✎ 낱말을 읽고, 〔  〕 부분에 밑줄을 그으면서 낱말 공부를 해 보세요.

**이것만은 꼭!**

### 중심인물

中 가운데 **중** + 心 마음 **심** +
人 사람 **인** + 物 물건 **물**

뜻 이야기에서 일어나는 일의 중심이 되는 인물.

예 이어질 내용을 상상할 때에는 가장 먼저 중심인물을 누구로 할 것인지 생각해야 한다.

관련 어휘 **인물**

'인물'은 이야기에서 어떤 일을 겪는 사람이나 사물을 말해.

나는 심청이야.
『심청전』의
중심인물이지.

### 영화

映 비칠 **영** + 畫 그림 **화**

뜻 움직이는 대상을 촬영한 뒤, 촬영한 필름에 담긴 내용을 화면에 크게 비추어서 보게 하는 예술.

예 영화를 보고 가장 인상 깊은 장면이 무엇인지 말해 본다.

글자는 같지만 뜻이 다른 낱말 **영화**

'영화'는 몸이 귀하게 되어 이름이 세상에 빛나는 것을 뜻하는 낱말로도 쓰여.

예 삼촌은 배우로 성공하여 평생 영화를 누리며 살았다.

### 예고편

豫 미리 **예** + 告 고할 **고** +
篇 책 **편**

뜻 영화나 텔레비전 프로그램 등의 내용을 미리 알리기 위해 그 내용의 일부를 뽑아 모은 것.

예 영화의 예고편을 보고 어떤 내용이 펼쳐질지 상상해 보면 영화를 더 재미있게 볼 수 있다.

관련 어휘 **예고**

'예고'는 어떤 일이 일어나기 전에 미리 알리는 것을 뜻해.

예 아버지께서 예고도 없이 일찍 오셨다.

## 대사
臺 무대 **대** + 詞 말 **사**
🖱 '대(臺)'의 대표 뜻은 '대'야.

뜻 연극이나 영화 등에서 배우가 하는 말.

예 영화에서 등장인물들이 한 말 중 가장 기억에 남는 **대사**를 떠올려 따라 해 본다.

## 대본
臺 무대 **대** + 本 책 **본**
🖱 '본(本)'의 대표 뜻은 '근본'이야.

뜻 연극이나 영화에서, 대사나 장면에 대한 설명 등을 적어 놓은 글.

예 역할극을 할 때에는 **대본**을 쓰고 그것을 보며 연습해야 한다.

영화의 대본은 '시나리오'이고, 연극의 대본은 '희곡'이야.

## 평
評 평할 **평**

뜻 좋고 나쁨, 잘하고 못함, 옳고 그름 등을 **평가하는 말**.

예 영화를 보고 짧은 감상 **평**을 써 본다.

**글자는 같지만 뜻이 다른 낱말** 평
'평'은 땅의 넓이를 나타낼 때 쓰이는 단위이기도 해.
예 우리 집은 24평이야.

## 꼭! 알아야 할 속담

왜 시금치와 버섯은 안 먹어? 몸에 좋은 거니까 먹어.
네.

똑바로 앉아서 숙제 해야지.
네.

텔레비전 그만 보고 책 좀 읽는 게 어때?
네.

쓴 약이 더 좋다고 했어. 다 널 위한 소리야.

**빈칸 채우기** '쓴 □이 더 좋다'는 비판이나 꾸지람이 당장에 듣기에는 좋지 않지만 잘 받아들이면 자신에게 이로움을 이르는 말입니다.

# 국어 교과서 어휘

다음 중 낱말의 뜻을 잘 알고 있는 것에 ☑ 하세요.

☐ 쑥스럽다  ☐ 당부  ☐ 안부  ☐ 낯설다  ☐ 훈훈하다  ☐ 위로

✏️ 낱말을 읽고, ▨ 부분에 밑줄을 그으면서 낱말 공부를 해 보세요.

## 쑥스럽다

뜻 행동이나 모습이 자연스럽지 못하거나 어울리지 않아 부끄럽다.

예 나와 다툰 친구에게 쑥스럽지만 용기 내어 사과했다.

비슷한말 부끄럽다
'부끄럽다'는 "쑥스럽거나 수줍다."라는 뜻이야.
예 나는 많은 사람들 앞에서 발표하는 것이 부끄럽다.

'쑥스럽다'를 '쑥쓰럽다'라고 쓰지 않도록 주의해!

## 당부

鐺 마땅할 당 + 付 부탁할 부
🖱 '부(付)'의 대표 뜻은 '주다'야.

이것만은 꼭!

뜻 말로 단단히 부탁함.

예 안창호 선생님은 아들에게 편지를 써서 좋은 사람이 되라고 당부하셨다.

비슷한말 부탁
'부탁'은 어떤 일을 해 달라고 하거나 맡기는 것을 뜻해.
예 책을 깨끗하게 봐 달라고 부탁했다.

'신신당부'라는 말이 있어. 계속해서 간절히 부탁한다는 뜻이야. "선생님께서는 지각을 하지 말라고 신신당부를 하셨다."와 같이 쓰여.

## 안부

安 편안할 안 + 否 아닐 부

뜻 어떤 사람이 편안하게 잘 지내는지에 대한 소식.

예 아들이 잘 지내는지 안부를 묻기 위해서 편지를 썼다.

잘 지내?
안부가 궁금해서 전화를 했구나!

## 낮설다

뜻 전에 보거나 듣거나 경험한 적이 없어 익숙하지가 않다.

예 이사 온 지 얼마 되지 않아 다니는 길이 낯설기만 하다.

반대말 낮익다

'낮익다'는 "전에 본 적이 있어 눈에 익거나 익숙하다."라는 뜻이야.
예 사진 속 풍경이 낯익다.

## 훈훈하다

薰 향초 훈 + 薰 향초 훈 +
하다

뜻 마음을 부드럽게 녹여 주는 따뜻함이 있다.

예 새로 이사 온 사람이 이웃에게 인사하는 내용을 담은 쪽지를 붙인 일로 모두의 마음이 훈훈해졌다.

비슷한말 따뜻하다

'따뜻하다'는 "마음, 태도, 분위기 등이 정답고 편안하다."라는 뜻이야.
예 힘든 이웃을 돕는 어머니의 따뜻한 정에 감동을 받았다.

## 위로

慰 위로할 위 + 勞 일할 로

뜻 따뜻한 말이나 행동 등으로 괴로움을 덜어 주거나 슬픔을 달래 줌.

예 몸이 아파서 학교에 나오지 못하는 친구에게 위로하는 마음을 전하기 위해 편지를 썼다.

## 꼭! 알아야 할 관용어

○표
하기

'눈을 ( 씻고 , 맞추고 ) 보다'는 정신을 바짝 차리고 집중해서 본다는 뜻입니다.

## 확인 문제

✎ 12~13쪽에서 공부한 낱말을 떠올리며 문제를 풀어 보세요.

**1** 뜻에 알맞은 낱말을 완성하세요.

(1) | ㄷ | ㅅ |  연극이나 영화 등에서 배우가 하는 말.

(2) | ㅈ | ㅅ | ㅇ | ㅁ |  이야기에서 일어나는 일의 중심이 되는 인물.

(3) | ㄷ | ㅂ |  연극이나 영화에서, 대사나 장면에 대한 설명 등을 적어 놓은 글.

(4) | ㅇ | ㄱ | ㅍ |  영화나 텔레비전 프로그램 등의 내용을 미리 알리기 위해 그 내용의 일부를 뽑아 모은 것.

**2** 빈칸에 공통으로 들어갈 낱말은 무엇인가요? (        )

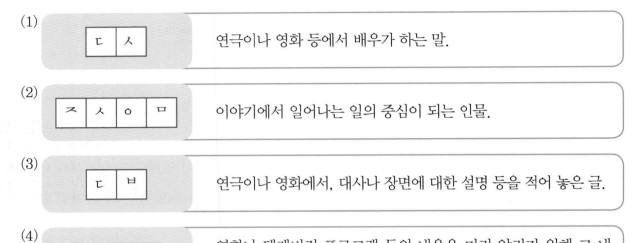

친구들은 영화를 보고 나서 재미있다는 [        ]을/를 했어.

할머니께서는 백 [        ](이)나 되는 논에서 혼자 농사를 지으셔.

① 말
② 평
③ 생각
④ 감상
⑤ 소개

**3** 밑줄 친 낱말의 쓰임이 알맞으면 ○표, 알맞지 <u>않으면</u> ✕표 하세요.

(1) 인상 깊은 <u>대사</u>를 떠올려 따라 해 보았다.

(        )

(2) 영화를 감상하고 이어질 내용을 <u>상상</u>해 보았다.

(        )

(3) <u>대본</u>을 읽으며 자신이 맡은 역할에 대해 생각해 본다.

(        )

(4) <u>예고편</u>에 따르면 오늘 밤 늦게부터 비가 내릴 것이라고 한다.

(        )

✏️ 14~15쪽에서 공부한 낱말을 떠올리며 문제를 풀어 보세요.

**4** 뜻에 알맞은 낱말을 빈칸에 쓰세요.

(1)
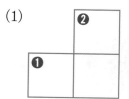

가로 열쇠 ❶ 어떤 사람이 편안하게 잘 지내는지에 대한 소식.
↓세로 열쇠 ❷ 말로 단단히 부탁함.

(2)
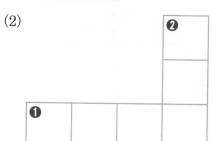

가로 열쇠 ❶ 마음을 부드럽게 녹여 주는 따뜻함이 있다.
↓세로 열쇠 ❷ 전에 보거나 듣거나 경험한 적이 없어 익숙하지가 않다.

**5** 뜻이 비슷한 낱말끼리 짝 짓지 <u>못한</u> 것에 ✕표 하세요.

(1) 당부 – 승부
(    )

(2) 쑥스럽다 – 부끄럽다
(    )

(3) 훈훈하다 – 따뜻하다
(    )

**6** 밑줄 친 낱말의 반대말은 무엇인가요? (        )

낯선 동네로 이사를 와서 어색하다.

① 모르는          ② 유명한          ③ 낯익은
④ 이상한          ⑤ 화려한

**7** (    ) 안에서 알맞은 낱말을 골라 ○표 하세요.

(1) 아버지는 책을 꾸준히 읽으라고 ( 당부 , 칭찬 )하셨다.

(2) 미국에 사시는 삼촌의 ( 안내 , 안부 )가 궁금해서 전화를 했다.

(3) 친구가 속상해하는 나를 ( 방해 , 위로 )해 주어서 마음이 풀렸다.

(4) 어머니의 따뜻한 말씀에 굳었던 마음이 ( 서늘하게 , 훈훈하게 ) 녹아내렸다.

1회

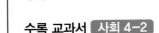

# 사회 교과서 어휘

**2회**

다음 중 낱말의 뜻을 잘 알고 있는 것에 ✓ 하세요.

☐ 농촌 ☐ 어촌 ☐ 산지촌 ☐ 촌락 ☐ 도시 ☐ 문화 시설

우리가 살고 있는 다양한 고장의 모습이야. 비슷해 보이는 곳도 있고, 전혀 달라 보이는 곳도 있네. 각 고장을 부르는 낱말을 공부해 보고, 각각의 특징도 알아볼까?

✏️ 낱말을 읽고, [    ] 부분에 밑줄을 그으면서 낱말 공부를 해 보세요.

## 농촌
農 농사 **농** + 村 마을 **촌**

뜻 논과 밭에서 곡식이나 채소를 기르는 일 등 농업을 하는 곳.

예 농촌에는 농사짓는 땅과 농사짓는 데 도움을 주는 시설들이 있다.

관련 어휘 **농업**
'농업'은 논이나 밭을 이용하여 인간 생활에 필요한 식물을 가꾸거나 동물을 기르는 일을 말해.

## 어촌
漁 고기 잡을 **어** + 村 마을 **촌**

뜻 물고기를 잡거나 기르고, 김과 미역을 기르는 일 등 어업을 하는 곳.

예 어촌 사람들은 날씨가 나쁘면 배를 타고 바다에 나갈 수 없으므로 날씨를 중요하게 생각한다.

관련 어휘 **어업**
'어업'은 바다에서 물고기를 잡거나 기르고, 김과 미역을 기르는 일 등을 말해.

## 산지촌
山 메 **산** + 地 땅 **지** +
村 마을 **촌**

뜻 산에서 나무를 베거나 산나물을 캐는 일 등 임업을 하는 곳.

예 **산지촌**에 살고 계신 삼촌은 산에서 나물을 캐고 버섯을 키우신다.

관련 어휘 **임업**

'임업'은 산에서 나무를 가꾸어 베거나 산나물을 캐는 일 등을 말해.

 **이것만은 꼭!**

## 촌락
村 마을 **촌** + 落 이룰 **락**
'락(落)'의 대표 뜻은 '떨어지다'야.

뜻 농촌, 어촌, 산지촌처럼 자연환경을 주로 이용하여 살아가는 지역.

예 **촌락**은 자연환경의 영향을 많이 받기 때문에 계절이나 날씨에 따라 생활 모습이 달라진다.

포함되는 말 **농촌, 어촌, 산지촌**

'농촌', '어촌', '산지촌'은 '촌락'에 포함되는 말이야.

## 도시
都 도읍 **도** + 市 시장 **시**

뜻 인구가 많이 모여 있고 사회, 정치, 경제 활동의 중심이 되는 곳.

예 많은 사람이 모여 사는 **도시**는 높은 건물이 많고, 버스나 지하철 같은 교통수단도 발달했다.

사람은 학교나 회사에 다니고, 선거에 참여하고, 물건을 사고파는 등 여러 가지 활동을 하며 살아. 이런 활동들을 사회, 정치, 경제 활동이라고 해.

## 문화 시설
文 글월 **문** + 化 될 **화** +
施 베풀 **시** + 設 베풀 **설**

뜻 문화를 누리고 발달시키는 데 필요한 시설.

예 도시에는 도서관, 미술관, 공연장 같은 **문화 시설**이 많다.

관련 어휘 **문화**

'문화'는 사람들이 오랜 시간을 함께 생활하면서 만들어지고 전해져 내려온 공통된 생활 방식을 말해.

이런 곳이 문화 시설이야.

# 사회 교과서 어휘

다음 중 낱말의 뜻을 잘 알고 있는 것에 ✓ 하세요.

☐ 고령화　☐ 편의 시설　☐ 귀촌　☐ 교류　☐ 직거래　☐ 제철

촌락과 도시는 각각의 문제점을 갖고 있어. 그런데 요즘에는 그림과 같은 좋은 변화도 일어나고 있다고 해. 이번 회에서는 촌락과 도시의 문제점과 해결하는 방법에 관련된 낱말을 공부해 보자.

✏️ 낱말을 읽고, 　　　 부분에 밑줄을 그으면서 낱말 공부를 해 보세요.

## 고령화

高 높을 **고** + 齡 나이 **령** + 化 될 **화**

**이것만은 꼭!**

뜻 전체 인구에서 노인의 비율이 높아지는 현상.

예 고령화 현상으로 촌락에 사는 노인의 인구는 조금씩 늘어나고 있지만, 어린이의 수는 크게 줄어들고 있다.

관련 어휘 **비율**

'비율'은 어떤 수나 양에 비해 얼마만큼이 되는지를 나타낸 것을 말해.
예 우리 반은 남학생에 비해 여학생의 비율이 낮다.

## 편의 시설

便 편할 **편** + 宜 마땅할 **의** + 施 베풀 **시** + 設 베풀 **설**

뜻 어떤 일을 하기 편하도록 좋은 환경을 갖춘 시설.

예 도시에는 은행, 병원, 편의점과 같은 편의 시설이 잘 갖추어져 있다.

'편의'는 어떤 일을 하기에 편하고 좋은 것을 뜻해.

## 귀촌

歸 돌아갈 **귀** + 村 마을 **촌**

뜻 도시에 살던 사람들이 촌락으로 사는 곳을 옮기는 것.

예 최근에는 귀촌을 하는 사람들이 많아지면서 도시에서 촌락으로 이사하는 사람들이 늘고 있다.

농사를 지으며 살려고 귀촌을 했어요.

1주차
2회

## 교류

交 사귈 **교** + 流 흐를 **류**

뜻 사람들이 오고 가거나 물건, 문화, 기술 등을 서로 주고받는 것.

예 도시에 사는 사람들과 촌락에 사는 사람들은 다양한 방법으로 교류를 하며 살아간다.

## 직거래

直 곧을 **직** + 去 갈 **거** + 來 올 **래**

뜻 물건을 팔 사람과 살 사람이 중간에서 연결해 주는 사람을 거치지 않고 직접 사고팖.

예 농산물 직거래 장터에서는 싱싱한 농산물을 싸게 살 수 있다.

농산물 직거래 장터 모습이야.

## 제철

뜻 알맞은 때.

예 도시 사람들은 평소 교류하는 촌락에서 제철 농산물을 얻기도 한다.

**글자는 같지만 뜻이 다른 낱말 제철**

'제철'은 철광석을 녹여서 쇠를 뽑아내는 일을 뜻하는 낱말로도 쓰여.

예 제철 과정에 대해 알고 싶어서 포항에 있는 제철소를 견학했다.

✏️ 18~19쪽에서 공부한 낱말을 떠올리며 문제를 풀어 보세요.

**1** 뜻에 알맞은 낱말을 빈칸에 쓰세요.

가로 열쇠
❶ 산에서 나무를 베거나 산나물을 캐는 일 등 임업을 하는 곳.
❹ 논과 밭에서 곡식이나 채소를 기르는 일 등 농업을 하는 곳.

세로 열쇠
❷ 농촌, 어촌, 산지촌처럼 자연환경을 주로 이용하여 살아가는 지역.
❸ 물고기를 잡거나 기르고, 김과 미역을 기르는 일 등 어업을 하는 곳.

**2** 빈칸에 공통으로 들어갈 낱말은 무엇인지 쓰세요.

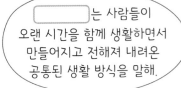 ☐☐는 사람들이 오랜 시간을 함께 생활하면서 만들어지고 전해져 내려온 공통된 생활 방식을 말해.

 도서관, 박물관, 영화관 같은 시설을 ☐☐ 시설이라고 해.

**3** 다음 중 다른 낱말을 모두 포함하는 말에 ◯표 하세요.

| 농촌 | 어촌 | 촌락 | 산지촌 |

**4** ( ) 안에서 알맞은 낱말을 골라 ◯표 하세요.

(1) ( 도시 , 촌락 )에는 회사나 공장이 있어서 일자리가 많다.

(2) 내가 살고 있는 곳은 울창한 숲에 둘러싸여 있어서 ( 농업 , 어업 , 임업 )이 발달하였다.

(3) 우리 고장에는 ( 교육 시설 , 문화 시설 )이 부족해서 공연을 보려면 이웃 도시까지 가야 한다.

✎ 20～21쪽에서 공부한 낱말을 떠올리며 문제를 풀어 보세요.

**5** 낱말의 뜻은 무엇인지 빈칸에 들어갈 알맞은 말을 완성하세요.

(1)
| 제철 | 알맞은 ㄸ . |

(2)
| 고령화 | 전체 인구에서 ㄴ ㅇ 의 비율이 높아지는 현상. |

(3)
| 귀촌 | 도시에 살던 사람들이 ㅊ ㄹ 으로 사는 곳을 옮기는 것. |

(4)
| 직거래 | 물건을 팔 사람과 살 사람이 중간에서 연결해 주는 사람을 거치지 않고 ㅈ ㅈ 사고팖. |

**6** ( ) 안에서 알맞은 낱말을 골라 ○표 하세요.

(1) 촌락에는 식당, 미용실, 수영장과 같은 ( 편리 , 편안 , 편의 ) 시설이 부족하다.

(2) 지역마다 나거나 만드는 물건, 기술, 문화 등이 다르기 때문에 ( 교대 , 교류 , 교육 )이/가 이루어진다.

**7** ( ) 안에 들어갈 알맞은 낱말을 보기 에서 찾아 쓰세요.

보기
| 귀촌 | 제철 | 직거래 | 고령화 |

(1) 촌락은 ( ) 현상으로 일할 사람이 부족하다.

(2) 진달래 마을 주민들은 현준이네 가족에게 ( )에만 먹을 수 있는 농산물을 보내 준다.

(3) 지역 사회에서는 ( )을/를 하려는 사람들이 촌락에서 잘 살 수 있도록 도와주고 있다.

(4) 농촌 봉사 활동에 참여한 도시 사람들은 농산물을 ( )할 수 있는 기회를 얻기도 한다.

# 수학 교과서 어휘

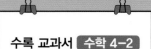

다음 중 낱말의 뜻을 잘 알고 있는 것에 ☑ 하세요.

☐ 나타내다  ☐ 미터  ☐ 리터  ☐ 가마니  ☐ 부족  ☐ 검산

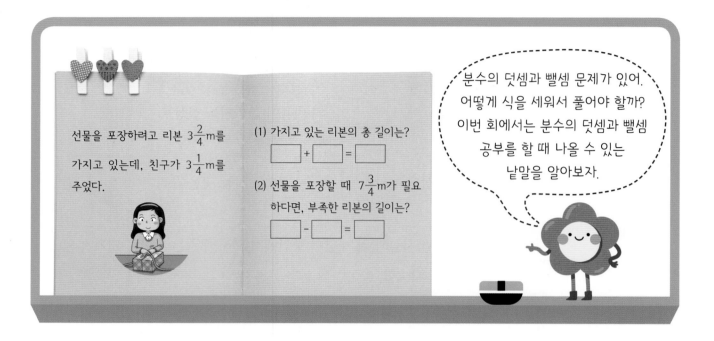

선물을 포장하려고 리본 $3\frac{2}{4}$m를 가지고 있는데, 친구가 $3\frac{1}{4}$m를 주었다.

(1) 가지고 있는 리본의 총 길이는?

☐ + ☐ = ☐

(2) 선물을 포장할 때 $7\frac{3}{4}$m가 필요하다면, 부족한 리본의 길이는?

☐ - ☐ = ☐

분수의 덧셈과 뺄셈 문제가 있어. 어떻게 식을 세워서 풀어야 할까? 이번 회에서는 분수의 덧셈과 뺄셈 공부를 할 때 나올 수 있는 낱말을 알아보자.

✏️ 낱말을 읽고, ▨ 부분에 밑줄을 그으면서 낱말 공부를 해 보세요.

## 나타내다

뜻 생각이나 느낌 등을 글, 그림, 음악 등으로 드러내다.

예 처음에 가지고 있던 리본의 길이를 그림에 나타내어 보세요.

비슷한말 표현하다

'표현하다'는 "느낌이나 생각 등을 말, 글, 몸짓 등으로 나타내어 겉으로 드러내다."라는 뜻이야. 예 행복한 마음을 그림으로 표현했다.

## 미터

이것만은 꼭!

뜻 길이의 단위. 1미터는 '1m'라고 씀.

예 사용하고 남은 리본이 2미터보다 긴지 짧은지 말해 보세요.

관련 어휘 센티미터, 킬로미터

'센티미터'와 '킬로미터'는 길이의 단위야. 1센티미터는 '1cm'라고 쓰고, 1킬로미터는 '1km'라고 써.

100센티미터 = 1미터     1000미터 = 1킬로미터

## 리터

뜻 주로 기체나 액체의 양을 재는 부피의 단위. 1리터는 '1L'라고 씀.

예 물 2리터 중 $\frac{3}{5}$리터만 남았다면, 마신 물의 양은 $1\frac{2}{5}$리터입니다.

'부피'는 물체가 차지하는 공간의 크기를 말해.

관련 어휘 **밀리리터**

'밀리리터'는 기체나 액체의 양을 재는 부피의 단위야. 1밀리리터는 '1mL'라고 써.

1000밀리리터 = 1리터

## 가마니

뜻 곡식이나 소금 등을 담기 위해 짚으로 만든 큰 주머니의 수를 세는 단위.

예 처음에 형이 가지고 있던 쌀은 모두 몇 가마니인가요?

## 부족

不 아닐 **부** + 足 넉넉할 **족**
 '족(足)'의 대표 뜻은 '발'이야.

뜻 모자라거나 넉넉하지 않음.

예 사과파이를 만들려면 사과 4개가 필요한데 수일이는 $3\frac{1}{4}$개를 가졌으므로 부족한 사과의 개수는 $\frac{3}{4}$개입니다.

'부족하다'와 '모자라다'는 뜻이 비슷해.

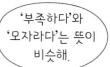

## 검산

檢 검사할 **검** + 算 셈 **산**

뜻 계산이 맞았는지 틀렸는지를 확인하기 위해 다시 하는 계산.

예 덧셈으로 검산하면 $2\frac{2}{4}+2\frac{3}{4}$은 $4\frac{1}{4}$이 아니라 $5\frac{1}{4}$이니까 그 계산은 잘못된 거야.

다음 중 낱말의 뜻을 잘 알고 있는 것에 ✓ 하세요.

☐ 이등변삼각형  ☐ 정삼각형  ☐ 예각삼각형  ☐ 둔각삼각형  ☐ 앞모양  ☐ 점

그림에서 삼각형을 찾아볼까? 세 변의 길이가 같은 것도 있고, 두 변의 길이만 같은 것도 있어. 각 삼각형마다 각도도 다 달라. 각각의 삼각형을 부르는 낱말을 확인해 보자.

✏️ 낱말을 읽고, ⬜ 부분에 밑줄을 그으면서 낱말 공부를 해 보세요.

**이것만은 꼭!**

## 이등변삼각형

二 두 **이** + 等 같을 **등** +
邊 가 **변** + 三 석 **삼** +
角 모 **각** + 形 모양 **형**
🖱 '각(角)'의 대표 뜻은 '뿔'이야.

뜻 두 변의 길이가 같은 삼각형.

예 **이등변삼각형**은 두 변의 길이와 두 각의 크기가 같다.

이건 이등변삼각형이야. 변 ㄱㄴ과 변 ㄱㄷ의 길이가 같아.

## 정삼각형

正 바를 **정** + 三 석 **삼** +
角 모 **각** + 形 모양 **형**

뜻 세 변의 길이가 같은 삼각형.

예 **정삼각형**은 세 변의 길이와 세 각의 크기가 같다.

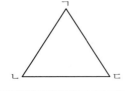

이건 정삼각형이야. 변 ㄱㄴ, 변 ㄱㄷ, 변 ㄴㄷ의 길이가 모두 같아.

## 예각삼각형

銳 날카로울 **예** + 角 모 **각** +
三 석 **삼** + 角 모 **각** +
形 모양 **형**

뜻 세 각이 모두 예각인 삼각형.

예 예각이 있다고 모두 예각삼각형인 것은 아니고, 세 각이 모두 90°보다 작은 지 확인해야 한다.

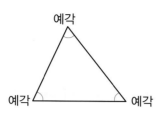

'예각'은 각도가 0°보다 크고 90°보다 작은 각을 말해.

---

## 둔각삼각형

鈍 둔할 **둔** + 角 모 **각** +
三 석 **삼** + 角 모 **각** +
形 모양 **형**

뜻 한 각이 둔각인 삼각형.

예 이 삼각형은 한 각이 105°이므로 둔각삼각형이다.

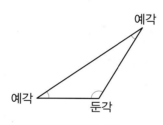

'둔각'은 각도가 90°보다 크고 180°보다 작은 각을 말해.

---

## 앞모양

앞 + 模 본뜰 **모** + 樣 모양 **양**

뜻 앞으로 드러난 모양.

예 천막의 앞모양이 이등변삼각형이 되면 밑에 있는 두 각의 크기가 같아 편 안하게 앉아 있을 수 있다.

반대말 **뒷모양**
'뒷모양'은 뒤로 드러난 모양을 뜻해.
예 거울에 내 뒷모양을 비춰 보았다.

---

## 점

點 점 **점**

뜻 수학에서, 위치만 있고 크기가 없는 가장 단순한 도형.

예 주어진 선분의 양 끝에 크기가 각각 30°인 각을 그리고, 두 각의 변이 만나 는 점을 찾아 삼각형을 완성해 보세요.

여러 가지 뜻을 가진 낱말 **점**
'점'은 사람의 피부나 동물의 털 등에 있는, 다른 색깔의 작은 얼룩을 뜻하기도 해.
예 나는 이마에 큰 점이 있다.

## 확인 문제

✏️ 24〜25쪽에서 공부한 낱말을 떠올리며 문제를 풀어 보세요.

**1** 뜻에 알맞은 낱말을 보기에서 찾아 쓰세요.

> 보기
>
> 검산       부족       가마니

(1) 모자라거나 넉넉하지 않음. (          )

(2) 계산이 맞았는지 틀렸는지를 확인하기 위해 다시 하는 계산. (        )

(3) 곡식이나 소금 등을 담기 위해 짚으로 만든 큰 주머니의 수를 세는 단위. (       )

**2** 빈칸에 공통으로 들어갈 낱말에 ○표 하세요.

(1)    ☐☐☐는 길이의 단위이다. 1☐☐☐는 '1m'라고 쓴다.

( 리터 , 미터 )

(2)    ☐☐☐는 주로 기체나 액체의 양을 재는 부피의 단위이다. 1☐☐☐는 '1L'라고 쓴다.

( 리터 , 미터 )

**3** 밑줄 친 낱말이 알맞게 쓰였는지 ○, ×를 따라가며 선을 긋고 몇 번으로 나오는지 쓰세요.

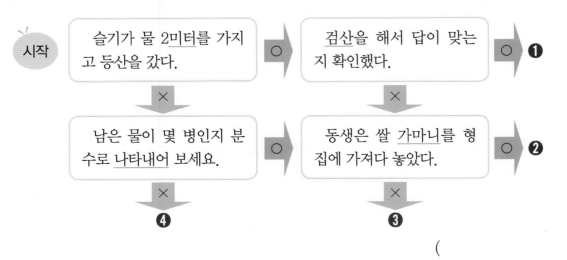

(        )

✏️ 26~27쪽에서 공부한 낱말을 떠올리며 문제를 풀어 보세요.

**4** 낱말과 그 뜻을 알맞게 선으로 이으세요.

(1) 정삼각형 •　　　　　　　　　• 한 각이 둔각인 삼각형.

(2) 예각삼각형 •　　　　　　　　　• 세 변의 길이가 같은 삼각형.

(3) 둔각삼각형 •　　　　　　　　　• 두 변의 길이가 같은 삼각형.

(4) 이등변삼각형 •　　　　　　　　• 세 각이 모두 예각인 삼각형.

**5** 빈칸에 들어갈 알맞은 낱말에 ○표 하세요.

(1)
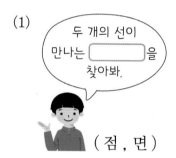
두 개의 선이 만나는 ☐을 찾아봐.

( 점 , 면 )

(2)

똑같은 길이의 나뭇가지 3개로 ☐을 만들었어.

( 정삼각형 , 둔각삼각형 )

**6** 빈칸에 들어갈 알맞은 낱말을 글자 카드로 만들어 쓰세요.

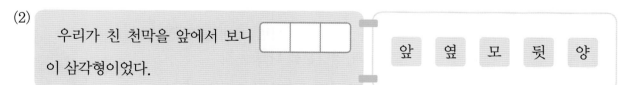

(1) 세 각의 각도가 각각 120°, 40°, 20°인 삼각형은 ☐☐ 삼각형이다.

둔　직　각　정　예

(2) 우리가 친 천막을 앞에서 보니 ☐☐☐ 이 삼각형이었다.

앞　옆　모　뒷　양

(3) 한 변의 길이가 4cm이고, 나머지 두 변의 길이가 각각 3cm인 삼각형은 ☐☐☐ 삼각형이다.

이　정　직　등　변

# 과학 교과서 어휘

다음 중 낱말의 뜻을 잘 알고 있는 것에 ✅ 하세요.

☐ 채집  ☐ 잎맥  ☐ 잎자루  ☐ 적응  ☐ 공기주머니  ☐ 가시

식물들이 여러 장소에서 다양한 모습으로 살고 있어. 사는 곳이 달라서 서로 다른 특징을 가지게 되었대. 식물의 생활과 관련된 낱말을 공부하고, 식물을 직접 채집해서 살펴볼까?

✏️ 낱말을 읽고,   부분에 밑줄을 그으면서 낱말 공부를 해 보세요.

## 채집
採 캘 **채** + 集 모을 **집**

뜻 널리 돌아다니며 얻거나 캐거나 잡아서 모음.

예 식물의 잎을 채집할 때에는 땅에 떨어진 잎을 줍는 것이 좋다.

 자연에서 나는 것을 베거나 캐거나 하여 얻는 것은 '채취'라고 해.

## 잎맥
잎 + 脈 줄기 **맥**

뜻 식물의 잎에서 선처럼 보이는 것으로, 물과 영양분을 나르는 길.

예 강아지풀의 잎은 긴 편이며, 잎맥은 그물처럼 되어 있지 않고 나란하다.

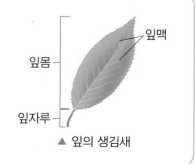

잎몸
잎맥
잎자루

▲ 잎의 생김새

## 잎자루

뜻 식물의 잎몸과 줄기 사이에 있는 부분으로, 잎을 줄기에 붙어 있게 함.

예 잎과 줄기를 연결하는 잎자루 부분을 잘라 채집한 뒤, 잎의 생김새를 관찰해 보자.

1주차

4회

## 이것만은 꼭!

## 적응
適 맞을 적 + 應 응할 응

뜻 생물이 오랜 기간에 걸쳐 주변 환경에 알맞게 변화되어 가는 것.

예 바오바브나무가 키가 크고 줄기가 굵어서 물을 많이 저장할 수 있는 것은 사막의 건조한 환경에 적응했기 때문이다.

'부적응'은 주변 환경에 알맞게 바뀌지 못한 것을 뜻해. '적응'에 '아님'의 뜻을 더하는 말인 '부'를 붙여 반대의 뜻을 나타낸 거지.

## 공기주머니
空 빌 공 + 氣 공기 기 + 주머니
'기(氣)'의 대표 뜻은 '기운'이야.

뜻 주로 물에 떠서 사는 식물의 잎자루에서 공기를 담고 있는 부분.

예 부레옥잠은 잎자루에 있는 공기주머니의 공기 때문에 물에 떠서 살 수 있다.

▲ 부레옥잠의 공기주머니

## 가시

뜻 식물의 줄기나 잎 또는 열매를 싸고 있는 것의 겉면에 바늘처럼 뾰족하게 돋아난 것.

예 선인장은 잎이 가시 모양이라 동물이 함부로 먹지 못한다.

선인장에는 바늘처럼 뾰족한 가시가 있어.

# 과학 교과서 어휘

다음 중 낱말의 뜻을 잘 알고 있는 것에 ☑ 하세요.

☐ 가열 ☐ 수증기 ☐ 증발 ☐ 끓음 ☐ 응결 ☐ 화상

감을 말리고 물을 끓이니까 물방울이 수증기가 되었어. 그리고 공기 중에 있던 수증기가 물방울이 되어 유리잔에 맺혔어. 물이 여러 가지 상태로 변한 거야. 물의 상태 변화에 관련된 낱말을 공부해 보자.

✏️ 낱말을 읽고, ▨▨▨ 부분에 밑줄을 그으면서 낱말 공부를 해 보세요.

## 가열
加 더할 가 + 熱 더울 열

뜻 어떤 물질에 뜨거운 열을 더함.

예 물을 계속 가열하면서 물이 끓을 때 나타나는 변화를 관찰해 봅시다.

여러 가지 뜻을 가진 낱말 가열

'가열'은 어떤 일에 대해 관심이 뜨겁게 모이는 것을 뜻하기도 해.

예 경기가 시작되자 응원 분위기가 가열되었다.

## 수증기
水 물 수 + 烝 김 오를 증 + 氣 기체 기
↱ '기(氣)'의 대표 뜻은 '기운'이야.

뜻 기체 상태로 되어 있는 물.

예 물은 고체인 얼음, 액체인 물, 기체인 수증기의 세 가지 상태로 있고, 서로 다른 상태로 변할 수 있다.

얼음(고체)

물(액체)

수증기(기체)

## 증발

蒸 김 오를 **증** + 發 떠날 **발**
🖐 '발(發)'의 대표 뜻은 '피다'야.

뜻 액체인 물이 표면에서 기체인 수증기로 변하는 현상.

예 젖은 머리카락이나 빨래가 마르는 것은 물이 증발하기 때문이다.

▲ 물의 증발을 이용한 예

## 끓음

뜻 액체인 물이 표면과 물속에서 기체인 수증기로 변하는 현상.

예 끓음은 물 표면과 물속에서 물이 수증기로 변하기 때문에 증발보다 물의 양이 빠르게 줄어든다.

▲ 물이 끓는 모습

## 응결

凝 엉길 **응** + 結 맺을 **결**

**이것만은 꼭!**

뜻 기체인 수증기가 액체인 물로 상태가 변하는 것.

예 냉장실에서 꺼낸 물병 표면에 맺힌 물방울은 공기 중의 수증기가 응결한 것이다.

물병에 맺힌 물방울 ▶

## 화상

火 불 **화** + 傷 다칠 **상**

뜻 불이나 뜨거운 것 등에 데어서 피부에 생긴 상처.

예 뜨거운 물이나 가열 중인 실험 기구에 화상을 입지 않도록 주의하세요.

**글자는 같지만 뜻이 다른 낱말 화상**
'화상'은 텔레비전의 화면에 나타나는 모양을 뜻하는 낱말로도 쓰여.
예 화상 통화를 하다.

## 확인 문제

✎ 30~31쪽에서 공부한 낱말을 떠올리며 문제를 풀어 보세요.

**1** 낱말의 뜻을 보기 에서 찾아 사다리를 타고 내려간 곳에 기호를 쓰세요.

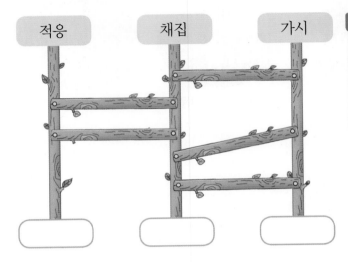

적응     채집     가시

보기
- ㉠ 널리 돌아다니며 얻거나 캐거나 잡아서 모음.
- ㉡ 생물이 오랜 기간에 걸쳐 주변 환경에 알맞게 변화되어 가는 것.
- ㉢ 식물의 줄기나 잎 또는 열매를 싸고 있는 것의 겉면에 바늘처럼 뾰족하게 돋아난 것.

**2** 친구들이 각각 설명하는 것은 무엇인지 보기 에서 찾아 쓰세요.

보기
잎맥     잎자루     공기주머니

예은: 이것은 식물의 잎에서 선처럼 보이는 것으로, 물과 영양분을 나르는 길이야.
소민: 이것은 주로 물에 떠서 사는 식물의 잎자루에서 공기를 담고 있는 부분이야.
준환: 이것은 식물의 잎몸과 줄기 사이에 있는 부분으로, 잎을 줄기에 붙어 있게 해.

(1) 예은: (       )     (2) 소민: (       )     (3) 준환: (       )

**3** ( ) 안에 들어갈 알맞은 낱말을 보기 에서 찾아 쓰세요.

보기
잎맥
적응
채집
가시
잎자루

(1) 선인장의 (       )에 찔리지 않도록 주의해야 한다.

(2) 식물의 (       )은/는 나란한 것과 그물 모양인 것이 있다.

(3) (       )한 식물의 잎을 관찰하여 모양에 따라 나누어 보았다.

(4) (       )에 연결된 잎이 하나인 것도 있고 여러 개인 것도 있다.

(5) 부레옥잠이 물에 떠서 사는 것은 물이 많은 환경에 (       )한 결과이다.

✏️ 32~33쪽에서 공부한 낱말을 떠올리며 문제를 풀어 보세요.

**4** 뜻에 알맞은 낱말을 글자판에서 찾아 묶으세요.(낱말은 가로(─), 세로(│), 대각선(╱╲) 방향에 숨어 있어요.)

| 가 | 화 | 상 | 수 |
|---|---|---|---|
| 상 | 열 | 처 | 증 |
| 끓 | 증 | 식 | 기 |
| 음 | 발 | 응 | 결 |

❶ 기체 상태로 되어 있는 물.
❷ 어떤 물질에 뜨거운 열을 더함.
❸ 기체인 수증기가 액체인 물로 상태가 변하는 것.
❹ 액체인 물이 표면에서 기체인 수증기로 변하는 현상.
❺ 액체인 물이 표면과 물속에서 기체인 수증기로 변하는 현상.

**5** 밑줄 친 낱말이 [보기]와 같은 뜻으로 쓰인 것에 ○표 하세요.

[보기]

뜨거운 것을 만질 때에는 화상을 입을 수 있기 때문에 장갑을 끼는 것이 좋다.

(1) 화상 부위가 빨갛게 달아올랐다. (          )

(2) 엄마는 회사에 가시지 않고 집에서 화상으로 회의를 하셨다. (          )

**6** 친구가 한 말과 관련 있는 현상에 ○표 하세요.

(1)

할머니께서 고추를 말리셨어.
( 증발 , 응결 )

(2)

추운 겨울날 유리창 안쪽에 물방울이 맺혔어.
( 증발 , 응결 )

**7** ( ) 안에서 알맞은 낱말을 골라 ○표 하세요.

(1) 우리는 음식을 만들거나 차를 마실 때 물을 ( 가열 , 가입 )한다.

(2) 물을 끓이면 물이 ( 산소 , 수증기 )로 변해 공기 중으로 흩어진다.

(3) 증발은 물 표면에서 천천히 일어나고, ( 끓음 , 그을음 )은 물 표면과 물속에서 빠르게 일어난다.

# 한자 어휘

## 子 (자)가 들어간 낱말

'子(자)'가 들어간 낱말을 읽고, ▨▨▨ 부분에 밑줄을 그으면서 낱말 공부를 해 보세요.

子

아들 자

'자(子)'는 어린아이가 두 팔을 벌리고 있는 모습을 본뜬 글자야. 처음에는 '아이'나 '자식'이라는 뜻으로 쓰였지만, 중국이 남자 중심 사회가 되면서 '남자아이'를 뜻하게 되었지. 이후에는 '자식'이나 '사람'과 같은 뜻으로 쓰이기도 했어.

부전子전
子녀
子손
여자

---

### 아들 子

#### 부전자전

父 아버지 부 + 傳 전할 전 + 子 아들 자 + 傳 전할 전

뜻 아버지의 겉모습, 성격, 버릇 등이 아들에게 그대로 전해짐.

예 부전자전이라더니, 오빠는 성격까지 아버지를 꼭 닮았다.

#### 자녀

子 아들 자 + 女 딸 녀
☞ '녀(女)'의 대표 뜻은 '여자'야.

뜻 아들과 딸을 아울러 이르는 말.

예 선생님의 두 자녀 중 첫째 딸은 축구를 잘하고 둘째 아들은 그림을 잘 그린다.

---

### 자식·사람 子

#### 자손

子 자식 자 + 孫 손자 손

뜻 자식과 손자.

예 옆집 할아버지의 자손은 열여덟 명으로 매우 많다.

관련 어휘 손자
'손자'는 아들의 아들이나 딸의 아들을 말해.

#### 여자

女 여자 여 + 子 사람 자

뜻 여성으로 태어난 사람.

예 나는 여자 친구도 많고 남자 친구도 많다.

반대말 남자
'남자'는 남성으로 태어난 사람을 말해.

# 短(단)이 들어간 낱말

✏️ '短(단)'이 들어간 낱말을 읽고, [        ] 부분에 밑줄을 그으면서 낱말 공부를 해 보세요.

短
짧을 단

'단(短)'은 화살을 던져 통에 넣는 투호 놀이에서 유래한 글자야. 화살을 던지는 거리가 활을 쏘는 거리보다 짧기 때문에 '짧다'라는 뜻을 갖게 되었어. '모자라다'라는 뜻으로 쓰이기도 해.

短거리
短기간
일장일短
短점

---

## 짧다 短

### 단거리

短 짧을 **단** + 距 떨어질 **거** + 離 떠날 **리**

뜻 짧은 거리.

예 나는 자전거 타는 것을 좋아하지만, 단거리는 그냥 걸어 다닌다.

### 단기간

短 짧을 **단** + 期 기간 **기** + 間 사이 **간**
👆 '기(期)'의 대표 뜻은 '기약하다'야.

뜻 짧은 기간.

예 잠을 자는 시간도 아껴 가며 열심히 공부해서 단기간에 성적을 올렸다.

---

## 모자라다 短

### 일장일단

一 하나 **일** + 長 나을 **장** + 一 하나 **일** + 短 모자랄 **단**
👆 '장(長)'의 대표 뜻은 '길다'야.

뜻 어떤 한 면에서의 장점과 다른 면에서의 단점.

예 친구들의 의견은 모두 일장일단을 가지고 있어서 어느 하나를 고르기가 힘들다.

### 단점

短 모자랄 **단** + 點 점 **점**

뜻 잘못되고 모자라는 점.

예 내 가방은 주머니가 많아 편리하고 예쁘지만, 무겁다는 단점이 있다.

비슷한말 **결점**
'결점'은 잘못되거나 부족하여 완전하지 못한 점을 말해.

✏️ 36쪽에서 공부한 낱말을 떠올리며 문제를 풀어 보세요.

**1** 뜻에 알맞은 낱말을 빈칸에 쓰세요.

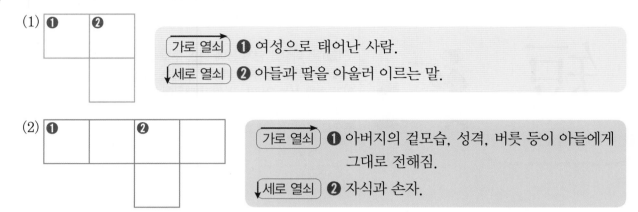

(1)

| ❶ | ❷ |
| --- | --- |
| | |

가로 열쇠 ❶ 여성으로 태어난 사람.

세로 열쇠 ❷ 아들과 딸을 아울러 이르는 말.

(2)

| ❶ | | ❷ |
| --- | --- | --- |
| | | |

가로 열쇠 ❶ 아버지의 겉모습, 성격, 버릇 등이 아들에게 그대로 전해짐.

세로 열쇠 ❷ 자식과 손자.

**2** 밑줄 친 낱말을 알맞게 사용한 친구에게 ○표 하세요.

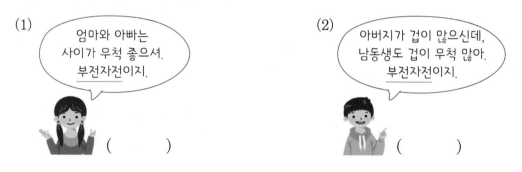

(1) 엄마와 아빠는 사이가 무척 좋으셔. 부전자전이지.

( )

(2) 아버지가 겁이 많으신데, 남동생도 겁이 무척 많아. 부전자전이지.

( )

**3** 밑줄 친 말과 바꾸어 쓸 수 있는 낱말에 ○표 하세요.

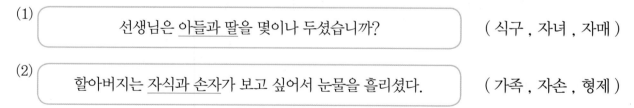

(1) 선생님은 아들과 딸을 몇이나 두셨습니까? ( 식구 , 자녀 , 자매 )

(2) 할아버지는 자식과 손자가 보고 싶어서 눈물을 흘리셨다. ( 가족 , 자손 , 형제 )

**4** ( ) 안에 들어갈 알맞은 낱말을 보기 에서 찾아 쓰세요.

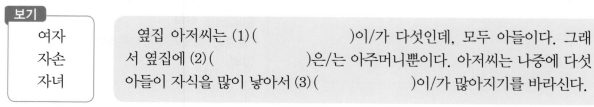

보기
여자
자손
자녀

옆집 아저씨는 (1)( )이/가 다섯인데, 모두 아들이다. 그래서 옆집에 (2)( )은/는 아주머니뿐이다. 아저씨는 나중에 다섯 아들이 자식을 많이 낳아서 (3)( )이/가 많아지기를 바라신다.

✏️ 37쪽에서 공부한 낱말을 떠올리며 문제를 풀어 보세요.

**5** 낱말의 뜻은 무엇인지 (   ) 안에서 알맞은 말을 골라 ○표 하세요.

(1) 단거리    ( 긴 , 짧은 ) 거리.

(2) 단기간    ( 짧은 , 모자란 ) 기간.

(3) 단점    잘못되고 ( 이상한 , 모자란 ) 점.

(4) 일장일단    어떤 한 면에서의 장점과 다른 면에서의 ( 단점 , 차이점 ).

**6** 밑줄 친 낱말과 뜻이 비슷한 낱말은 무엇인가요? (          )

나의 <u>단점</u>은 참을성이 부족하다는 것이다.

① 득점          ② 요점          ③ 결점
④ 장단점        ⑤ 공통점

**7** 보기의 글자를 사용하여 문장에 알맞은 낱말을 완성하세요.

보기

간   거   기   리   단   장

(1) 오래 걸릴 것 같았던 일을  단 [  ] [  ]  에 끝냈다.

(2) 우리 동네 슈퍼마켓은  단 [  ] [  ]  은/는 무료로 배달해 준다.

(3) 꼼꼼한 성격을 가진 사람은 일을 완벽하게 해내기는 하지만 시간이 너무 오래 걸리기 때문에
[ 일 ] [  ] [ 일 ] [  ] 이 있다.

1주차 1~5회에서 공부한 낱말을 떠올리며 문제를 풀어 보세요.

**낱말 뜻**

**1** 낱말의 뜻이 알맞지 <u>않은</u> 것은 무엇인가요? (          )

① 응결: 액체인 물이 기체인 수증기로 상태가 변하는 것.
② 귀촌: 도시에 살던 사람들이 촌락으로 사는 곳을 옮기는 것.
③ 검산: 계산이 맞았는지 틀렸는지를 확인하기 위해 다시 하는 계산.
④ 적응: 생물이 오랜 시간에 걸쳐 주변 환경에 알맞게 변화되어 가는 것.
⑤ 위로: 따뜻한 말이나 행동 등으로 괴로움을 덜어 주거나 슬픔을 달래 줌.

**낱말 뜻**

**2** (     ) 안에서 알맞은 낱말을 골라 ○표 하세요.

(1) ( 단기간 , 장기간 )은 짧은 기간을 말한다.
(2) ( 정삼각형 , 이등변삼각형 )은 세 변의 길이가 같은 삼각형을 말한다.
(3) ( 문화 시설 , 편의 시설 )은 어떤 일을 하기 편하도록 좋은 환경을 갖춘 시설을 말한다.
(4) ( 교류 , 안부 )는 사람들이 오고 가거나 물건, 문화, 기술 등을 서로 주고받는 것을 말한다.

**비슷한말**

**3** 밑줄 친 낱말과 뜻이 비슷한 낱말은 무엇인가요? (          )

동생은 자신의 마음을 편지로 <u>나타냈다</u>.

① 불렀다          ② 그렸다          ③ 비추었다
④ 이해했다        ⑤ 표현했다

**반대말**

**4** 뜻이 서로 반대되는 낱말끼리 짝 지은 것은 무엇인가요? (          )

① 대사 – 대본          ② 가열 – 부족          ③ 채집– 직거래
④ 낯설다 – 낯익다      ⑤ 훈훈하다 – 쑥스럽다

글자는 같지만 뜻이 다른 낱말

**5 ~ 6** 밑줄 친 낱말의 뜻으로 알맞은 것에 ◯표 하세요.

**5**

> 삼촌이 만든 영화는 사람들에게 좋은 <u>평</u>을 들었다.

(1) 땅의 넓이를 나타낼 때 쓰이는 단위. (　　　)

(2) 좋고 나쁨, 잘하고 못함, 옳고 그름 등을 평가하는 말. (　　　)

**6**

> <u>화상</u> 치료를 하고 있다.

(1) 텔레비전의 화면에 나타나는 모양. (　　　)

(2) 불이나 뜨거운 것 등에 데어서 피부에 생긴 상처. (　　　)

낱말 활용

**7 ~ 10** 빈칸에 들어갈 알맞은 낱말에 ◯표 하세요.

**7**

> 열심히 연습해서 100　　　를 15초에 뛸 수 있게 되었다.

( 리터 , 미터 )

**8**

> 벼의 　　　은/는 강아지풀처럼 나란히 되어 있다.

( 잎맥 , 잎자루 )

**9**

> 삼촌은 　　　에서 김과 미역을 기르는 일을 하신다.

( 농촌 , 어촌 , 산지촌 )

**10**

> 상품마다 　　　이 있으므로 어떤 것을 선택해도 상관없다.

( 부전자전 , 일장일단 )

# 2주차 어휘 미리 보기

한 주 동안 공부할 어휘들이야. 쓱 한번 훑어볼까?

## 1회 학습 계획일 ◯월 ◯일

### 국어 교과서 어휘

| | |
|---|---|
| 공손하다 | 사건 |
| 수고하다 | 배경 |
| 끼어들다 | 요소 |
| 줄임 말 | 표지 |
| 그림말 | 의롭다 |
| 표어 | 소심하다 |

## 2회 학습 계획일 ◯월 ◯일

### 사회 교과서 어휘

| | |
|---|---|
| 경제 활동 | 생산 |
| 희소성 | 소비 |
| 자원 | 운반 |
| 한정되다 | 판매 |
| 현명한 선택 | 소득 |
| 품질 | 목돈 |

## 3회 학습 계획일 ◯월 ◯일

### 수학 교과서 어휘

| | |
|---|---|
| 소수 두 자리 수 | 긋다 |
| 소수 세 자리 수 | 수직 |
| 거리 | 수선 |
| 지점 | 평행 |
| 앞서다 | 평행선 |
| 갈림길 | 삼각자 |

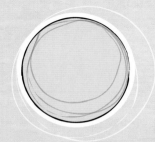

## 4회

학습 계획일 ◯월 ◯일

### 과학 교과서 어휘

| | |
|---|---|
| 그림자 연극 | 부딪치다 |
| 통과 | 빛의 반사 |
| 빛의 직진 | 조명 |
| 불투명 | 비치다 |
| 무색 | 상하 |
| 사방 | 좌우 |

## 5회

학습 계획일 ◯월 ◯일

### 한자 어휘

| | |
|---|---|
| 비몽사몽 | 고진감래 |
| 비공개 | 감탄고토 |
| 시비 | 고생 |
| 비정 | 노고 |

## 어휘력 테스트

3주차
어휘 학습으로
가 보자!

다음 중 낱말의 뜻을 잘 알고 있는 것에 ☑ 하세요.

☐ 공손하다  ☐ 수고하다  ☐ 끼어들다  ☐ 줄임 말  ☐ 그림말  ☐ 표어

✎ 낱말을 읽고, ▨ 부분에 밑줄을 그으면서 낱말 공부를 해 보세요.

## 이것만은 꼭!

### 공손하다
恭 공손할 **공** + 遜 겸손할 **손** + 하다

뜻 말이나 행동이 예의 바르고 자기를 낮추는 마음이 있다.

예 온라인 대화를 할 때에는 상대가 보이지 않아도 예의를 갖추어 **공손한** 말투를 사용해야 한다.

**반대말** 불손하다

'불손하다'는 "말이나 행동이 예의가 없거나 자기를 낮추는 마음이 없다."라는 뜻이야.

예 할머니께 **불손한** 태도로 말해서 아버지께 꾸중을 들었다.

### 수고하다

뜻 어떤 일을 하느라고 힘을 들이고 애를 쓰다.

예 우리 반을 위해 **수고하는** 회장에게 "고마워."라고 말했다.

**헷갈리는 말** 수고하셨어요

윗어른께 "수고하셨어요."라고 말하는 것은 예절에 어긋나. 그러니까 등굣길에 교통 봉사 활동을 하시는 어른을 뵈면 "수고하셨어요."가 아니라 "고맙습니다."라고 말하는 게 좋아.

고맙습니다.

### 끼어들다

뜻 다른 사람의 자리나 순서 등에 비집고 들어서다.

예 다른 사람이 발표할 때 중간에 **끼어들면** 안 된다.

**맞춤법** 끼어들다

'끼어들다'를 '끼여들다'라고 쓰지 않도록 주의해야 해.

차례를 지켜야지!
이렇게 끼어들면 안 돼.

## 줄임 말

뜻 주로 온라인 대화에서 낱말의 일부분을 줄여서 쓰는 말.

예 온라인 대화를 할 때 'ㅋㅋㅋ', 'ㄴㄴ'과 같은 줄임 말은 꼭 필요한 경우에만 알맞게 사용해야 한다.

## 그림말

뜻 컴퓨터나 휴대 전화의 문자와 기호, 숫자 등을 합쳐서 만든 그림 문자. 감정이나 느낌을 전달할 때 사용함.

예 😄, 🙂와 같은 그림말은 기분을 더 잘 표현해 줄 수도 있지만 너무 많이 사용하면 장난스러운 대화가 될 수도 있다.

## 표어

標 표할 표 + 語 말씀 어

뜻 전하고 싶은 의견 등을 간단하게 나타낸 짧은 말.

예 "함께 지킨 대화 예절 우리 모두 좋은 기분"이라는 표어를 만들었다.

▲ '표어'가 담긴 그림

## 꼭! 알아야 할 속담

빈칸 채우기

'아니 땐 굴뚝에 [    ] 날까'는 원인이 없으면 결과가 있을 수 없음을 이르는 말입니다.

# 국어 교과서 어휘

다음 중 낱말의 뜻을 잘 알고 있는 것에 ✅ 하세요.

☐ 사건 ☐ 배경 ☐ 요소 ☐ 표지 ☐ 의롭다 ☐ 소심하다

✏️ 낱말을 읽고, ▭ 부분에 밑줄을 그으면서 낱말 공부를 해 보세요.

---

## 사건

事 일 **사** + 件 사건 **건**
👆'건(件)'의 대표 뜻은 '물건'이야.

🔖 이야기에서 **일어나는 일**.

📋 버스에서 일어난 사건 때문에 주인공이 경찰서에 가게 되었다.

『견우와 직녀』의 한 장면이야. 이 장면에서 일어난 사건은 견우와 직녀가 까치와 까마귀 덕분에 만난 거지.

---

## 배경

背 뒤 **배** + 景 경치 **경**
👆'배(背)'의 대표 뜻은 '등'이야.

**이것만은 꼭!**

🔖 이야기가 **펼쳐지는 시간과 장소**.

📋 이야기의 배경은 옛날, 산속 빈집입니다.

관련 어휘 **시간적 배경, 공간적 배경**

'언제'에 해당하는 것은 '시간적 배경', '어디에서'에 해당하는 것은 '공간적 배경'이야.

『신데렐라』의 한 장면이야. 시간적 배경은 밤이고, 공간적 배경은 궁전 앞 계단이야.

---

## 요소

要 중요할 **요** + 素 본디 **소**

🔖 무엇을 이루는 데 **반드시 있어야 할 중요한 것**.

📋 인물, 사건, 배경은 이야기를 구성하는 데 꼭 필요한 요소이다.

인물
사건  이야기의 구성 요소  배경

인물, 사건, 배경은 이야기의 재료가 되지!

## 표지
表 겉 **표** + 紙 종이 **지**

🈂️ 책의 맨 앞과 뒤를 둘러싼 종이나 가죽.

📝 이야기책을 만들 때 책의 앞쪽 **표지**에는 등장인물을 크게 그리고 제목과 지은이를 쓴다.

## 의롭다
義 옳을 **의** + 롭다

🈂️ 바르고 옳다. 또는 곧고 떳떳하다.

📝 세찬이가 자신이 당한 일도 아닌데 민호한테 유라에게 사과하라고 말한 것을 보면 세찬이의 성격은 **의로운** 것 같다.

## 소심하다
小 작을 **소** + 心 마음 **심** + 하다

🈂️ 겁이 많아 용감하지 못하고 지나치게 조심스럽다.

📝 짝꿍에게 하고 싶은 말을 하지 못하는 것으로 보아, 지효는 **소심한** 성격이다.

**반대말** 대담하다
'대담하다'는 "행동이나 성격이 겁이 없고 용감하다."라는 뜻이야.
📝 이모는 아무리 무서운 놀이 기구라도 대담하게 도전했다.

## 꼭! 알아야 할 관용어

○표 하기 '마음이 ( 통하다 , 풀리다 )'는 서로 생각이 같아 이해가 잘된다는 뜻입니다.

## 확인 문제

✏️ 44~45쪽에서 공부한 낱말을 떠올리며 문제를 풀어 보세요.

**1** 뜻에 알맞은 낱말을 글자판에서 찾아 묶으세요. (낱말은 가로(一), 세로(Ⅰ), 대각선(╱╲) 방향에 숨어 있어요.)

| 공 | 손 | 하 | 다 | 준 |
|---|---|---|---|---|
| 대 | 표 | 그 | 림 | 말 |
| 어 | 수 | 고 | 하 | 다 |

❶ 어떤 일을 하느라고 힘을 들이고 애를 쓰다.
❷ 전하고 싶은 의견 등을 간단하게 나타낸 짧은 말.
❸ 말이나 행동이 예의 바르고 자기를 낮추는 마음이 있다.

**2** 친구가 말한 뜻을 가진 낱말은 무엇인지 빈칸에 알맞은 말을 쓰세요.

(1)

주로 온라인 대화에서 낱말의 일부분을 줄여서 쓰는 말이야.

☐☐ 말

(2)

컴퓨터나 휴대 전화의 문자와 기호, 숫자 등을 합쳐서 만든 그림 문자야.

☐☐ 말

**3** ( ) 안의 낱말 중 바른 것을 골라 ○표 하세요.

(1) 거리를 청소하시는 환경미화원 아저씨께는 "( 고맙습니다 , 수고하세요 )."라고 인사한다.

(2) 내가 이야기하는 도중에 미진이가 갑자기 ( 끼어들어 , 끼여들어 ) 할 말을 다 하지 못했다.

**4** ( ) 안에 들어갈 알맞은 낱말을 보기에서 찾아 쓰세요.

보기
표어
그림말
공손한
수고한

(1) 청소를 하느라 ( ) 친구들에게 음료수를 사 주었다.

(2) 웃어른께 말씀드릴 때에는 ( ) 태도로 말해야 한다.

(3) 온라인 대화를 할 때 받은 ( )의 표정이 재미있었다.

(4) 우리 반은 불조심 ( )을/를 만들어 학급 게시판에 붙였다.

✏️ 46~47쪽에서 공부한 낱말을 떠올리며 문제를 풀어 보세요.

**5** 뜻에 알맞은 낱말이 되도록 보기에서 글자를 찾아 쓰세요.

보기

| 수 | 표 |
| 광 | 요 |
| 면 | 사 |
| 배 | 원 |

(1) 이야기에서 일어나는 일. → ☐ 건

(2) 이야기가 펼쳐지는 시간과 장소. → ☐ 경

(3) 책의 맨 앞과 뒤를 둘러싼 종이나 가죽. → ☐ 지

(4) 무엇을 이루는 데 반드시 있어야 할 중요한 것. → ☐ 소

**6** 밑줄 친 말을 알맞게 사용했으면 ○표, 알맞게 사용하지 <u>못했으면</u> ✕표 하세요.

(1)

오늘 읽은 이야기의 <u>시간적 배경</u>은 도깨비가 사는 마을이야.

(　　　)

(2)

주인공은 소심한 성격이라서 사람들 앞에 나서는 것을 싫어했어.

(　　　)

**7** 빈칸에 들어갈 알맞은 낱말에 ○표 하세요.

(1) 새로 꾸밀 이야기의 구성 ☐☐을/를 정한다. （ 요소 , 요점 ）

(2) 인물의 성격이 바뀌면 ☐☐의 흐름도 바뀐다. （ 사건 , 사실 ）

(3) 꾸민 이야기를 책으로 만들 때 ☐☐는 친구들의 관심을 끌 수 있게 꾸민다. （ 편지 , 표지 ）

(4) 지민이는 ☐☐ 성격이라서 영만이에게 괴롭힘을 당하는 도운이 대신 영만이에게 맞섰다. （ 새로운 , 의로운 ）

# 사회 교과서 어휘

다음 중 낱말의 뜻을 잘 알고 있는 것에 ☑ 하세요.

☐ 경제 활동  ☐ 희소성  ☐ 자원  ☐ 한정되다  ☐ 현명한 선택  ☐ 품질

사람들이 무엇을 먹고, 무엇을 사고, 무엇을 타야 할지 고민하고 있어. 그냥 아무거나 선택하면 될 텐데 왜 고민을 할까? 관련 낱말을 공부해서 그 이유를 알아보자.

✏️ 낱말을 읽고,    부분에 밑줄을 그으면서 낱말 공부를 해 보세요.

## 경제 활동

經 지날 경 + 濟 건널 제 +
活 살 활 + 動 움직일 동

뜻 사람들이 생활하는 데 필요한 것들을 만들고 사용하는 것과 관련된 모든 활동.

예 사람들은 살아가는 데 필요하거나 원하는 것을 얻으려고 경제 활동을 한다.

▲ 경제 활동을 하는 모습

## 희소성

稀 드물 희 + 少 적을 소 +
性 성질 성
↪ '성(性)'의 대표 뜻은 '성품'이야.

**이것만은 꼭!**

뜻 사람들이 원하는 것은 많으나, 그것을 모두 가질 수 없는 상태.

예 경제 활동에서 선택의 문제가 일어나는 까닭은 희소성 때문이다.

관련 어휘  희소

'희소'는 매우 드물고 적음을 뜻하는 말이야.
예 그 물건은 희소 상품이라 구하기 힘들다.

2
주
차

2회

## 자원
資 재물 **자** + 源 근원 **원**

뜻 광물, 수산물 등과 같이 사람이 생활하거나 필요한 물건을 만드는 데 사용되는 원료.

예 각 지역마다 자연환경이 다르고 가지고 있는 **자원**이 다르다.

관련 어휘 **광물, 수산물**
'광물'은 금, 은, 철 등과 같이 자연에서 생기는 물질을 말해. '수산물'은 바다나 강 등의 물에서 나는 물고기, 조개, 미역 등의 생물을 말해.

## 한정되다
限 한계 **한** + 定 정할 **정** + 되다

뜻 어느 정도를 넘지 못하게 양이나 범위 등이 정해지다.

예 사람이 쓸 수 있는 돈이나 자원은 **한정되어** 있으므로 원하는 것을 모두 가질 수는 없다.

먹을 수 있는 사탕이 두 개로 한정되어 있으니까 한 개씩 먹자.

## 현명한 선택
賢 어질 **현** + 明 밝을 **명** + 한 + 選 가릴 **선** + 擇 가릴 **택**

뜻 경제 활동에서 선택을 해야 할 때 여러 가지를 고려해 돈과 자원을 낭비하지 않고 큰 만족감을 얻을 수 있도록 선택하는 것.

예 **현명한 선택**을 하면 자신에게 알맞은 물건을 골라 큰 만족감을 얻을 수 있다.

'현명하다'는 "마음이 너그럽고 지혜로우며 일의 옳고 그름을 잘 안다." 라는 뜻이야.

## 품질
品 물건 **품** + 質 바탕 **질**

뜻 물건의 성질과 바탕.

예 물건을 살 때에는 **품질**이 좋은지 꼼꼼히 따져 보아야 한다.

비슷한말 **질**
'질'은 어떤 물건의 바탕이 되는 성질을 뜻해.
예 물건의 질이 좋다.

# 사회 교과서 어휘

다음 중 낱말의 뜻을 잘 알고 있는 것에 ✅ 하세요.

☐ 생산　☐ 소비　☐ 운반　☐ 판매　☐ 소득　☐ 목돈

시장의 모습이야. 물건을 사고파는 사람, 다른 곳에서 가져온 물건을 차에서 내리는 사람, 물건을 배달하는 사람 등으로 시장이 북적이고 있어. 이번 회에서는 이와 관련된 낱말을 공부해 보자.

✏️ 낱말을 읽고, ▨▨▨ 부분에 밑줄을 그으면서 낱말 공부를 해 보세요.

## 생산
生 날 생 + 産 낳을 산

생산 활동

뜻 생활에 필요한 물건을 만들거나 생활을 편리하고 즐겁게 해 주는 활동.

예 빵집 주인이 빵을 만들거나 미용사가 머리를 잘라 주는 것은 생산 활동의 모습이다.

### 이것만은 꼭!

## 소비
消 사라질 소 + 費 쓸 비

뜻 생산한 것을 쓰는 것.

예 우리가 빵집에서 빵을 사 먹거나 미용실에서 머리 손질을 받는 것은 소비 활동의 모습이다.

2주차

2회

## 운반

運 운전할 운 + 搬 옮길 반

**뜻** 물건 등을 옮겨 나름.

**예** 시장에는 물건을 사고파는 사람, 다른 곳에서 운반해 온 물건을 차에서 내리는 사람 등 많은 사람이 바쁘게 움직이고 있다.

▲ 물건을 운반하는 모습

관련 어휘 **운송 수단**

'운송 수단'은 사람을 태워 보내거나 물건 등을 실어 보내는 수단을 말해. 물건을 운반할 때 운송 수단을 이용하지.

## 판매

販 팔 판 + 賣 팔 매

**뜻** 상품을 팖.

**예** 공장에서 만들어진 신발을 신발 가게나 홈 쇼핑 등을 통해 판매한다.

반대말 **구입**

'구입'은 물건 등을 사는 것을 뜻해.
**예** 서점에 가서 책을 구입했다.

▲ 신발을 판매하는 모습

## 소득

所 것 소 + 得 얻을 득
'소(所)'의 대표 뜻은 '바'야.

**뜻** 경제 활동의 대가로 얻는 돈.

**예** 대부분의 가정에서는 생산 활동으로 얻은 소득으로 생활한다.

비슷한말 **수입**

'수입'은 어떤 일을 하여 거두어들인 돈이나 물건을 말해.
**예** 부모님은 적은 수입으로도 알뜰하게 생활을 하셨다.

## 목돈

**뜻** 액수가 큰 돈.

**예** 소득의 일부를 꾸준히 저축하면 목돈을 만들 수 있다.

반대말 **푼돈**

'푼돈'은 많지 않은 돈을 말해.
**예** 푼돈이 생길 때마다 저금통에 넣었다.

✎ 50~51쪽에서 공부한 낱말을 떠올리며 문제를 풀어 보세요.

**1** 뜻에 알맞은 낱말을 보기에서 찾아 쓰세요.

> 보기
>
> 자원      품질      희소성

(1) 물건의 성질과 바탕. (                )

(2) 사람이 생활하거나 필요한 물건을 만드는 데 사용되는 원료. (                )

(3) 사람들이 원하는 것은 많으나, 그것을 모두 가질 수 없는 상태. (                )

**2** 다음 뜻을 가진 말은 무엇인지 빈칸에 알맞은 말을 쓰세요.

(1)
| 어느 정도를 넘지 못하게 양이나 범위 등이 정해지다. |

|   |   | 되 | 다 |
|---|---|---|---|

(2)
| 사람들이 생활하는 데 필요한 것들을 만들고 사용하는 것과 관련된 모든 활동. |

|   |   | 활 | 동 |
|---|---|---|---|

(3)
| 경제 활동에서 선택을 해야 할 때 여러 가지를 고려해 돈과 자원을 낭비하지 않고 큰 만족감을 얻을 수 있도록 선택하는 것. |

|   |   | 한 | 선 | 택 |
|---|---|---|---|---|

**3** 밑줄 친 낱말이 알맞게 쓰였는지 ○, ✕를 따라가며 선을 긋고 몇 번으로 나오는지 쓰세요.

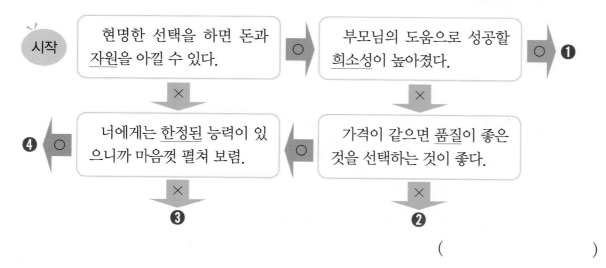

시작 → 현명한 선택을 하면 돈과 자원을 아낄 수 있다. →○ 부모님의 도움으로 성공할 희소성이 높아졌다. →○ ❶

✕ / ✕

❹ ○← 너에게는 한정된 능력이 있으니까 마음껏 펼쳐 보렴. ←○ 가격이 같으면 품질이 좋은 것을 선택하는 것이 좋다.

✕ / ✕

❸          ❷

(                )

📝 52~53쪽에서 공부한 낱말을 떠올리며 문제를 풀어 보세요.

**4** 뜻에 알맞은 낱말을 보기에서 찾아 사다리를 타고 내려간 곳에 쓰세요.

보기
목돈    소득    운반    판매

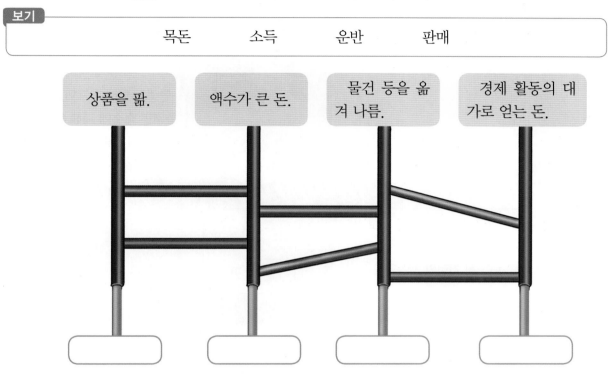

상품을 팖.  |  액수가 큰 돈.  |  물건 등을 옮겨 나름.  |  경제 활동의 대가로 얻는 돈.

**5** 낱말의 뜻은 무엇인지 ( ) 안에서 알맞은 말을 골라 ○표 하세요.

(1) **생산**
생활에 필요한 물건을 ( 만들거나 , 사용하거나 ) 생활을 편리하고 즐겁게 해 주는 활동.

(2) **소비**
생산한 것을 ( 쓰는 , 파는 ) 것.

**6** 밑줄 친 낱말의 쓰임이 알맞으면 ○표, 알맞지 <u>않으면</u> ✕표 하세요.

(1) <u>판매</u>가 잘되는 상품은 더 많이 만들어 낸다. (          )

(2) 물고기를 잡거나 벼농사를 짓는 것도 <u>소비</u> 활동이다. (          )

(3) 운송 수단을 이용해 공장에서 만든 물건을 시장이나 가게로 <u>운반</u>한다. (          )

(4) 가정의 <u>소득</u>은 한정되어 있으므로 가족이 사고 싶은 것을 다 살 수는 없다. (          )

# 2주차 3회 수학 교과서 어휘

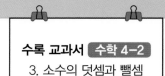

수록 교과서 수학 4-2

3. 소수의 덧셈과 뺄셈

다음 중 낱말의 뜻을 잘 알고 있는 것에 ☑ 하세요.

☐ 소수 두 자리 수  ☐ 소수 세 자리 수  ☐ 거리  ☐ 지점  ☐ 앞서다  ☐ 갈림길

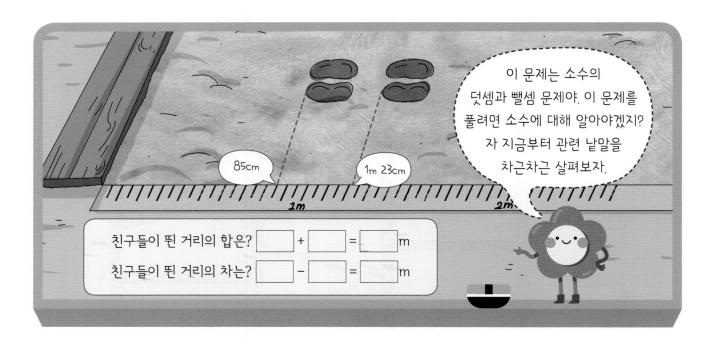

이 문제는 소수의 덧셈과 뺄셈 문제야. 이 문제를 풀려면 소수에 대해 알아야겠지? 자 지금부터 관련 낱말을 차근차근 살펴보자.

85cm

1m 23cm

친구들이 뛴 거리의 합은? ☐ + ☐ = ☐ m

친구들이 뛴 거리의 차는? ☐ − ☐ = ☐ m

✏️ 낱말을 읽고, ▭ 부분에 밑줄을 그으면서 낱말 공부를 해 보세요.

**이것만은 꼭!**

## 소수 두 자리 수

小 작을 소 + 數 셈 수 +
두 자리 + 數 셈 수

뜻 일의 자리보다 작은 자리의 값을 가진 소수 중에서 소수 둘째 자리까지 있는 수.

예 0.24는 소수 두 자리 수이다.

0.24

소수 첫째 자리 ←┘└→ 소수 둘째 자리

## 소수 세 자리 수

小 작을 소 + 數 셈 수 +
세 자리 + 數 셈 수

뜻 일의 자리보다 작은 자리의 값을 가진 소수 중에서 소수 셋째 자리까지 있는 수.

예 0.534는 소수 세 자리 수이다.

0.534

└→ 소수 셋째 자리

## 거리

距 떨어질 **거** + 離 떠날 **리**

**뜻** 두 개의 물건이나 장소 등이 서로 떨어져 있는 길이.

**예** 친구가 달린 **거리**는 100m로, km로 나타내면 0.1km이다.

**글자는 같지만 뜻이 다른 낱말** **거리**

'거리'는 사람이나 차들이 다니는 길을 뜻하는 낱말로도 쓰여.
**예** 거리에 사람이 별로 없다.

## 지점

地 땅 **지** + 點 점 **점**

**뜻** 어떤 지역 안의 특정한 곳.

**예** 슬기는 출발 **지점**에서부터 0.85km를 달렸다.

**글자는 같지만 뜻이 다른 낱말** **지점**

'지점'은 본래의 중심 가게에서 따로 갈라져 나온 가게를 뜻하는 낱말로도 쓰여.
**예** 식당 주인은 장사가 잘돼서 다른 동네에 지점을 냈다.

## 앞서다

**뜻** 앞에 서다.

**예** 달린 거리가 슬기는 0.57km, 도영이는 0.74km, 지혜는 0.92km이므로 앞서 달리고 있는 순서는 지혜, 도영, 슬기이다.

**반대말** **뒤떨어지다**

'뒤떨어지다'는 "어떤 것의 뒤에 떨어져 거리를 두다."라는 뜻이야.
**예** 나는 힘이 들어서 다른 사람보다 뒤떨어져서 걸었다.

뒤떨어지다　　　앞서다

## 갈림길

**뜻** 여러 갈래로 갈린 길.

**예** 미로 찾기를 하다가 **갈림길**이 나오면 더 큰 소수가 있는 길로 가야 한다.

갈림길이야. 어디로 가야 하지?

다음 중 낱말의 뜻을 잘 알고 있는 것에 ✓ 하세요.

☐ 긋다  ☐ 수직  ☐ 수선  ☐ 평행  ☐ 평행선  ☐ 삼각자

> 친구가 고궁을 관람하고 있어. 창살을 살펴보니 두 직선이 만나 직각을 이루기도 하고, 직선이 서로 만나지 않고 쭉 이어지기도 하네. 이와 관련 있는 낱말에는 무엇이 있을까?

✏️ 낱말을 읽고,　　　　부분에 밑줄을 그으면서 낱말 공부를 해 보세요.

## 긋다

뜻 금이나 줄을 그리다.

예 공책에 자를 대고 직선을 긋는다.

> 밑줄을 긋고 있다.
> 선을 그으려고 했다.

> '긋다'는 문장에서 '긋고', '긋는', '그어', '그으니'와 같이 형태가 바뀌어서 쓰여. 받침 'ㅅ'이 없어지기도 하는 거지.

## 수직

垂 드리울 수 + 直 곧을 직

뜻 두 직선이 만나서 직각을 이루는 상태.

예 다리를 쭉 펴고 앉아 몸을 직각으로 만들면 내 몸도 수직이 된다.

## 수선

垂 드리울 **수** + 線 선 **선**

뜻 두 직선이 서로 수직으로 만날 때, 한 직선을 다른 직선에 대해 부르는 말.

예 교실 앞 칠판의 가로는 세로에 대한 수선이다.

**글자는 같지만 뜻이 다른 낱말** 수선

'수선'은 오래되거나 고장 난 것을 다시 쓸 수 있게 고치는 것을 뜻하는 낱말로도 쓰여. 예 찢어진 운동화를 수선했다.

2주차

3회

## 평행

平 평평할 **평** + 行 다닐 **행**

**이것만은 꼭!**

뜻 한 직선에 수직인 두 직선을 그었을 때, 두 직선이 서로 만나지 않는 상태.

예 곧은 자를 공책에 대고 자의 위와 아래를 따라 선을 그으면 두 선은 평행하다.

## 평행선

平 평평할 **평** + 行 다닐 **행** + 線 선 **선**

뜻 평행한 두 직선.

예 평행선은 아무리 길게 이어 그려도 서로 만나지 않는다.

평행봉에 매달려 본 적 있지? 평행봉의 양쪽 두 봉은 평행해.

## 삼각자

三 석 **삼** + 角 모 **각** + 자
🔖 '각(角)'의 대표 뜻은 '뿔'이야.

뜻 삼각형으로 된 자.

예 삼각자를 사용하여 주어진 직선에 대한 수선을 그어 보세요.

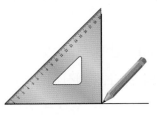

삼각자는 한쪽에 눈금이 있고 가운데에 구멍이 뚫려 있어.

✏️ 56~57쪽에서 공부한 낱말을 떠올리며 문제를 풀어 보세요.

**1** 낱말의 뜻은 무엇인지 빈칸에 들어갈 알맞은 말을 완성하세요.

(1)

| 앞서다 | ㅇ 에 서다. |

(2)

| 소수 두 자리 수 | 일의 자리보다 작은 자리의 값을 가진 소수 중에서 소수 ㄷ ㅉ 자리까지 있는 수. |

(3)

| 소수 세 자리 수 | 일의 자리보다 작은 자리의 값을 가진 소수 중에서 소수 ㅅ ㅉ 자리까지 있는 수. |

**2** 밑줄 친 낱말의 뜻을 보기 에서 찾아 기호를 쓰세요.

보기
　㉠ 사람이나 차들이 다니는 길.
　㉡ 두 개의 물건이나 장소 등이 서로 떨어져 있는 길이.

(1) 지진이 나자 사람들이 <u>거리</u>로 쏟아져 나왔다. (　　　)
(2) 주현이가 제자리멀리뛰기 대회에서 뛴 <u>거리</u>는 85cm이다. (　　　)

**3** 밑줄 친 낱말의 반대말에 ○표 하세요.

| 아버지께서 <u>앞서서</u> 걸으셨다. | 　　( 뒤돌아서 , 앞장서서 , 뒤떨어져서 ) |

**4** (　) 안에서 알맞은 낱말을 골라 ○표 하세요.

(1) 분수 $\frac{1}{100}$ 은 0.01로, 소수 ( 두 , 세 ) 자리 수이다.
(2) 슬기는 도착 ( 지형 , 지점 )을 0.43km 앞에 두고 있다.
(3) ( 앞당겨 , 앞서서 ) 달리는 선수와의 거리를 계산해 보자.
(4) 두 갈래의 ( 손길 , 갈림길 )에서 계산이 맞는 쪽으로 가면 된다.

🖉 58~59쪽에서 공부한 낱말을 떠올리며 문제를 풀어 보세요.

**5** 뜻에 알맞은 낱말을 빈칸에 쓰세요.

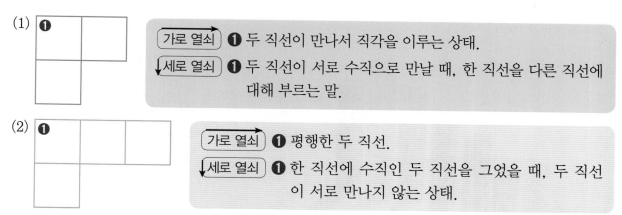

(1) ❶

[가로 열쇠] ❶ 두 직선이 만나서 직각을 이루는 상태.

[세로 열쇠] ❶ 두 직선이 서로 수직으로 만날 때, 한 직선을 다른 직선에 대해 부르는 말.

(2) ❶

[가로 열쇠] ❶ 평행한 두 직선.

[세로 열쇠] ❶ 한 직선에 수직인 두 직선을 그었을 때, 두 직선이 서로 만나지 않는 상태.

**6** 빈칸에 공통으로 들어갈 낱말에 ○표 하세요.

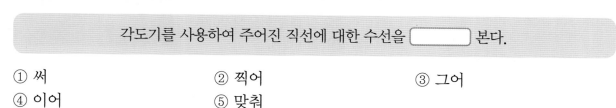

• 오래된 바지를 [          ]해서 입었다.
• 평행선의 한 직선에서 다른 직선에 [          ]을/를 긋는다.

( 수선 , 수리 , 직선 )

**7** 빈칸에 들어갈 낱말로 알맞은 것은 무엇인가요? (          )

각도기를 사용하여 주어진 직선에 대한 수선을 [          ] 본다.

① 써                    ② 찍어                    ③ 그어
④ 이어                  ⑤ 맞춰

**8** (    ) 안에 들어갈 알맞은 낱말을 보기에서 찾아 쓰세요.

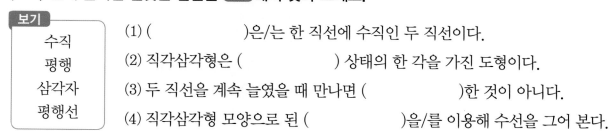

보기
수직
평행
삼각자
평행선

(1) (          )은/는 한 직선에 수직인 두 직선이다.
(2) 직각삼각형은 (          ) 상태의 한 각을 가진 도형이다.
(3) 두 직선을 계속 늘였을 때 만나면 (          )한 것이 아니다.
(4) 직각삼각형 모양으로 된 (          )을/를 이용해 수선을 그어 본다.

# 과학 교과서 어휘

다음 중 낱말의 뜻을 잘 알고 있는 것에 ✓ 하세요.

☐ 그림자 연극  ☐ 통과  ☐ 빛의 직진  ☐ 불투명  ☐ 무색  ☐ 사방

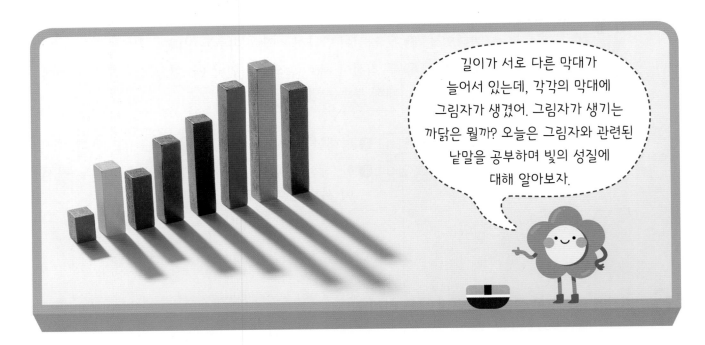

길이가 서로 다른 막대가 늘어서 있는데, 각각의 막대에 그림자가 생겼어. 그림자가 생기는 까닭은 뭘까? 오늘은 그림자와 관련된 낱말을 공부하며 빛의 성질에 대해 알아보자.

✏️ 낱말을 읽고, ⬜ 부분에 밑줄을 그으면서 낱말 공부를 해 보세요.

## 그림자 연극

그림자 + 演 펼 연 + 劇 연극 극
🖱️ '극(劇)'의 대표 뜻은 '심하다'야.

뜻 인형을 빛과 스크린 사이에서 움직여 스크린에 생긴 그림자를 이용해 꾸민 연극.

예 그림자 연극을 할 때 인형을 움직이면 그림자도 같이 움직인다.

## 통과

通 통할 통 + 過 지날 과

뜻 장애물이나 어려운 상황 등을 뚫고 지나감.

예 빛이 물체를 통과하는 정도에 따라 그림자의 진하기가 달라진다.

**여러 가지 뜻을 가진 낱말** 통과
'통과'는 시험, 심사, 검사에서 인정받거나 합격하는 것을 뜻하는 낱말로도 쓰여.
예 나는 열심히 공부해서 시험을 통과했다.

다음 중 낱말의 뜻을 잘 알고 있는 것에 ✓ 하세요.

☐ 부딪치다  ☐ 빛의 반사  ☐ 조명  ☐ 비치다  ☐ 상하  ☐ 좌우

자동차의 앞쪽 바깥에는 거울이 달려 있어. 엄마, 아빠는 운전할 때 그 거울을 통해 뒤에 오는 차를 확인해. 이렇게 할 수 있는 까닭은 무엇인지 관련 낱말을 통해 알아보자.

✏️ 낱말을 읽고,       부분에 밑줄을 그으면서 낱말 공부를 해 보세요.

## 부딪치다

뜻 매우 세게 마주 닿다.

예 손전등의 빛이 거울에 부딪치면 거울에서 빛의 방향이 바뀐다.

여러 가지 뜻을 가진 낱말 부딪치다

'부딪치다'는 "의견이나 생각이 달라 다른 사람과 맞서는 관계에 놓이다."라는 뜻도 가지고 있어.

예 요즘 나는 여러 가지 일로 동생과 자주 부딪친다.

## 빛의 반사

빛의 + 反 돌아올 반 + 射 쏠 사

이것만은 꼭!

뜻 빛이 나아가다가 거울에 부딪쳐서 빛의 방향이 바뀌는 성질.

예 거울은 빛의 반사를 이용해 물체의 모습을 비추는 도구이다.

## 조명

照 비출 **조** + 明 밝을 **명**

뜻 물체에 빛을 비추는 것.

예 물체에 비추는 조명의 방향을 바꾸면 물체의 모습이 다르게 보이기도 한다.

▲ 무대를 비추는 조명

## 비치다

뜻 어디에 모양이 나타나다.

예 거울에 비친 물체의 모습은 실제 물체와 비슷해 보이지만 다른 점도 있다.

여러 가지 뜻을 가진 낱말 **비치다**

'비치다'는 "빛이 나서 환하게 되다."라는 뜻도 가지고 있어.

예 달빛이 비치다.

## 상하

上 위 **상** + 下 아래 **하**

뜻 위와 아래.

예 물체를 거울에 비춰 보면 물체의 상하는 바뀌어 보이지 않는다.

 거울에 비친 고양이의 모습이야. 상하는 바뀌어 보이지 않아.

## 좌우

左 왼쪽 **좌** + 右 오른쪽 **우**

뜻 왼쪽과 오른쪽.

예 물체를 거울에 비춰 보면 물체의 좌우는 바뀌어 보인다.

여러 가지 뜻을 가진 낱말 **좌우**

'좌우'는 옆이나 주변을 뜻하기도 해.

예 좌우를 두리번거리다.

 '상하좌우'라는 낱말도 있어. 위와 아래, 왼쪽과 오른쪽을 아울러 이르는 말이야. "상하좌우로 움직이다."와 같이 쓰여.

✏️ 62~63쪽에서 공부한 낱말을 떠올리며 문제를 풀어 보세요.

**1** 낱말의 뜻을 보기에서 찾아 사다리를 타고 내려간 곳에 기호를 쓰세요.

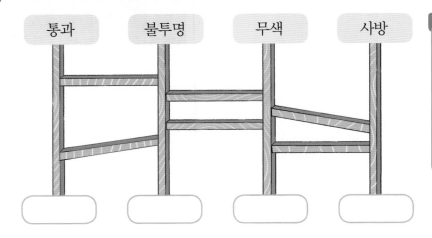

통과　　불투명　　무색　　사방

보기
㉠ 둘레의 모든 곳.
㉡ 아무런 빛깔이 없음.
㉢ 장애물이나 어려운 상황 등을 뚫고 지나감.
㉣ 물이나 유리 등이 맑지 않고 흐릿함.

**2** 빈칸에 들어갈 알맞은 낱말에 ○표 하세요.

(1) 물체의 모양과 물체 뒤쪽에 생긴 그림자의 모양이 비슷한 것은 곧게 나아가는 '빛의 [＿＿＿]' 때문이다. ( 통과 , 직진 )

(2) 빛이 나아가다 유리컵, 무색 비닐과 같이 [＿＿＿]한 물체를 만나면 빛이 대부분 통과해 연한 그림자가 생긴다. ( 투명 , 불투명 , 반투명 )

**3** ( ) 안에 들어갈 알맞은 낱말을 보기에서 찾아 쓰세요.

보기
사방
통과
불투명
그림자

(1) 종소리가 ( )(으)로 울려 퍼졌다.

(2) 빛의 일부만 ( )하는 물체를 반투명하다고 한다.

(3) 빛과 스크린 사이에 인형을 놓고 ( ) 연극을 꾸몄다.

(4) 도자기 컵처럼 물체 뒤에 있는 모습이 보이지 않는 것은 ( )한 물체이다.

정답과 해설 ▶ 29쪽

64～65쪽에서 공부한 낱말을 떠올리며 문제를 풀어 보세요.



## 4 뜻에 알맞은 말을 완성하세요.

(1) | ㅅ | ㅎ | 위와 아래.

(2) | ㅈ | ㅇ | 왼쪽과 오른쪽.

(3) | ㅈ | ㅁ | 물체에 빛을 비추는 것.

(4) | ㅂ | 딪 | ㅊ | ㄷ | 매우 세게 마주 닿다.

(5) | ㅂ | 의 | | ㅂ | ㅅ | 빛이 나아가다가 거울에 부딪쳐서 빛의 방향이 바뀌는 성질.

## 5 밑줄 친 낱말의 뜻을 찾아 알맞게 선으로 이으세요.

(1) '응'은 원래 모양과 거울에 비친 모양이 같은 글자이다. •　　　　• 빛이 나서 환하게 되다.

(2) 햇빛이 비치는 낮에는 물체 주변에 그림자가 생긴다. •　　　　• 어디에 모양이 나타나다.

## 6 (　　) 안에서 알맞은 낱말을 골라 ○표 하세요.

(1) 어두운 곳에서는 밝게 비추기 위한 ( 배경 , 조명 )이 필요하다.

(2) 구급차의 앞부분에는 119를 ( 상하 , 좌우 )를 바꾸어 ƐƖƖ로 써 놓았다.

(3) 빛이 나아가다가 거울에 ( 부딪치면 , 지나치면 ) 거울에서 방향이 바뀌어 나온다.

(4) 빛의 ( 반사 , 직진 ) 때문에 버스 운전기사가 뒤를 돌아보지 않더라도 거울로 버스 뒤쪽 문에 있는 승객을 볼 수 있다.

# 한자 어휘

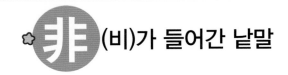

非(비)가 들어간 낱말

✏️ '非(비)'가 들어간 낱말을 읽고, ▨ 부분에 밑줄을 그으면서 낱말 공부를 해 보세요.

非

아닐 비

'비(非)'는 새의 양 날개를 본뜬 글자야. 그래서 처음에는 '날다'라는 뜻을 나타냈어. 하지만 이후에 새의 날개가 서로 엇갈려 있는 모습에서 '등지다', '아니다'라는 뜻으로 쓰였어. '그르다', '없다'라는 뜻을 나타낼 때도 있어.

 非몽사몽
 非공개
시非
非정

---

## 아니다 非

### ❀ 비몽사몽
非 아닐 비 + 夢 꿈 몽 + 似 같을 사 + 夢 꿈 몽

뜻 꿈인지 현실인지도 모를 만큼 정신이 흐릿한 상태.

예 잠에서 깬 지 얼마 되지 않아 비몽사몽이다.

### ❀ 비공개
非 아닐 비 + 公 공평할 공 + 開 열 개

뜻 어떤 사실이나 내용을 외부에 알리거나 보이지 않음.

예 비공개 자료는 아무나 함부로 볼 수 없다.

반대말 공개
'공개'는 어떤 내용이나 사물 등을 사람들에게 널리 알리는 것을 뜻해.

---

## 그르다·없다 非

### ❀ 시비
是 옳을 시 + 非 그를 비

뜻 옳은 것과 잘못된 것.

예 우리는 누가 잘못했는지 시비를 가리느라 한참 동안 목소리를 높여 말했다.

비슷한말 잘잘못
'잘잘못'은 잘함과 잘못함을 뜻해.

### ❀ 비정
非 없을 비 + 情 인정 정
☞ '정(情)'의 대표 뜻은 '뜻'이야.

뜻 사람에게서 느껴지는 따뜻한 마음이 없이 차갑고 쌀쌀함.

예 사람들은 부모를 버린 비정의 자식을 욕했다.

---

# 苦 (고)가 들어간 낱말

✏️ '苦(고)'가 들어간 낱말을 읽고, ▨▨▨ 부분에 밑줄을 그으면서 낱말 공부를 해 보세요.

## 苦
쓸 고

'고(苦)'는 풀을 먹는 모습에서 나온 글자야. 풀이 매우 쓰니까 '쓰다'라는 뜻을 나타내. 또 풀이 써서 괴로우니까 '괴롭다'라는 뜻을 나타내기도 해. '애쓰다'라는 뜻으로 쓰일 때도 있어.

苦진감래
감탄苦토
苦생
노苦

---

### 쓰다
苦

#### 고진감래
苦 쓸 고 + 盡 다할 진 + 甘 달 감 + 來 올 래

🟦 쓴 것이 다하면 단 것이 온다는 뜻으로, 고생 끝에 즐거움이 옴을 이르는 말.

예 두 번의 실패 끝에 성공을 해서 고진감래의 기쁨을 누렸다.

#### 감탄고토
甘 달 감 + 呑 삼킬 탄 + 苦 쓸 고 + 吐 토할 토

🟦 달면 삼키고 쓰면 뱉는다는 뜻으로, 자신의 싫거나 좋은 마음에 따라서 일의 옳고 그름을 판단함을 이르는 말.

예 감탄고토라더니, 자기에게 유리할 때만 내 말이 옳다고 하네!

---

### 괴롭다·애쓰다
苦

#### 고생
苦 괴로울 고 + 生 살 생
👉 '생(生)'의 대표 뜻은 '나다'야.

🟦 괴롭거나 어렵고 힘든 생활.

예 아버지는 어린 시절 가난으로 고생을 하셨지만 지금은 큰 회사를 운영하신다.

속담 **고생 끝에 낙이 온다**
어려운 일이나 고된 일을 겪은 뒤에는 반드시 즐겁고 좋은 일이 생긴다는 말이야.

#### 노고
勞 일할 노 + 苦 애쓸 고

🟦 힘들여 수고하고 애씀.

예 선생님의 노고에 감사하는 마음으로 작은 선물을 준비했다.

## 확인 문제

✎ 68쪽에서 공부한 낱말을 떠올리며 문제를 풀어 보세요.

**1** 뜻에 알맞은 낱말이 되도록 보기 에서 글자를 찾아 쓰세요.

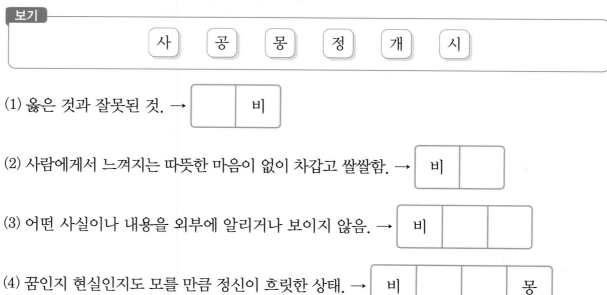

보기

| 사 | 공 | 몽 | 정 | 개 | 시 |

(1) 옳은 것과 잘못된 것. → ☐ 비

(2) 사람에게서 느껴지는 따뜻한 마음이 없이 차갑고 쌀쌀함. → 비 ☐

(3) 어떤 사실이나 내용을 외부에 알리거나 보이지 않음. → 비 ☐ ☐

(4) 꿈인지 현실인지도 모를 만큼 정신이 흐릿한 상태. → 비 ☐ ☐ 몽

**2** 밑줄 친 낱말과 뜻이 비슷한 낱말은 무엇인가요? (          )

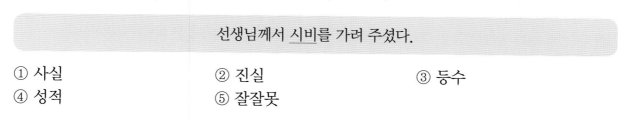

선생님께서 <u>시비</u>를 가려 주셨다.

① 사실          ② 진실          ③ 등수
④ 성적          ⑤ 잘잘못

**3** (     ) 안에 들어갈 알맞은 낱말을 보기 에서 찾아 쓰세요.

보기

| 공개 | 비정 | 시비 | 비몽사몽 |

(1) 알려지면 안 되는 내용이라서 회의를 (          )하지 않았다.

(2) 국가는 법을 통해 사람 사이의 (          )을/를 가려 주는 역할을 한다.

(3) 전날 숙제를 하느라 잠을 조금밖에 자지 못해서 (          )(으)로 학교에 갔다.

(4) 삼촌이 형편이 어려운 친척을 모른 척하는 (          )한 사람인 것 같아서 실망했다.

✎ 69쪽에서 공부한 낱말을 떠올리며 문제를 풀어 보세요.

**4** 낱말의 뜻이 알맞지 <u>않은</u> 것에 ✕표 하세요.

(1) 노고: 힘들여 수고하고 애씀. (          )

(2) 고생: 괴롭거나 어렵고 힘든 생활. (          )

(3) 고진감래: 쓴 것이 다하면 더 쓴 것이 온다는 뜻으로, 고생 끝에 또다시 고생이 옴을 이르는 말. (          )

(4) 감탄고토: 달면 삼키고 쓰면 뱉는다는 뜻으로, 자신의 싫거나 좋은 마음에 따라서 일의 옳고 그름을 판단함을 이르는 말. (          )

**5** 밑줄 친 말을 알맞게 사용한 것의 기호를 쓰세요.

(1)
㉠ <u>고생 끝에 낙이 온다</u>더니 이제는 좋은 일만 가득하구나.
㉡ <u>고생 끝에 낙이 온다</u>고 했어. 안 좋은 습관은 빨리 고쳐야 해.
(          )

(2)
㉠ 살도 빠지고 건강도 좋아져서 <u>감탄고토</u>이다.
㉡ <u>감탄고토</u>라더니, 친구는 나에게 어려운 부탁을 할 때에는 친한 척을 하면서 내가 부탁을 하면 모른 체한다.
(          )

**6** 빈칸에 들어갈 알맞은 낱말을 글자 카드로 만들어 쓰세요.

(1) 우리 가족은 등산을 하다 길을 잃어서 밤새 무척 [  ][  ]을 했다.

| 노 | 고 | 통 | 도 | 생 |

(2) 선생님의 [  ][  ]에 보답하기 위해서 열심히 공부하겠습니다.

| 노 | 성 | 고 | 진 | 난 |

(3) 우리는 [  ][  ][  ][  ]라는 말을 떠올리며 열심히 훈련했다.

| 고 | 난 | 진 | 래 | 감 |

✎ 2주차 1~5회에서 공부한 낱말을 떠올리며 문제를 풀어 보세요.

낱말 뜻

**1** 낱말의 뜻이 알맞은 것은 무엇인가요? (          )

① 배경: 이야기에서 일어나는 일.
② 노고: 괴롭거나 어렵고 힘든 생활.
③ 빛의 반사: 빛이 나아가다가 거울에 부딪쳐서 멈추는 성질.
④ 희소성: 사람들이 원하는 것은 많으나, 그것을 모두 가질 수 없는 상태.
⑤ 소비: 생활에 필요한 물건을 만들거나 생활을 편리하고 즐겁게 해 주는 활동.

낱말 뜻

**2** (     ) 안에서 알맞은 말을 골라 ◯표 하세요.

(1) '목돈'은 액수가 ( 큰 , 작은 ) 돈을 말한다.
(2) '빛의 직진'은 빛이 ( 곧게 , 휘어져 ) 나아가는 성질을 말한다.
(3) '수직'은 두 직선이 만나서 ( 예각 , 직각 )을 이루는 상태를 말한다.
(4) '평행'은 한 직선에 수직인 두 직선을 그었을 때, 두 직선이 ( 만나는 , 만나지 않는 ) 상태를 말한다.

반대말

**3 ~ 4** 서로 반대되는 낱말의 뜻을 보고, 빈칸에 알맞은 말을 쓰세요.

**3**

| 공 | 개 |
| --- | --- |

어떤 내용이나 사물 등을 사람들에게 널리 알리는 것.

⬌

| | 공 | 개 |
| --- | --- | --- |

어떤 사실이나 내용을 외부에 알리거나 보이지 않음.

**4**

| 투 | 명 |
| --- | --- |

물이나 유리 등이 맑음.

⬌

| | 투 | 명 |
| --- | --- | --- |

물이나 유리 등이 맑지 않고 흐릿함.

비슷한말

**5** 뜻이 비슷한 낱말끼리 짝 짓지 <u>못한</u> 것에 ✕표 하세요.

(1) | 품질 – 요소 |
( )

(2) | 소득 – 수입 |
( )

(3) | 사방 – 여기저기 |
( )

여러 가지 뜻을 가진 낱말

**6** 밑줄 친 낱말이 <u>다른</u> 뜻으로 쓰인 하나를 찾아 ◯표 하세요.

(1) 거울에 <u>비친</u> 내 모습이 오늘따라 예뻐 보였다. ( )

(2) 동생은 강물에 <u>비친</u> 자기 얼굴을 보고 있었다. ( )

(3) 햇빛이 <u>비치는</u> 곳에서 자란 표고버섯은 색깔이 하얗다. ( )

낱말 활용

**7 ~ 10** ( ) 안에 들어갈 알맞은 낱말을 보기 에서 찾아 쓰세요.

보기
| 소심해서 | 의로워서 | 끼어들어서 | 한정되어서 |

**7** 나는 ( ) 친구에게 부탁을 해 본 적이 없다.

**8** 시간이 ( ) 일을 모두 끝낼 수 없을 것 같다.

**9** 옆 차가 우리 차 앞으로 갑자기 ( ) 사고가 날 뻔했다.

**10** 동생은 평소 ( ) 나쁜 행동을 하는 사람을 보면 참지 못한다.

# 3주차

## 어휘 미리 보기

한 주 동안 공부할 어휘들이야. 쓱 한번 훑어볼까?

**1회** 학습 계획일 ◯월 ◯일

### 국어 교과서 어휘

| | |
|---|---|
| 어찌하다 | 전기문 |
| 어떠하다 | 가치관 |
| 의견을 제시하는 글 | 본받다 |
| 판결 | 시대 상황 |
| 구분 | 역사적 |
| 다문화 | 발자취 |

**2회** 학습 계획일 ◯월 ◯일

### 사회 교과서 어휘

| | |
|---|---|
| 경제적 교류 | 저출산 |
| 대중 매체 | 요양원 |
| 원산지 | 출생아 |
| 품질 인증 표시 | 우대 |
| QR 코드 | 다자녀 |
| 특산물 | 감소 |

**3회** 학습 계획일 ◯월 ◯일

### 수학 교과서 어휘

| | |
|---|---|
| 평행선 사이의 거리 | 마주 보다 |
| 쌍 | 평행사변형 |
| 사다리꼴 | 마름모 |
| 고정 | 이웃하다 |
| 기둥 | 덮다 |
| 잇다 | 펼치다 |

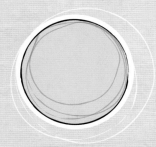

**4회** 학습 계획일 ◯월 ◯일

### 과학 교과서 어휘

| | |
|---|---|
| 마그마 | 화성암 |
| 화산 | 현무암 |
| 분화구 | 화강암 |
| 용암 | 지진 |
| 화산재 | 재난 |
| 화산 분출물 | 지열 발전 |

**5회** 학습 계획일 ◯월 ◯일

### 한자 어휘

| | |
|---|---|
| 유구무언 | 막상막하 |
| 유해 | 하체 |
| 소유 | 하선 |
| 공유 | 승하차 |

**어휘력 테스트**

4주차 어휘 학습으로 가 보자!

# 국어 교과서 어휘

수록 교과서 국어 4-2 ④

5. 의견이 드러나게 글을 써요

다음 중 낱말의 뜻을 잘 알고 있는 것에 ✓ 하세요.

☐ 어찌하다  ☐ 어떠하다  ☐ 의견을 제시하는 글  ☐ 판결  ☐ 구분  ☐ 다문화

✏️ 낱말을 읽고, ⬜ 부분에 밑줄을 그으면서 낱말 공부를 해 보세요.

## 어찌하다

🔵 뜻 '누가/무엇이+어찌하다'의 짜임에서 움직임을 나타내는 말.

🔵 예 "늙은 농부의 세 아들은 밭으로 달려갔다."에서 '달려갔다'는 '어찌하다'에 해당한다.

움직임을 나타내는 말

타다          씻다          읽다

## 어떠하다

🔵 뜻 '누가/무엇이+어떠하다'의 짜임에서 성질이나 상태를 나타내는 말.

🔵 예 "우리 할아버지와 할머니는 친절하시다."에서 '친절하시다'는 '어떠하다'에 해당한다.

성질이나 상태를 나타내는 말

슬프다          맛있다          춥다

## 의견을 제시하는 글

意 뜻 의 + 見 볼 견 + 을 + 提 끌 제 + 示 보일 시 + 하는 글

**이것만은 꼭!**

🔵 뜻 어떤 문제 상황에 대한 자신의 의견을 뒷받침하는 까닭과 함께 쓴 글.

🔵 예 의견을 제시하는 글을 쓸 때에는 읽는 사람이 들어줄 수 있는 의견인지 생각해 봐야 한다.

'제시'는 무엇을 하고자 하는 생각을 말이나 글로 나타내 보이는 것을 뜻해.

## 판결
判 판단할 **판** + 決 결정할 **결**

뜻 옳고 그름이나 좋고 나쁨을 가려서 결정함.

예 네 사람은 아무리 싸워도 해결할 수 없자, 사또를 찾아가 판결해 달라고 부탁했다.

## 구분
區 구분할 **구** + 分 나눌 **분**

뜻 어떤 기준에 따라 전체를 몇 개의 부분으로 나눔.

예 문장에서 '누가/무엇이'와 '무엇이다/어찌하다/어떠하다'의 구분이 잘 드러나게 글을 써야 한다.

## 다문화
多 많을 **다** + 文 글월 **문** +
化 될 **화**

뜻 한 사회 안에 여러 나라의 문화가 섞여 있는 것.

예 우리나라도 우리나라에 살고 있는 외국인의 수가 점점 늘어나 다문화 사회가 되고 있다.

뜻을 더해 주는 말 **다-**

'다-'는 '여러' 또는 '많은'의 뜻을 더해 주는 말이야. 예 다용도, 다방면

'다용도'는 여러 가지 쓰임을, '다방면'은 여러 분야를 뜻하는 낱말이야.

## 꼭! 알아야 할 속담

우아, 나도 날고 싶다.

푸드덕

그만해. 닭이 어떻게 나니?

푸드덕

왜 못 해! 나도 날 수 있어!

오르지 못할 나무는 쳐다보지도 말라고 했어.

헥

헥

빈칸 채우기

'오르지 못할 [     ]는 쳐다보지도 마라'는 자기의 능력 밖의 불가능한 일에 대해서는 처음부터 욕심을 내지 않는 것이 좋다는 말입니다.

다음 중 낱말의 뜻을 잘 알고 있는 것에 ☑ 하세요.

☐ 전기문　☐ 가치관　☐ 본받다　☐ 시대 상황　☐ 역사적　☐ 발자취

✏️ 낱말을 읽고, ▢ 부분에 밑줄을 그으면서 낱말 공부를 해 보세요.

## 전기문

傳 전할 **전** + 記 기록할 **기** + 文 글월 **문**

뜻 인물의 삶을 사실대로 쓴 글.

예 책에서 본 인물이 한 일을 알고 싶어서 그 인물의 전기문을 찾아 읽었다.

비슷한말 **전기**

'전기'는 한 사람이 태어나서 죽을 때까지의 일을 쓴 글을 말해.

> 뭐 읽고 있어?

> 신사임당 전기문을 읽고 있어요.

## 가치관

價 값 **가** + 値 값 **치** + 觀 생각 **관**

🖱 '관(觀)'의 대표 뜻은 '보다'야.

**이것만은 꼭!**

뜻 사람이 어떤 행동이나 일을 하는 데 바탕이 되는 생각.

예 나는 남에게 베푸는 삶을 중요하게 생각했던 김만덕과 가치관이 같다.

> 나는 슈바이처야. 내 가치관이 궁금하니? 나는 무엇보다 생명을 소중하게 생각해. 그래서 아프리카에 가서 아픈 사람들을 치료했어.

## 본받다

本 근본 **본** + 받다

뜻 보고 배울 만한 것이 있는 대상을 그대로 따라 하다.

예 헬렌 켈러에게 본받을 점은 자신도 장애 때문에 배우는 것이 힘든데 남을 도와주기 위해 노력한 점이다.

> '본'은 '본보기'와 비슷한말이야. 올바르거나 훌륭해서 남이 따라 하거나 배울 만한 것을 말해.

비슷한말 **배우다**

'배우다'는 "남의 행동이나 태도를 그대로 따르다."라는 뜻이야.

예 어머니는 배울 점이 많은 분이시다.

## 시대 상황

時 때 **시** + 代 시대 **대** +
狀 형상 **상** + 況 상황 **황**
└ '대(代)'의 대표 뜻은 '대신하다'야.

**뜻** 주로 이야기에서 인물이 살았을 때의 나라의 형편.

**예** 유관순은 우리나라가 일본에 나라를 빼앗긴 시대 상황에서 자랐다.

**관련 어휘** **시대적 배경**

'시대적 배경'은 이야기에서 인물이 처한 시대의 상황을 말해.

## 역사적

歷 지날 **역** + 史 역사 **사** +
的 ～의 **적**
└ '적(的)'의 대표 뜻은 '과녁'이야.

**뜻** 인간 사회가 시간이 지남에 따라 변해 온 과정인 역사에 관한.

**예** 전기문은 인물이 살아온 과정을 역사적 사실을 바탕으로 쓴 글이기 때문에 인물이 언제 어떤 일을 했는지 파악하며 읽는 것이 좋다.

## 발자취

**뜻** 지나온 과정.

**예** 뛰어난 업적을 남긴 인물이 살아온 발자취를 살펴보고 싶을 때 전기문을 읽는다.

**관련 어휘** **자취**

'발자취'는 '발'과 '자취'가 합쳐진 낱말이야. '자취'는 어떤 것이 남긴 표시나 자리를 말해.

 **꼭! 알아야 할 관용어**

**○표 하기** '머리를 ( 긁다 , 굴리다 )'는 머리를 써서 해결 방안을 생각해 낸다는 뜻입니다.

## 확인 문제

✎ 76~77쪽에서 공부한 낱말을 떠올리며 문제를 풀어 보세요.

**1** 뜻에 알맞은 낱말을 <보기>에서 찾아 쓰세요.

> **보기**
>
> 판결          구분          어떠하다          어찌하다

(1) 옳고 그름이나 좋고 나쁨을 가려서 결정함. (          )

(2) 어떤 기준에 따라 전체를 몇 개의 부분으로 나눔. (          )

(3) '누가/무엇이+어찌하다'의 짜임에서 움직임을 나타내는 말. (          )

(4) '누가/무엇이+어떠하다'의 짜임에서 성질이나 상태를 나타내는 말. (          )

**2** 뜻에 알맞은 말을 완성하세요.

> 어떤 문제 상황에 대한 자신의 의견을 뒷받침하는 까닭과 함께 쓴 글.

| ㅇ | ㄱ | ㅇ | ㅈ | ㅅ | ㅎ | ㄴ | ㄱ |
|---|---|---|---|---|---|---|---|

**3** 밑줄 친 말의 뜻이 다른 하나를 찾아 ○표 하세요.

> <u>다</u>문화          <u>다</u>용도          <u>다</u>림질          <u>다</u>방면

**4** 밑줄 친 낱말이 알맞게 쓰였는지 ○, ×를 따라가며 선을 긋고 몇 번으로 나오는지 쓰세요.

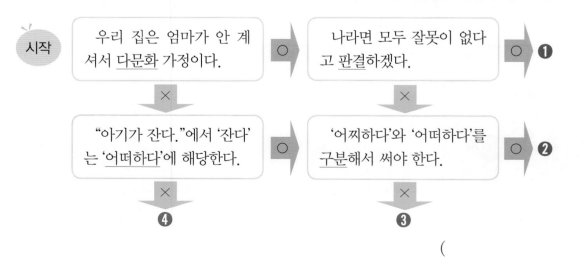

(          )

✏️ 78～79쪽에서 공부한 낱말을 떠올리며 문제를 풀어 보세요.

**5** 뜻에 알맞은 낱말이 되도록 보기 에서 글자를 찾아 쓰세요.

보기
| 자 | 전 | 역 | 가 | 취 | 치 | 사 | 기 |

(1) 지나온 과정. → 발 □ □

(2) 인물의 삶을 사실대로 쓴 글. → □ □ 문

(3) 사람이 어떤 행동이나 일을 하는 데 바탕이 되는 생각. → □ □ 관

(4) 인간 사회가 시간이 지남에 따라 변해 온 과정인 역사에 관한. → □ □ 적

**6** 빈칸에 들어갈 알맞은 낱말을 완성하세요.

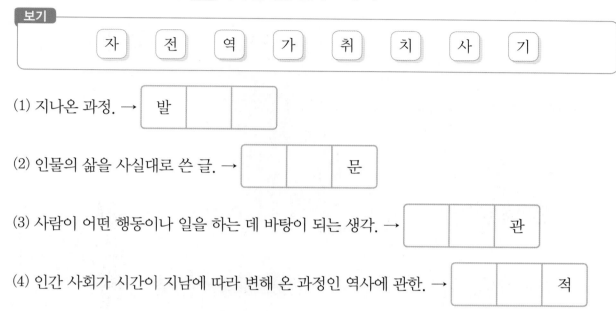

주시경 선생님이 사셨을 때의 [ ]은 어땠어?

우리글을 읽지 못하는 사람이 대부분이었어.

| 시 | □ | □ | 황 |

**7** ( ) 안에서 알맞은 낱말을 골라 ○표 하세요.

(1) 내가 ( 본받고 , 이어받고 ) 싶은 인물은 이순신 장군이다.

(2) 슈바이처에 대해 더 알고 싶어서 ( 광고문 , 전기문 )을 읽었다.

(3) 장영실은 우리나라 과학의 발전에 커다란 ( 발걸음 , 발자취 )을/를 남겼다.

(4) 백성을 중요하게 생각한 정약용의 ( 습관 , 가치관 )은 훌륭하다고 생각한다.

(5) 인물을 이해하려면 인물이 살았던 시대의 ( 개인적 , 역사적 ) 특징을 잘 이해해야 한다.

# 사회 교과서 어휘

다음 중 낱말의 뜻을 잘 알고 있는 것에 ✓ 하세요.

☐ 경제적 교류  ☐ 대중 매체  ☐ 원산지  ☐ 품질 인증 표시  ☐ QR 코드  ☐ 특산물

사람들이 대형 할인점에서 물건을 사고 있어. 각 상품들은 다양한 나라와 지역에서 왔어. 우리가 경제적으로 교류를 하며 살기 때문에 가능한 일이지. 관련 낱말을 통해 더 자세히 공부해 보자.

✏️ 낱말을 읽고,　　　부분에 밑줄을 그으면서 낱말 공부를 해 보세요.

**이것만은 꼭!**

## 경제적 교류

經 지날 **경** + 濟 건널 **제** + 的 ~의 **적** + 交 사귈 **교** + 流 흐를 **류**

🖱 '적(的)'의 대표 뜻은 '과녁'이야.

뜻 개인이나 지역이 이익을 얻기 위해 물건, 기술, 정보 등을 서로 주고받는 것.

예 옛날에는 주로 시장에서 경제적 교류를 활발하게 했다.

▲ 시장을 이용한 경제적 교류

## 대중 매체

大 클 **대** + 衆 무리 **중** + 媒 중매 **매** + 體 몸 **체**

뜻 많은 사람에게 동시에 정보나 생각을 전달하는 신문, 잡지, 영화, 텔레비전 등과 같은 것.

예 대중 매체를 이용하면 장소나 시간에 관계없이 상품의 정보를 얻을 수 있다.

'대중 매체'를 '매스 미디어'라고 말하기도 해.

## 원산지

原 근원 **원** + 産 낳을 **산** + 地 땅 **지**

**뜻** 어떤 물건이 생산된 곳.

**예** 이 제품은 중국에서 만들어져서 원산지에 '중국'이라고 써 있다.

나의 원산지는 제주특별자치도야.

나의 원산지는 필리핀이야.

## 품질 인증 표시

品 물건 **품** + 質 바탕 **질** + 認 알 **인** + 證 증거 **증** + 標 표할 **표** + 示 보일 **시**

**뜻** 상품이 안전하고 품질이 우수하다는 것을 밝히는 표시.

**예** 상품에 KS 마크와 같은 품질 인증 표시가 붙어 있으면 안심하고 사용할 수 있다.

'인증'은 어떤 일이 올바른 방법과 순서로 이루어졌다는 것을 국가나 사회 기관이 밝히는 것을 뜻해.

## QR 코드

**뜻** 흰색과 검은색을 가로 세로로 엮어 많은 양의 정보를 담을 수 있게 만든 바코드.

**예** 상품에 붙어 있는 QR 코드를 통해 상품의 원산지, 가격 등의 정보를 알 수 있다.

## 특산물

特 특별할 **특** + 産 낳을 **산** + 物 물건 **물**

**뜻** 어떤 지역에서 특별히 생산되는 물건.

**예** 직거래 장터에서 각 지역의 다양한 특산물을 살 수 있다.

▲ 굴비(전남 영광 특산물)

# 3주차 2회 사회 교과서 어휘

**수록 교과서** 사회 4-2
3. 사회 변화와 문화의 다양성

다음 중 낱말의 뜻을 잘 알고 있는 것에 ☑ 하세요.

☐ 저출산 ☐ 요양원 ☐ 출생아 ☐ 우대 ☐ 다자녀 ☐ 감소

✏️ 낱말을 읽고,     부분에 밑줄을 그으면서 낱말 공부를 해 보세요.

**이것만은 꼭!**

## 저출산

低 낮을 **저** + 出 날 **출** +
産 낳을 **산**

뜻 태어나는 아이의 수가 줄어드는 현상.

예 사람들이 아이를 많이 낳지 않아 저출산 현상이 점점 더 심해지고 있다.

관련 어휘 **출산**
'출산'은 아이를 낳는 것을 뜻해.

## 요양원

療 고칠 **요** + 養 기를 **양** +
院 집 **원**

뜻 환자들이 편안히 쉬면서 몸을 보살피고 병을 치료할 수 있도록 시설을 갖추어 놓은 기관.

예 편찮으신 할아버지, 할머니를 위한 요양원이 많이 생겼다.

관련 어휘 **요양**
'요양'은 편안히 쉬면서 몸을 보살피고 병을 치료하는 것을 뜻해.

## 출생아

出 날 **출** + 生 날 **생** +
兒 아이 **아**

뜻 새로 태어난 아이.

예 이번 해에 태어난 출생아 수는 작년에 비해 많이 줄었다.

관련 어휘 **신생아**
'신생아'는 태어난 지 얼마 되지 않은 아이를 말해. '갓난아이'와 뜻이 같아.

## 우대

優 넉넉할 **우** + 待 대우할 **대**
🖱'대(待)'의 대표 뜻은 '기다리다'야.

뜻 특별히 잘 대우함.

예 노인을 우대하는 서비스가 많이 생겨나고 있다.

비슷한말 **후대**
'후대'는 아주 잘 대접한다는 뜻이야.
예 가게 주인의 후대를 받으니 기분이 좋았다.

## 다자녀

多 많을 **다** + 子 아들 **자** +
女 딸 **녀**
🖱'녀(女)'의 대표 뜻은 '여자'야.

뜻 자녀가 많음.

예 다자녀 우대 카드는 자녀를 여러 명 둔 가정에 다양한 혜택을 주는 카드이다.

▲ 다자녀 가정

## 감소

減 덜 **감** + 少 적을 **소**

뜻 양이나 수가 줄어듦.

예 많은 지역에서 초등학생 수가 계속 감소해 매년 전국 초등학생 수가 줄어들고 있다.

반대말 **증가**
'증가'는 수나 양이 더 늘어나거나 많아지는 것을 뜻해.
예 인구가 증가하다.

감소          증가

✎ 82~83쪽에서 공부한 낱말을 떠올리며 문제를 풀어 보세요.

## 1 뜻에 알맞은 말을 완성하세요.

(1)

| ㅍ | ㅈ | ㅇ | ㅈ | 표시 |

상품이 안전하고 품질이 우수하다는 것을 밝히는 표시.

(2)

| ㄱ | ㅈ | ㅈ | ㄱ | ㄹ |

개인이나 지역이 이익을 얻기 위해 물건, 기술, 정보 등을 서로 주고받는 것.

(3)

| | | 코드 |

흰색과 검은색을 가로 세로로 엮어 많은 양의 정보를 담을 수 있게 만든 바코드.

(4)

| ㄷ | ㅈ | 매체 |

많은 사람에게 동시에 정보나 생각을 전달하는 신문, 잡지, 영화, 텔레비전 등과 같은 것.

## 2 뜻에 알맞은 낱말을 빈칸에 쓰세요.

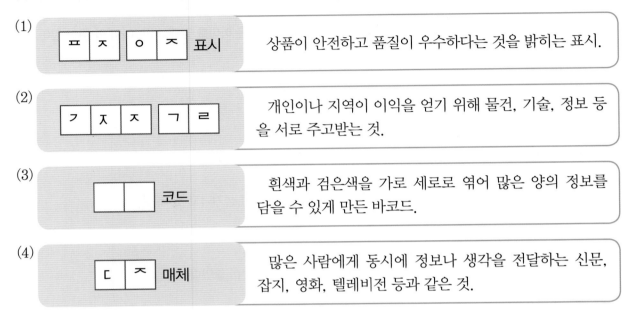

가로 열쇠 ❶ 어떤 지역에서 특별히 생산되는 물건.

세로 열쇠 ❷ 어떤 물건이 생산된 곳.

## 3 ( ) 안에 들어갈 알맞은 말을 보기 에서 찾아 쓰세요.

보기
특산물
원산지
품질 인증
경제적 교류

(1) 오늘 산 파인애플의 (              )은/는 미국이다.

(2) 우리 지역의 (              )은/는 감자와 옥수수이다.

(3) 안전성과 품질을 인증받은 제품에는 (              ) 표시를 붙일 수 있다.

(4) (              )은/는 사람들이 사는 곳의 자연환경과 생산 기술, 자원 등이 다르기 때문에 발생한다.

✎ 84~85쪽에서 공부한 낱말을 떠올리며 문제를 풀어 보세요.

**4** 낱말의 뜻은 무엇인지 ( ) 안에서 알맞은 말을 골라 ○표 하세요.

(1)
| 다자녀 | 자녀가 ( 적음 , 많음 ). |

(2)
| 출생아 | 새로 ( 태어난 , 입학한 ) 아이. |

(3)
| 우대 | 특별히 잘 ( 관리함 , 대우함 ). |

(4)
| 저출산 | 태어나는 아이의 수가 ( 늘어나는 , 줄어드는 ) 현상. |

**5** 밑줄 친 낱말의 반대말을 찾아 ○표 하세요.

초등학생의 수가 <u>감소하고</u> 있어서 학생이 없어 문을 닫는 초등학교가 증가하고 있다.

**6** 빈칸에 들어갈 알맞은 낱말을 글자 카드로 만들어 쓰세요.

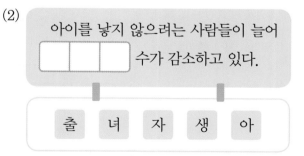

(1)
　□□□　문제가 계속되면 인구가 줄어 일할 사람이 부족해진다.

입　저　고　출　산

(2)
아이를 낳지 않으려는 사람들이 늘어 □□□ 수가 감소하고 있다.

출　녀　자　생　아

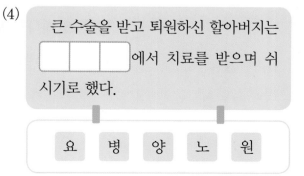

(3)
어떤 가게는 자녀를 많이 낳은 가정을 □□ 하기 위해 할인을 해 주기도 한다.

이　우　별　차　대

(4)
큰 수술을 받고 퇴원하신 할아버지는 □□□에서 치료를 받으며 쉬시기로 했다.

요　병　양　노　원

# 수학 교과서 어휘

다음 중 낱말의 뜻을 잘 알고 있는 것에 ✓ 하세요.

☐ 평행선 사이의 거리  ☐ 쌍  ☐ 사다리꼴  ☐ 고정  ☐ 기둥  ☐ 잇다

앞쪽에 보이는 다리의 기둥은 사각형 모양인데, 뭐라고 부를까? 그리고 다리 기둥 사이의 거리는 또 뭐라고 할까? 이번 회에 나오는 낱말을 공부해서 그 답을 찾아보자.

✎ 낱말을 읽고, ▨ 부분에 밑줄을 그으면서 낱말 공부를 해 보세요.

## 평행선 사이의 거리

平 평평할 **평** + 行 다닐 **행** + 線 선 **선** + 사이의 + 距 떨어질 **거** + 離 떠날 **리**

뜻 평행선의 한 직선에서 다른 직선에 그은 수선의 길이.

예 평행선 사이의 거리는 어디에서 재도 모두 같다.

빨간 수선의 길이가 평행선 사이의 거리야.

## 쌍

雙 두 **쌍**

뜻 둘을 하나로 묶어 세는 단위.

예 ⬢ 은 평행한 변이 한 쌍도 없다.

▲ 날개가 두 쌍인 잠자리

## 사다리꼴

**이것만은 꼭!**

뜻 평행한 변이 한 쌍이라도 있는 사각형.

예 평행한 변이 두 쌍인 사각형도 사다리꼴에 해당한다.

평행

## 고정
固 굳을 고 + 定 정할 정

뜻 한곳에서 움직이지 않게 함.

예 그림과 같이 삼각자 2개를 놓은 후 한 삼각자를 고정하고 다른 삼각자를 움직여 평행선을 그어 보세요.

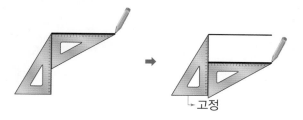

고정

## 기둥

뜻 천장이나 지붕처럼 위에 있는 것을 떠받치려고 바닥에 곧고 높게 세운 것.

예 옛 궁궐에서 기둥 사이의 거리를 재는 방법을 알아보자.

**여러 가지 뜻을 가진 낱말 기둥**
'기둥'은 어떤 일을 하는 데 중요한 사람을 뜻하기도 해.
예 어린이는 나라의 기둥이다.

## 잇다

뜻 두 끝을 맞대어 붙이다.

예 평행선 위의 두 점을 잇는 선분을 여러 개 긋고 길이를 비교해 보자.

**반대말 끊다**
'끊다'는 "실, 줄, 끈 등의 이어진 것을 잘라 따로 떨어지게 하다."라는 뜻이야.
예 고무줄이 끊어졌다.

다음 중 낱말의 뜻을 잘 알고 있는 것에 ✓ 하세요.

☐ 마주 보다  ☐ 평행사변형  ☐ 마름모  ☐ 이웃하다  ☐ 덮다  ☐ 펼치다

한옥에 가 본 적 있니?
한옥의 문에는 다양한 사각형 모양이
나타나 있어. 변의 길이가 모두 같은 것,
마주 보는 두 쌍의 변이 서로 평행한 것 등
무척 다양해. 이번 회에서는 다양한
사각형의 이름을 중심으로
공부해 보자.

✏️ 낱말을 읽고, ▨ 부분에 밑줄을 그으면서 낱말 공부를 해 보세요.

| 마주 보다 | 뜻 서로 똑바로 향하여 보다. |
| | 예 사다리꼴은 한 쌍의 마주 보는 변이 평행하다. |

마주 보고 있는
변 ㄱㄹ과 변 ㄴㄷ은
평행해.

| 평행사변형<br><br>平 평평할 평 + 行 다닐 행 +<br>四 넉 사 + 邊 가 변 +<br>形 모양 형 | 뜻 마주 보는 두 쌍의 변이 서로 평행한<br>사각형. |
| | 예 평행사변형은 마주 보는 두 변의 길이가 같<br>고 마주 보는 두 각의 크기가 같다. |

평행

**이것만은 꼭!**

## 마름모

뜻 네 변의 길이가 모두 같은 사각형.

예 한 변의 길이가 7cm인 마름모는 다른 변의 길이도 모두 7cm이다.

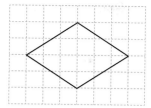

## 이웃하다

뜻 어떤 것에 나란히 또는 가까이 있다.

예 정사각형의 이웃하는 변이 이루는 각의 크기를 재 보자.

이웃하고 있는 변 ㄱㄹ과 변 ㄱㄴ이 이루는 각의 크기를 재 볼까?

## 덮다

뜻 무엇이 보이지 않도록 다른 것을 얹어서 씌우다.

예 색종이를 사다리꼴 모양으로 오려서 직사각형 모양의 모눈종이를 빈틈없이 덮으려고 합니다.

**헷갈리는 말** 덥다

'덥다'는 "몸으로 느끼기에 기온이 높다."라는 뜻이야.
예 이불을 덮다. / 날씨가 덥다.

## 펼치다

뜻 접히거나 포개진 것을 넓게 펴다.

예 정사각형 모양의 종이를 삼각형 모양으로 접었다가 펼친 뒤, 펼친 선을 따라 잘라 보세요.

**반대말** 접다

'접다'는 "천이나 종이 등을 꺾어서 겹치게 하다."라는 뜻이야.
예 다 쓴 편지를 접어서 편지 봉투에 넣었다.

접다

펼치다 ▶

## 확인 문제

✎ 88~89쪽에서 공부한 낱말을 떠올리며 문제를 풀어 보세요.

**1** 낱말의 뜻을 보기 에서 찾아 사다리를 타고 내려간 곳에 기호를 쓰세요.

> **보기**
> ㉠ 한곳에서 움직이지 않게 함.
> ㉡ 둘을 하나로 묶어 세는 단위.
> ㉢ 평행한 변이 한 쌍이라도 있는 사각형.
> ㉣ 평행선의 한 직선에서 다른 직선에 그은 수선의 길이.

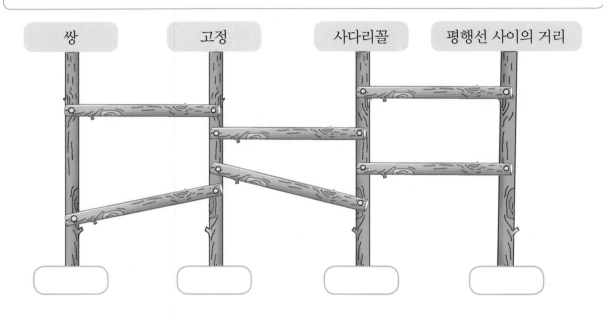

쌍    고정    사다리꼴    평행선 사이의 거리

**2** 밑줄 친 낱말의 뜻으로 알맞은 것에 ○표 하세요.

> 건물의 기둥들이 서로 평행하다.

(1) 어떤 일을 하는 데 중요한 사람. (          )

(2) 천장이나 지붕처럼 위에 있는 것을 떠받치려고 바닥에 곧고 높게 세운 것. (          )

**3** ( ) 안에서 알맞은 낱말을 골라 ○표 하세요.

(1) 점 ㄱ과 점 ㄴ을 직선으로 ( 잇는다 , 찾는다 ).

(2) 직사각형은 평행선이 두 ( 대 , 쌍 )인 사각형이다.

(3) 평행한 변이 없는 사각형은 ( 도형 , 사다리꼴 )이 아니다.

(4) 왼쪽 자가 움직이지 않게 ( 고정 , 관련 )시킨 다음 오른쪽 삼각자를 밑으로 내려 직선을 그린다.

정답과 해설 ▶ 42쪽

🖊 90~91쪽에서 공부한 낱말을 떠올리며 문제를 풀어 보세요.

**4** 다음 뜻을 가진 낱말을 찾아 선으로 이으세요.

(1) 서로 똑바로 향하여 보다. •

(2) 접히거나 포개진 것을 넓게 펴다. •

(3) 어떤 것에 나란히 또는 가까이 있다. •

(4) 무엇이 보이지 않도록 다른 것을 얹어서 씌우다. •

• 덮다

• 펼치다

• 이웃하다

• 마주 보다

**5** 밑줄 친 낱말을 바르게 고쳐 쓰세요.

(1) 마름모는 두 변의 길이가 같은 사각형이야.

( )

(2) 평행사변형은 마주 보는 한 쌍의 변이 서로 평행한 사각형이야.

( )

**6** 밑줄 친 낱말이 알맞게 쓰였는지 ○, ✕를 따라가며 선을 긋고 몇 번으로 나오는지 쓰세요.

시작 → 정사각형은 이웃하는 변이 서로 수직이다. ─○→ 사다리꼴을 평행사변형이라고 할 수도 있다. ─○→ ❶

✕ ↓ ✕ ↓

❹ ←○─ 여름이 지났는데도 날씨가 아직 덮다. ←○─ 색종이를 접었다 펼치면 접혔던 곳에 선이 생긴다.

✕ ↓ ✕ ↓

❸ ❷

( )

# 과학 교과서 어휘

다음 중 낱말의 뜻을 잘 알고 있는 것에 ✓ 하세요.

☐ 마그마　☐ 화산　☐ 분화구　☐ 용암　☐ 화산재　☐ 화산 분출물

이곳이 어디인지 알겠니?
바로 백두산이야. 이 사진은 백두산
꼭대기에 있는 천지를 찍은 거야.
백두산도 제주도에 있는 한라산처럼
화산에 속해. 화산을 공부할 때
나오는 낱말을 알아보자.

✎ 낱말을 읽고, ▭ 부분에 밑줄을 그으면서 낱말 공부를 해 보세요.

## 마그마

뜻 땅속 깊은 곳에서 암석이 녹은 것.

예 마시멜로는 열에 잘 녹기 때문에 알루미늄 포일 안에 두고 열을 가하면 땅속의 암석이 녹아서 만들어진 마그마처럼 포일 밖으로 흘러나온다.

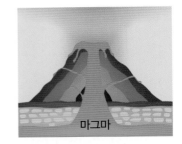

마그마

## 화산

火 불 화 + 山 메 산

**이것만은 꼭!**

뜻 마그마가 분출하여 생긴 지형.

예 제주도에 있는 한라산은 마그마가 분출하여 생긴 화산이다.

관련 어휘 **분출**

'분출'은 액체나 기체가 세차게 뿜어져 나오는 것을 뜻해.

예 가스가 분출되다.

3주차

4회

## 분화구

噴 뿜을 **분** + 火 불 **화** +
口 구멍 **구**

🐭 '구(口)'의 대표 뜻은 '입'이야.

**뜻** 화산의 꼭대기에 움푹 파인 곳.

**예** 화산의 꼭대기에는 화산 분출로 생긴 분화구에 물이 고여 커다란 호수나 물 웅덩이가 생기기도 한다.

▲ 한라산 백록담(한라산 분화구)

## 용암

鎔 쇠 녹일 **용** + 巖 바위 **암**

**뜻** 마그마에서 기체가 빠져나간 것.

**예** 화산이 분출하여 산불이 나고 용암이 흘러 마을을 덮치기도 한다.

## 화산재

火 불 **화** + 山 메 **산** + 재

**뜻** 화산에서 분출된 용암의 부스러기 중 재와 비슷한 것.

**예** 화산이 분출하면 화산재가 하늘을 뒤덮어 태양빛을 가리기도 한다.

**관련 어휘** 재

'재'는 불에 타고 남은 가루 모양의 물질을 말해.
**예** 낙엽을 태우자 재만 남았다.

## 화산 분출물

火 불 **화** + 山 메 **산** +
噴 뿜을 **분** + 出 날 **출** +
物 물건 **물**

**뜻** 화산이 분출할 때 나오는 물질.

**예** 화산이 분출하면 기체인 화산 가스, 액체인 용암, 고체인 화산재와 화산 암석 조각 등 다양한 화산 분출물이 나온다.

**뜻을 더해 주는 말** -물

'-물'은 '물건' 또는 '물질'의 뜻을 더해 주는 말이야.
**예** 농산물, 건축물

# 과학 교과서 어휘

다음 중 낱말의 뜻을 잘 알고 있는 것에 ✓ 하세요.

☐ 화성암  ☐ 현무암  ☐ 화강암  ☐ 지진  ☐ 재난  ☐ 지열 발전

우리가 살고 있는 지구에서는 여러 가지 자연 현상이 일어나. 화산 폭발로 암석이 생기기도 하고, 지진이 일어나 땅이 갈라지기도 하지. 지금부터 관련 낱말을 공부해 볼까?

✏️ 낱말을 읽고, ▨▨▨ 부분에 밑줄을 그으면서 낱말 공부를 해 보세요.

**이것만은 꼭!**

## 화성암

火 불 화 + 成 이룰 성 +
巖 바위 암

뜻 마그마의 활동으로 만들어진 암석.

예 마그마가 땅속 깊은 곳이나 지표 가까이에서 식으면 화성암이 만들어진다.

▲ 다양한 화성암

## 현무암

玄 검을 현 + 武 굳셀 무 +
巖 바위 암

뜻 마그마가 지표 가까이에서 식어 만들어진 화성암으로, 색깔이 어둡고 알갱이의 크기가 작음.

예 현무암은 지표면 가까이에서 빠르게 식어서 알갱이의 크기가 작다.

## 화강암

花 꽃 **화** + 崗 언덕 **강** +
巖 바위 **암**

뜻 마그마가 땅속 깊은 곳에서 식어 만들어진 화성암으로, 색깔이 밝고 알갱이의 크기가 큼.

예 화강암은 땅속 깊은 곳에서 서서히 식어서 알갱이의 크기가 크다.

## 지진

地 땅 **지** + 震 벼락 **진**

뜻 땅이 지구 내부에서 작용하는 힘을 오랫동안 받아 휘어지거나 끊어지면서 흔들리는 것.

예 지진이 나면 건물과 도로가 무너지는 등 큰 피해를 줄 수 있다.

▲ 지진 피해 모습

## 재난

災 재앙 **재** + 難 어려울 **난**

뜻 뜻하지 않게 일어난 불행한 사고.

예 우리나라도 지진이나 홍수와 같은 재난이 발생한다.

▲ 여러 가지 재난

## 지열 발전

地 땅 **지** + 熱 더울 **열** +
發 필 **발** + 電 전기 **전**

🖱 '전(電)'의 대표 뜻은 '번개'야.

뜻 땅속에서 나오는 뜨거운 기운이나 더운물을 이용해서 전기를 만드는 것.

예 화산 활동으로 생긴 땅속의 높은 열을 지열 발전에 활용해 전기를 만들어 낼 수 있다.

관련 어휘 **발전**

'발전'은 전기를 일으키는 것을 말해. 예 수력 발전, 풍력 발전

✎ 94～95쪽에서 공부한 낱말을 떠올리며 문제를 풀어 보세요.

**1** 뜻에 알맞은 낱말을 빈칸에 쓰세요.

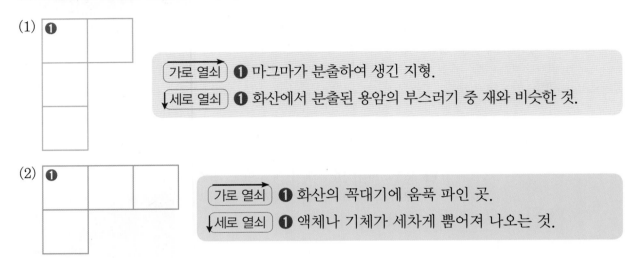

(1) ❶

가로 열쇠 ❶ 마그마가 분출하여 생긴 지형.

세로 열쇠 ❶ 화산에서 분출된 용암의 부스러기 중 재와 비슷한 것.

(2) ❶

가로 열쇠 ❶ 화산의 꼭대기에 움푹 파인 곳.

세로 열쇠 ❶ 액체나 기체가 세차게 뿜어져 나오는 것.

**2** 낱말의 뜻은 무엇인지 ( ) 안에서 알맞은 말을 골라 ○표 하세요.

(1) 용암: 마그마에서 ( 기체 , 액체 )가 빠져나간 것.

(2) 마그마: 땅속 깊은 곳에서 ( 식물 , 암석 )이 녹은 것.

**3** 밑줄 친 낱말의 쓰임이 알맞으면 ○표, 알맞지 <u>않으면</u> ✕표 하세요.

(1)
한라산의 <u>분화구</u>인 백록담에는 물이 고여 있다.

( )

(2)
화산이 폭발하면 고체인 <u>마그마</u>는 높이 올라가 비행기의 엔진 고장을 일으키기도 한다.

( )

(3)
화산 주변에서 연기가 나고 큰 소리와 함께 산꼭대기에서 <u>용암</u>이 흘러내렸다.

( )

(4)
화산 활동으로 생긴 <u>화산 분출물</u>은 마을을 뒤덮거나 산불을 발생시켜 피해를 주기도 한다.

( )

✎ 96~97쪽에서 공부한 낱말을 떠올리며 문제를 풀어 보세요.

3주차

**4** 뜻에 알맞은 낱말을 빈칸에 쓰세요.

❶세로 열쇠
❶ 뜻하지 않게 일어난 불행한 사고.
❷ 마그마가 지표 가까이에서 식어 만들어진 화성암으로, 색깔이 어둡고 알갱이의 크기가 작음.

가로 열쇠
❸ 마그마가 땅속 깊은 곳에서 식어 만들어진 화성암으로, 색깔이 밝고 알갱이의 크기가 큼.

4회

**5** 낱말의 뜻은 무엇인지 빈칸에 들어갈 알맞은 말을 완성하세요.

(1) 지진: 땅이 지구 | ㄴ | ㅂ | 에서 작용하는 힘을 오랫동안 받아 휘어지거나 끊어지면서 흔들리는 것을 말한다.

(2) 지열 발전: 땅속에서 나오는 뜨거운 기운이나 더운물을 이용해서 | ㅈ | ㄱ | 를 만드는 것을 말한다.

**6** 빈칸에 들어갈 알맞은 낱말에 ○표 하세요.

(1) 지진이 나면 긴급 [    ] 문자를 받는다.                     ( 고난 , 재난 )

(2) [    ] 발전은 화산 활동이 우리에게 주는 이로운 점이다.     ( 수력 , 지열 )

(3) 현무암과 화강암은 가장 흔한 [    ]이다.                   ( 화성암 , 퇴적암 )

(4) 제주도에서는 색깔이 어둡고 알갱이의 크기가 작은 [    ]으로 돌담을 쌓기도 한다.                                            ( 현무암 , 화강암 )

# 한자 어휘

## 有 (유)가 들어간 낱말

✏️ '유(有)'가 들어간 낱말을 읽고, ▨ 부분에 밑줄을 그으면서 낱말 공부를 해 보세요.

**有** 있을 유

 '유(有)'는 손에 고기를 들고 있는 모양을 나타 낸 글자로, 값비싼 고기를 가지고 있다는 데서 '있다'라는 뜻을 나타내. '가지다'라는 뜻으로도 쓰여.

有구무언
有해
소有
공有

---

### 있다 有

#### 🌸 유구무언

有 있을 유 + 口 입 구 + 無 없을 무 + 言 말씀 언

뜻 입은 있어도 말은 없다는 뜻으로, 변명 할 말이 없음을 이르는 말.

예 모두 내 잘못이라 유구무언이었다.

#### 🌸 유해

有 있을 유 + 害 해로울 해

뜻 해로움이 있음.

예 유해 물질이 들어 있는 것으로 밝혀진 장난감 은 판매가 금지되었다.

반대말 무해
'무해'는 해로움이 없음을 뜻하는 말이야.
예 천연 성분으로 만든 비누는 환경에 무해하다.

---

### 가지다 有

#### 🌸 소유

所 것 소 + 有 가질 유
🖐️ '소(所)'의 대표 뜻은 '바'야.

뜻 가지고 있음.

예 호만이는 자기 소유의 땅을 갖는 것이 소원이다.

비슷한말 보유
'보유'는 가지고 있는 것을 뜻해.
예 그 부자는 자동차 수십 대를 보유하고 있다.

#### 🌸 공유

共 함께 공 + 有 가질 유

뜻 두 사람 이상이 어떤 것을 함께 가지고 있음.

예 인터넷의 발달은 정보의 공유를 가능하게 했다.

---

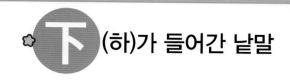 **(하)가 들어간 낱말**

✏️ '하(下)'가 들어간 낱말을 읽고, ▢ 부분에 밑줄을 그으면서 낱말 공부를 해 보세요.

**아래 하**

 '하(下)'는 넓은 땅 아래를 표현한 글자야. 땅 아래를 가리키고 있어서 '아래'라는 뜻으로 쓰여. '내리다'라는 뜻으로 쓰이기도 해.

막상막下
下체
下선
승下차

---

### 아래 下

## 막상막하

莫 없을 **막** + 上 위 **상** + 莫 없을 **막** + 下 아래 **하**

- 뜻 어느 것이 위이고 아래인지 가릴 수 없음을 뜻하는 말로, 더 낮고 더 못함의 차이가 거의 없음을 이르는 말.
- 예 두 선수의 달리기 실력은 막상막하이다.

## 하체

下 아래 **하** + 體 몸 **체**

- 뜻 사람의 몸이나 물체의 아랫부분.
- 예 다리 운동을 많이 하면 하체가 튼튼해진다.
- 반대말 **상체**
- '상체'는 사람의 몸이나 물체의 윗부분을 뜻해.
- 예 동전을 주우려고 상체를 굽혔다.

---

### 내리다 下

## 하선

下 내릴 **하** + 船 배 **선**

- 뜻 배에서 내림.
- 예 배가 항구에 도착하자 승객들은 하선을 하기 시작했다.
- 반대말 **승선**
- '승선'은 배에 타는 것을 뜻해.
- 예 이 배는 50명이 승선할 수 있는 배이다.

## 승하차

乘 탈 **승** + 下 내릴 **하** + 車 수레 **차**

- 뜻 차를 타거나 차에서 내림.
- 예 버스 승하차는 정류장에서만 가능하다.

✏️ 100쪽에서 공부한 낱말을 떠올리며 문제를 풀어 보세요.

**1** 뜻에 알맞은 낱말을 색칠하고, 어떤 숫자가 나오는지 쓰세요. (낱말은 가로(一), 세로(丨) 방향에 숨어 있어요.)

| 무 | 소 | 유 | 유 |
|---|---|---|---|
| 해 | 수 | 결 | 구 |
| 공 | 개 | 정 | 무 |
| 유 | 용 | 서 | 언 |

❶ 가지고 있음.
❷ 해로움이 없음.
❸ 입은 있어도 말은 없다는 뜻으로, 변명할 말이 없음을 이르는 말.

(            )

**2** 밑줄 친 낱말에서 '유'는 어떤 뜻으로 쓰였나요? (      )

언니와 나는 옷을 공유하고 있다.

① 있다.               ② 많다.               ③ 알다.
④ 가지다.             ⑤ 친하게 지내다.

**3** 밑줄 친 낱말의 반대말은 무엇인지 빈칸에 알맞은 말을 쓰세요.

담배는 건강에 유해하다.         |    | 해 |

**4** ( ) 안에서 알맞은 낱말을 골라 ○표 하세요.

(1) 친구들과 자료를 ( 공유 , 공연 )했다.

(2) 할아버지는 큰 과수원을 ( 소비 , 소유 )하고 계신다.

(3) 내 실수로 우리 팀이 축구 경기에서 졌기 때문에 ( 유구무언 , 이구동성 )이다.

✏️ 101쪽에서 공부한 낱말을 떠올리며 문제를 풀어 보세요.

## 5 뜻에 알맞은 낱말을 빈칸에 쓰세요.

(1)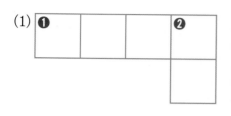

가로 열쇠 ❶ 어느 것이 위이고 아래인지 가릴 수 없음을 뜻하는 말로, 더 낫고 더 못함의 차이가 거의 없음을 이르는 말.

세로 열쇠 ❷ 배에서 내림.

(2)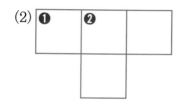

가로 열쇠 ❶ 차를 타거나 차에서 내림.

세로 열쇠 ❷ 사람의 몸이나 물체의 아랫부분.

## 6 밑줄 친 낱말의 반대말에 ○표 하세요.

(1) 항구는 <u>승선</u>하는 사람들로 몹시 붐볐다.

( 수선 , 하선 , 하차 )

(2) <u>상체</u>를 꼿꼿이 세우고 바른 자세로 앉아야 한다.

( 전신 , 전체 , 하체 )

## 7 ( ) 안에 들어갈 알맞은 낱말을 보기에서 찾아 쓰세요.

보기

하선    하체    승하차    막상막하

(1) 엄마는 (          ) 근육이 약해서 잘 넘어지신다.

(2) 선장은 배에 이상이 생기자 승객들을 (          )시켰다.

(3) 택시 운전기사인 아버지는 평소 장애인의 (          )을/를 도와주신다.

(4) (          )의 경기가 펼쳐지자 관객들은 모두 숨을 죽이고 지켜보았다.

3주차 1~5회에서 공부한 낱말을 떠올리며 문제를 풀어 보세요.

낱말 뜻

**1** 뜻에 알맞은 낱말을 보기에서 찾아 쓰세요.

보기

| 지진 | 공유 | 요양원 | 본받다 | 이웃하다 |

(1) 어떤 것에 나란히 또는 가까이 있다. (              )

(2) 두 사람 이상이 어떤 것을 함께 가지고 있음. (              )

(3) 보고 배울 만한 것이 있는 대상을 그대로 따라 하다. (              )

(4) 땅이 지구 내부에서 작용하는 힘을 오랫동안 받아 휘어지거나 끊어지면서 흔들리는 것.

(              )

(5) 환자들이 편안히 쉬면서 몸을 보살피고 병을 치료할 수 있도록 시설을 갖추어 놓은 기관.

(              )

낱말 뜻

**2** (    ) 안에서 알맞은 말을 골라 ○표 하세요.

(1) '원산지'는 어떤 물건이 ( 생산 , 사용 )된 곳을 말한다.

(2) '화산'은 ( 용암 , 마그마 )이/가 분출하여 생긴 지형을 말한다.

(3) '사다리꼴'은 평행한 변이 한 쌍이라도 있는 ( 삼각형 , 사각형 )을 말한다.

(4) '화강암'은 마그마가 ( 지표 가까이 , 땅속 깊은 곳 )에서 식어 만들어진 화성암이다.

(5) '가치관'은 사람이 어떤 행동이나 일을 하는 데 바탕이 되는 ( 경험 , 생각 )을 말한다.

반대말

**3 ~ 4**          안의 낱말과 뜻이 반대인 낱말을 찾아 ○표 하세요.

**3**

| 감소 | 거대 | 증가 | 추락 |

**4**

| 잇다 | 놓다 | 잡다 | 끊다 |

뜻을 더해 주는 말

**5** 빈칸에 공통으로 들어갈 말은 무엇인가요? (       )

> ☐문화      ☐방면      ☐자녀

① 전      ② 신      ③ 다      ④ 대      ⑤ 소

헷갈리는 말

**6** 빈칸에 들어갈 알맞은 낱말을 찾아 선으로 이으세요.

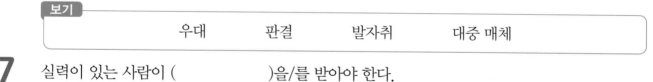

(1) 추워서 이불을 [    ] 잤다.    •        •   덥고

(2) 운동을 했더니 [    ] 숨이 찼다.    •        •   덮고

낱말 활용

**7 ~ 10** (   ) 안에 들어갈 알맞은 낱말을 보기 에서 찾아 쓰세요.

> **보기**
>
> 우대      판결      발자취      대중 매체

**7** 실력이 있는 사람이 (       )을/를 받아야 한다.

**8** 우리는 대부분 (       )을/를 이용해서 정보를 얻는다.

**9** 나와 동생은 어머니께 싸운 이유를 말씀드리고 (       )을/를 기다렸다.

**10** 아픈 사람들을 돕기 위해 노력한 장기려 선생님의 (       )을/를 본받고 싶다.

# 4주차 어휘 미리 보기

한 주 동안 공부할 어휘들이야. 쏙 한번 훑어볼까?

## 1회 학습 계획일 ◯월 ◯일

### 국어 교과서 어휘

| | |
|---|---|
| 흥미진진하다 | 따르다 |
| 목록 | 적절하다 |
| 동기 | 평가 |
| 감명 | 관련성 |
| 관심 | 낭독 |
| 간략하다 | 들려주다 |

## 2회 학습 계획일 ◯월 ◯일

### 사회 교과서 어휘

| | |
|---|---|
| 정보화 | 편견 |
| 저작물 | 출신 |
| 세계화 | 부당하다 |
| 실시간 | 지원자 |
| 유출 | 장벽 |
| 의존 | 발휘 |

## 3회 학습 계획일 ◯월 ◯일

### 수학 교과서 어휘

| | |
|---|---|
| 꺾은선그래프 | 곡선 |
| 날수 | 다각형 |
| 전년 | 육각형 |
| 계속되다 | 정다각형 |
| 최고 | 대각선 |
| 적설량 | 가장자리 |

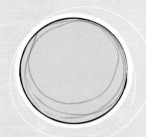

## 4회

학습 계획일 ◯월 ◯일

### 과학 교과서 어휘

| | |
|---|---|
| 물의 순환 | 현황 |
| 머무르다 | 충분하다 |
| 나무줄기 | 생활용수 |
| 스며들다 | 공업용수 |
| 흡수 | 해수 |
| 지하수 | 담수화 |

## 5회

학습 계획일 ◯월 ◯일

### 한자 어휘

| | |
|---|---|
| 고향 | 오비이락 |
| 고국 | 추락 |
| 죽마고우 | 군락 |
| 고사 | 부락 |

# 어휘력 테스트

2학기 어휘 학습 끝! 이젠 학교 공부 자신 있어!

다음 중 낱말의 뜻을 잘 알고 있는 것에 ✓ 하세요.

□ 흥미진진하다 □ 목록 □ 동기 □ 감명 □ 관심 □ 간략하다

✏️ 낱말을 읽고, ⬜ 부분에 밑줄을 그으면서 낱말 공부를 해 보세요.

## 흥미진진하다

興 일어날 흥 + 味 기분 미 +
津 넘칠 진 + 津 넘칠 진 + 하다
🖱️ '미(味)'의 대표 뜻은 '맛', '진(津)'
의 대표 뜻은 '나루'야.

뜻 넘쳐흐를 정도로 흥미가 매우 많다.

예 주인공이 자신의 일을 해결해 나가는 과정이 흥미진진해서 책을 손에서 놓지 못했다.

관련 어휘 흥미

'흥미'는 마음을 쏠리게 하는 재미를 뜻해.
예 무용에 흥미가 생기다.

'흥미'가 들어간 낱말에는 '흥미롭다'도 있어. "흥미가 있다."라는 뜻이야.

## 목록

目 목록 목 + 錄 기록할 록
🖱️ '목(目)'의 대표 뜻은 '눈'이야.

뜻 어떤 것들의 이름이나 제목 등을 일정한 차례대로 적은 것.

예 재미있게 읽은 책을 떠올려 보고, 책의 제목과 내용을 간단히 정리해서 목록을 만들어 보세요.

무엇을 살지 목록을 정리해서 오니까 편해!

## 동기

動 움직일 동 + 機 계기 기
🖱️ '기(機)'의 대표 뜻은 '틀'이야.

이것만은 꼭!

뜻 어떤 일이나 행동을 하게 된 까닭.

예 책을 읽은 동기와 관련 있는 문장은 "책 표지의 도깨비 표정이 재미있어서 골랐습니다."이다.

글자는 같지만 뜻이 다른 낱말 동기

'동기'는 학교나 회사 등을 같은 때에 함께 들어간 사람을 뜻하는 낱말로도 쓰여.
예 엄마와 아빠는 대학 동기이다.

## 감명

感 느낄 **감** + 銘 새길 **명**

뜻 잊을 수 없는 큰 감동.

예 어머니께서 품속에 넣어 온 새 양말과 새 신발을 아들에게 갈아 신기신 부분에서 감명을 받았다.

비슷한말 **감동**

'감동'은 강하게 느껴 마음이 움직이는 것을 뜻해. 예 책 내용에 감동을 받았다.

## 관심

關 관계할 **관** + 心 마음 **심**

뜻 어떤 것에 끌리는 마음.

예 표지에 있는 지구와 달 사진을 보고 관심이 생겨서 책을 읽었다.

속담 **소 닭 보듯**

아무런 관심도 두지 않고 생각 없이 대하는 것을 이르는 말이야.

## 간략하다

簡 간략할 **간** + 略 간략할 **략** + 하다

🖱 '간(簡)'의 대표 뜻은 '대쪽'이야.

뜻 간단하고 짤막하다.

예 독서 감상문을 쓸 때에는 책 내용을 너무 길게 쓰지 말고 간략하게 쓰는 것이 좋다.

## 꼭! 알아야 할 속담

빈칸 채우기 '☐가 길면 밟힌다'는 나쁜 일을 아무리 남모르게 한다고 해도 오래 두고 여러 번 계속하면 결국에는 들키고 만다는 것을 이르는 말입니다.

다음 중 낱말의 뜻을 잘 알고 있는 것에 ✓ 하세요.

☐ 따르다  ☐ 적절하다  ☐ 평가  ☐ 관련성  ☐ 낭독  ☐ 들려주다

✏️ 낱말을 읽고,  ⬜ 부분에 밑줄을 그으면서 낱말 공부를 해 보세요.

## 따르다

뜻 정해진 규칙이나 다른 사람의 의견 등을 그대로 지켜서 하다.

예 잘못된 의견을 따르면 문제를 해결하지 못할 수도 있기 때문에 의견이 알맞은지 판단해야 한다.

글자는 같지만 뜻이 다른 낱말 따르다
'따르다'는 "액체가 담긴 물건을 기울여 액체를 밖으로 조금씩 흐르게 하다."라는 전혀 다른 뜻으로도 쓰여.
예 컵에 우유를 따르다.

안전 규칙을 따르다.

물을 따르다.

## 적절하다

適 맞을 적 + 切 적절할 절 + 하다
🖱️ '절(切)'의 대표 뜻은 '끊다'야.

이것만은 꼭!

뜻 꼭 알맞다.

예 아버지와 아들은 다른 사람이 말할 때마다 그것이 적절한지 그렇지 않은지 생각하지 않고 그대로 따랐다.

비슷한말 알맞다
'알맞다'는 "넘치거나 모자라지 않고 꼭 맞다."라는 뜻이야.
예 김치가 알맞게 익어서 먹기에 좋다.

'적절하다'의 반대말은 '부적절하다'야. '부적절하다'는 "알맞지 않다."라는 뜻이야.

## 평가

評 평할 평 + 價 값 가

뜻 사물의 값이나 중요성, 수준 등을 헤아려 정함.

예 글쓴이의 의견이 적절한지 평가를 하려면 의견을 뒷받침하는 내용이 사실인지 확인해야 한다.

'평가'와 '평'은 뜻이 비슷해서 서로 바꾸어 쓸 수 있는 경우도 있어.

## 관련성

關 관계할 **관** + 聯 연이을 **련** +
性 성질 **성**

🖱 '성(性)'의 대표 뜻은 '성품'이야.

뜻 서로 관계가 있는 상태.

예 의견이 드러나는 글을 쓸 때에는 의견과 뒷받침 내용의 **관련성**을 확인해야 한다.

## 낭독

朗 밝을 **낭** + 讀 읽을 **독**

뜻 글을 소리 내어 읽음.

예 시의 장면을 떠올리며 시를 **낭독**해 보면 느낌이 잘 살아날 것 같아.

**비슷한말** **낭송**

'낭송'은 시나 문장 등을 소리 내어 읽는 것을 말해.
예 시를 **낭송**하다.

## 들려주다

뜻 소리나 말을 듣게 해 주다.

예 동생에게 이야기를 실감 나게 **들려줄** 거야.

재미있는 동화를
들려줄게요.

---

## 꼭! 알아야 할 관용어

⭕표
하기

'( 꿈 , 잠 )을 깨다'는 희망을 낮추거나 버린다는 뜻입니다.

✏️ 108~109쪽에서 공부한 낱말을 떠올리며 문제를 풀어 보세요.

**1** 뜻에 알맞은 낱말을 색칠하고, 어떤 숫자가 나오는지 쓰세요.(낱말은 가로(─), 세로(│) 방향에 숨어 있어요.)

| 간 | 략 | 하 | 다 |
|---|---|---|---|
| 목 | 관 | 심 | 동 |
| 록 | 소 | 닭 | 기 |
| 감 | 명 | 흥 | 미 |

❶ 간단하고 짤막하다.
❷ 잊을 수 없는 큰 감동.
❸ 마음을 쏠리게 하는 재미.
❹ 어떤 일이나 행동을 하게 된 까닭.
❺ 어떤 것들의 이름이나 제목 등을 일정한 차례대로 적은 것.

(                    )

**2** 빈칸에 들어갈 알맞은 낱말은 무엇인가요? (          )

"소 닭 보듯"은 아무런 □□도 두지 않고 생각 없이 대하는 것을 이르는 말이야.

① 틈
② 거리
③ 관심
④ 목표
⑤ 시간

**3** 빈칸에 들어갈 알맞은 낱말에 ○표 하세요.

(1) 초등학생이 꼭 읽어야 할 책의 [        ]을 만들었다.          ( 목록 , 목적 )

(2) 독서 감상문에는 책을 읽은 [        ], 책 내용, 책을 읽고 생각하거나 느낀 점이 들어간다.          ( 동기 , 일기 )

(3) 이야기가 [        ]해서 시간 가는 줄 모르고 읽었다.          ( 횡설수설 , 흥미진진 )

(4) 독서 감상문을 쓰기 위해 책 내용을 정리할 때에는 인상 깊었던 장면을 중심으로 [        ] 쓴다.          ( 간략하게 , 간편하게 )

🖊 110~111쪽에서 공부한 낱말을 떠올리며 문제를 풀어 보세요.

**4** 낱말의 뜻을 보기 에서 찾아 사다리를 타고 내려간 곳에 기호를 쓰세요.

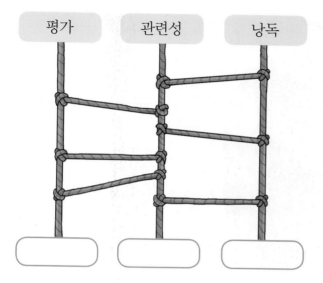

평가　　관련성　　낭독

보기
ⓐ 글을 소리 내어 읽음.
ⓑ 서로 관계가 있는 상태.
ⓒ 사물의 값이나 중요성, 수준 등을 헤아려 정함.

**5** 밑줄 친 낱말의 뜻으로 알맞은 것에 ◯표 하세요.

> 아무 생각 없이 다른 사람의 말만 <u>따르면</u> 안 된다.

(1) 정해진 규칙이나 다른 사람의 의견 등을 그대로 지켜서 하다. (　　　)
(2) 액체가 담긴 물건을 기울여 액체를 밖으로 조금씩 흐르게 하다. (　　　)

**6** 밑줄 친 낱말과 뜻이 비슷한 낱말에 ◯표 하세요.

> 내가 쓴 글을 친구들 앞에서 <u>낭독</u>했다.　　　　( 구독 , 낭송 , 암기 )

**7** (　　) 안에 들어갈 알맞은 낱말을 보기 에서 찾아 쓰세요.

보기
평가
관련성
들려주고
적절하다고

(1) 의견이 드러나는 글은 주제와의 (　　　　　)을/를 확인해야 한다.
(2) 시의 내용을 한 편의 이야기로 만들어 친구에게 (　　　　　) 싶다.
(3) 친구들의 (　　　　　) 내용을 바탕으로 하여 자신의 글을 고쳐 쓴다.
(4) 뒷받침 내용이 믿을 만하므로 글쓴이의 의견이 (　　　　　) 생각한다.

다음 중 낱말의 뜻을 잘 알고 있는 것에 ✓ 하세요.

☐ 정보화  ☐ 저작물  ☐ 세계화  ☐ 실시간  ☐ 유출  ☐ 의존

사람들은 인터넷을 이용해서 여러 가지 정보를 빠르게 얻어. 그리고 세계 여러 나라는 활발하게 교류하고 있지. 이런 변화는 우리 생활에 나쁜 영향을 주기도 해. 관련 낱말을 통해 더 자세히 공부해 보자.

✎ 낱말을 읽고, ▨ 부분에 밑줄을 그으면서 낱말 공부를 해 보세요.

 **이것만은 꼭!**

## 정보화

情 뜻 **정** + 報 알릴 **보** + 化 될 **화**

뜻 사회가 발전해 나가는 데 정보가 중요한 역할을 하는 것.

예 정보화 사회가 되면서 세계 곳곳에서 일어나는 일들을 빠르게 알 수 있고, 가게에 직접 가지 않아도 쉽게 물건을 살 수 있다.

▲ 정보화 사회의 모습

## 저작물

著 나타날 **저** + 作 지을 **작** + 物 물건 **물**

뜻 자신만의 생각, 감정, 아이디어 등을 담아 만들어 낸 작품.

예 인터넷에서 다른 사람의 저작물을 함부로 내려받으면 안 된다.

'저작권'은 어떤 저작물에 대해 그 저작물을 만든 사람이나 그 권리를 이어받은 사람이 가지는 권리를 말해.

## 세계화

世 인간 **세** + 界 경계 **계** + 化 될 **화**

뜻 교통·통신 수단이 발달하면서 세계 여러 나라들이 다양한 분야에서 가까워지는 것.

예 우리 가족이 스파게티를 즐겨 사 먹는 것도 세계화의 영향으로 바뀐 생활 모습이라고 할 수 있다.

▲ 다른 나라의 음식을 즐기는 모습

## 실시간

實 진실로 **실** + 時 때 **시** + 間 사이 **간**

'실(實)'의 대표 뜻은 '열매'야.

뜻 실제 시간과 같은 시간.

예 길도우미를 통해 실시간으로 교통 정보를 얻어 빠른 길로 갈 수 있다.

▲ 실시간으로 교통 정보를 주는 길도우미

## 유출

流 흐를 **유** + 出 나갈 **출**

'출(出)'의 대표 뜻은 '나다'야.

뜻 귀한 물건이나 정보 등이 불법적으로 외부로 나가 버림.

예 개인 정보가 유출되어 모르는 사람들에게 자꾸 연락이 온다.

'불법'은 법에 어긋나는 것을 뜻해.

## 의존

依 의지할 **의** + 存 있을 **존**

뜻 어떤 일을 자신의 힘으로 하지 못하고 다른 것의 도움을 받아 의지함.

예 스마트폰에 지나치게 의존하는 초등학생이 늘고 있다.

**비슷한말** 의지

'의지'는 다른 것에 마음을 기대어 도움을 받는 것을 뜻해.

예 내가 가장 의지하는 사람은 형이야.

다음 중 낱말의 뜻을 잘 알고 있는 것에 ✔ 하세요.

☐ 편견　☐ 출신　☐ 부당하다　☐ 지원자　☐ 장벽　☐ 발휘

그림에 나오는 사람들은 한쪽으로 치우친 생각을 갖고 있나 봐. 사람을 똑같이 대하지 않고 다르게 대하고 있어. 왜 이런 일이 일어나는지 관련 낱말을 공부하며 알아보자.

✏️ 낱말을 읽고, ▢ 부분에 밑줄을 그으면서 낱말 공부를 해 보세요.

**이것만은 꼭!**

### 편견

偏 치우칠 편 + 見 볼 견

🔵 뜻 공정하지 못하고 한쪽으로 치우친 생각.

🔵 예 다문화 가정 어린이가 우리말을 잘 못할 것이라는 편견은 옳지 않다.

🔵 속담 **암탉이 울면 집안이 망한다**
수탉 대신 암탉이 울면 집안이 망한다는 뜻으로, 아내가 남편을 제쳐 놓고 나서면 집안일이 잘 안된다는 말이야. 여자에 대한 편견이 담긴 속담이지.

### 출신

出 날 출 + 身 몸 신

🔵 뜻 어떤 지역에서 태어났는지, 어떤 학교나 회사 등에 속했는지를 이르는 말.

🔵 예 피부색이 검으면 모두 아프리카 출신이라고 생각하는 것도 편견이다.

나는 아프리카 출신이 아니라 미국 출신이야.

## 부당하다

주 아닐 **부** + 當 마땅할 **당** + 하다

뜻 사람으로서 반드시 지켜야 할 도리에 맞지 않다.

예 옛날에는 여자라는 이유만으로 **부당한** 대우를 받는 경우가 많았다.

반대말 **정당하다**

'정당하다'는 "사람으로서 반드시 지켜야 할 도리에 맞아 올바르다."라는 뜻이야.

예 사람은 누구나 정당한 대우를 받아야 한다.

## 지원자

志 뜻 **지** + 願 바랄 **원** + 者 사람 **자**

뜻 회사나 학교 같은 집단에 들어가거나 일을 맡기를 원하는 사람.

예 장애인도 다른 **지원자**와 똑같이 대우해서 실력이 좋으면 회사에 들어갈 수 있게 해야 한다.

글자는 같지만 뜻이 다른 낱말 **지원자**

'지원자'는 지지하여 돕는 사람을 뜻하는 낱말로도 쓰여. 이때 쓰인 '지원'은 물질이나 행동으로 돕는 것을 뜻해.

예 이번 불우 이웃 돕기 행사는 많은 지원자의 도움으로 잘 끝마쳤다.

## 장벽

障 막을 **장** + 壁 벽 **벽**

뜻 방해가 되거나 이겨 내기 어려운 것.

예 청각 장애를 가진 사람은 영화를 볼 때 **장벽**이 되는 소리를 자막으로 바꿔 주면 불편 없이 영화를 볼 수 있다.

▲ 청각 장애인을 위해 자막을 넣은 영화(배리어 프리 영화)

## 발휘

發 필 **발** + 揮 휘두를 **휘**

뜻 재능이나 실력 등을 잘 나타냄.

예 다문화 가정 어린이가 차별을 받지 않고 자신의 능력을 마음껏 **발휘할** 기회를 주어야 한다.

## 확인 문제

🖊 114~115쪽에서 공부한 낱말을 떠올리며 문제를 풀어 보세요.

**1** 뜻에 알맞은 낱말을 글자판에서 찾아 묶으세요. (낱말은 가로(一), 세로(ㅣ), 대각선(↗↘) 방향에 숨어 있어요.)

| 정 | 의 | 존 | 유 |
|---|---|---|---|
| 저 | 보 | 출 | 지 |
| 작 | 배 | 화 | 실 |
| 물 | 동 | 제 | 시 |
| 세 | 계 | 화 | 간 |

❶ 실제 시간과 같은 시간.
❷ 귀한 물건이나 정보 등이 불법적으로 외부로 나가 버림.
❸ 사회가 발전해 나가는 데 정보가 중요한 역할을 하는 것.
❹ 자신만의 생각, 감정, 아이디어 등을 담아 만들어 낸 작품.
❺ 교통·통신 수단이 발달하면서 세계 여러 나라들이 다양한 분야에서 가까워지는 것.

**2** 빈칸에 들어갈 알맞은 낱말에 ○표 하세요.

(1)

우리는 [ ]를 통해 다른 나라의 다양한 음식을 먹을 수 있어.

( 세계화 , 정보화 )

(2)

[ ] 사회가 되면서 우리는 필요한 정보와 지식을 언제 어디에서나 쉽고 빠르게 얻을 수 있어.

( 세계화 , 정보화 )

**3** ( ) 안에 들어갈 알맞은 낱말을 보기 에서 찾아 쓰세요.

보기
| 유출 | 의존 | 실시간 | 저작물 |
|---|---|---|---|

(1) 다른 나라에서 하는 축구 경기를 ( )(으)로 보았다.

(2) 다른 사람의 ( )을 사용하려면 허락을 받아야 한다.

(3) 우리나라의 문화재가 다른 나라로 ( )되지 않도록 해야 한다.

(4) 정보화 사회가 되면서 인터넷에 지나치게 ( )하는 사람들이 늘어나고 있다.

🖊 116~117쪽에서 공부한 낱말을 떠올리며 문제를 풀어 보세요.

**4** 낱말과 그 뜻을 알맞게 선으로 이으세요.

(1) 출신 •

(2) 장벽 •

(3) 발휘 •

(4) 지원자 •

• 재능이나 실력 등을 잘 나타냄.

• 방해가 되거나 이겨 내기 어려운 것.

• 회사나 학교 같은 집단에 들어가거나 일을 맡기를 원하는 사람.

• 어떤 지역에서 태어났는지, 어떤 학교나 회사 등에 속했는지를 이르는 말.

**5** '편견'과 관련 있는 말을 한 친구에게 ○표 하세요.

(1) 그 지역에 사는 사람들은 모두 게으를 것 같아.

( )

(2) 약속 시간을 지키지 않은 친구에게 화가 나.

( )

**6** 밑줄 친 낱말이 알맞게 쓰였는지 ○, ✕를 따라가며 선을 긋고 몇 번으로 나오는지 쓰세요.

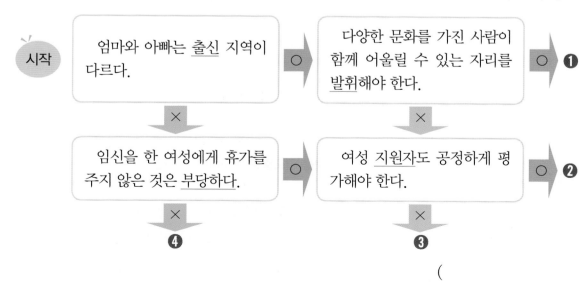

시작 → 엄마와 아빠는 <u>출신</u> 지역이 다르다. →○→ 다양한 문화를 가진 사람이 함께 어울릴 수 있는 자리를 <u>발휘</u>해야 한다. →○→ ❶

↓✕

임신을 한 여성에게 휴가를 주지 않은 것은 <u>부당하다</u>. →○→ 여성 <u>지원자</u>도 공정하게 평가해야 한다. →○→ ❷

↓✕ ↓✕

❹ ❸

( )

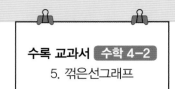
# 수학 교과서 어휘

다음 중 낱말의 뜻을 잘 알고 있는 것에 ✓ 하세요.

☐ 꺾은선그래프  ☐ 날수  ☐ 전년  ☐ 계속되다  ☐ 최고  ☐ 적설량

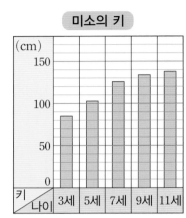

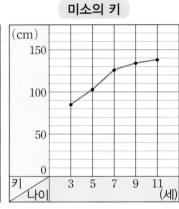

미소의 키를 두 그래프로 나타냈어. 왼쪽은 막대그래프인데, 오른쪽은 무슨 그래프지? 그리고 그래프를 어떻게 봐야 할까? 관련 낱말을 배우면 알 수 있을 것 같아. 함께 공부해 보자.

✏ 낱말을 읽고, ▢▢▢ 부분에 밑줄을 그으면서 낱말 공부를 해 보세요.

 이것만은 꼭!

## 꺾은선그래프
꺾은 + 線 선 선 + 그래프

뜻 수와 양을 점으로 표시하고, 그 점들을 선분으로 이어 그린 그래프.

예 미소의 키 변화를 꺾은선그래프로 나타내려면 나이별로 키가 얼마였는지 점을 찍고, 점끼리 선분으로 잇는다.

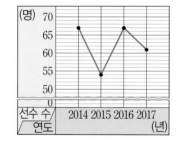

## 날수
날 + 數 셈 수

뜻 날의 수.

예 눈이 온 날수를 연도별로 조사하여 꺾은선그래프로 나타냈다.

비슷한말 일수
'일수'는 날의 수를 뜻해.
예 우리 지역은 비가 오는 일수가 적어서 과일 농사가 잘된다.

## 전년

前 앞 전 + 年 해 년

뜻 이번 해의 바로 전의 해.

예 눈이 온 날수는 2013년과 비교하여 2014년에는 5일이 늘어났고, 2015년과 비교하여 2016년에는 4일이 늘어났으므로 전년과 비교하여 눈이 온 날수가 가장 많이 늘어난 해는 2014년이다.

비슷한말 **작년**

'작년'은 지금 지나가고 있는 해의 바로 전 해를 뜻해.
예 작년에 이어 올해에도 날씨가 따뜻하다.

> '지난해'도 '전년'과 뜻이 비슷해.

4주차

3회

## 계속되다

繼 이을 계 + 續 이을 속 + 되다

뜻 끊이지 않고 이어져 나가다.

예 2015년에는 황사가 발생하여 22일 동안 계속되었다.

비슷한말 **연속되다**

'연속되다'는 "끊이지 않고 계속 이어지다."라는 뜻이야.
예 연속되는 추위로 감기에 걸렸다.

## 최고

最 가장 최 + 高 높을 고

뜻 가장 높음.

예 2월 최고 기온을 나타낸 꺾은선그래프를 살펴보면 7일이 가장 따뜻했다는 것을 알 수 있다.

반대말 **최저**

'최저'는 가장 낮음을 뜻해.
예 최저 점수를 받았다.

최고 점수  최저 점수

## 적설량

積 쌓을 적 + 雪 눈 설 + 量 헤아릴 량

뜻 땅 위에 쌓여 있는 눈의 양.

예 연도별 적설량을 나타낸 꺾은선그래프를 보니, 전년과 비교하여 눈이 가장 많이 온 해는 2015년이다.

관련 어휘 **강우량**

'강우량'은 일정 기간 동안 일정한 곳에 내린 비의 양을 뜻해.

다음 중 낱말의 뜻을 잘 알고 있는 것에 ✅ 하세요.

☐ 곡선  ☐ 다각형  ☐ 육각형  ☐ 정다각형  ☐ 대각선  ☐ 가장자리

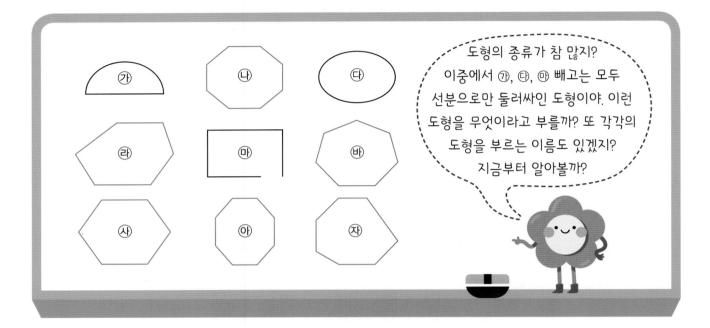

도형의 종류가 참 많지?
이중에서 ㉮, ㉰, ㉲ 빼고는 모두
선분으로만 둘러싸인 도형이야. 이런
도형을 무엇이라고 부를까? 또 각각의
도형을 부르는 이름도 있겠지?
지금부터 알아볼까?

✏️ 낱말을 읽고,　　　 부분에 밑줄을 그으면서 낱말 공부를 해 보세요.

### 곡선
曲 굽을 **곡** + 線 선 **선**

뜻 곧지 않고 굽은 선.

예 선분으로만 둘러싸인 도형과 곡선이 포함된 도형으로 나누어 보자.

▲ 선분으로만 둘러싸인 도형　　　▲ 곡선이 포함된 도형

이것만은 꼭!

### 다각형
多 많을 **다** + 角 모 **각** +
形 모양 **형**
👆'각(角)'의 대표 뜻은 '뿔'이야.

뜻 선분으로만 둘러싸인 도형.

예 과학관 건물의 앞부분에서 볼 수 있는 도형은 곡선이 포함되어 있으므로 다각형이 아니다.

우리가 잘 아는
삼각형과 사각형도
다각형이야.

## 육각형

六 여섯 육 + 角 모 각 + 形 모양 형

**뜻** 변의 수가 6개인 다각형.

**예** 육각형은 점 종이에서 점을 6개 선택하여 이으면 쉽게 그릴 수 있다.

**관련 어휘** **칠각형, 팔각형**

'칠각형'은 변이 7개인 다각형, '팔각형'은 변이 8개인 다각형이야.

육각형          칠각형          팔각형

## 정다각형

正 바를 정 + 多 많을 다 + 角 모 각 + 形 모양 형

**뜻** 변의 길이가 모두 같고, 각의 크기가 모두 같은 다각형.

**예** 어린이 과학관을 위에서 내려다보면 변의 길이와 각의 크기가 모두 같은 정다각형 모양이다.

정삼각형      정사각형      정오각형      정육각형

## 대각선

對 대할 대 + 角 모 각 + 線 선 선

**뜻** 다각형에서 서로 이웃하지 않는 두 꼭짓점을 이은 선분.

**예** 삼각형은 이웃하지 않는 꼭짓점이 없기 때문에 대각선을 그을 수 없다.

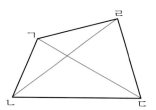

## 가장자리

**뜻** 어떤 것의 둘레나 끝이 되는 부분.

**예** 도형의 가장자리에 있는 선분이 변이야.

가장자리에 있는 선분(변)

'가장자리'와 뜻이 비슷한 낱말로 '가녘' 이라는 말도 있어.

# 확인 문제

✏️ 120~121쪽에서 공부한 낱말을 떠올리며 문제를 풀어 보세요.

**1** 낱말의 뜻은 무엇인지 빈칸에 들어갈 알맞은 말을 완성하세요.

(1)

| 날수 | ㄴ 의 수. |

(2)

| 전년 | 이번 해의 바로 ㅈ 의 해. |

(3)

| 적설량 | 땅 위에 쌓여 있는 ㄴ 의 양. |

**2** 친구가 말하는 것은 무엇인지 빈칸에 알맞은 말을 쓰세요.

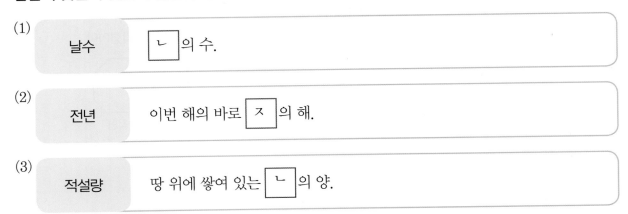

수와 양을 점으로 표시하고,
그 점들을 선분으로 이어 그린
그래프야.

|  |  |  | 그 | 래 | 프 |

**3** 서로 반대되는 낱말의 뜻을 보고, 빈칸에 알맞은 말을 쓰세요.

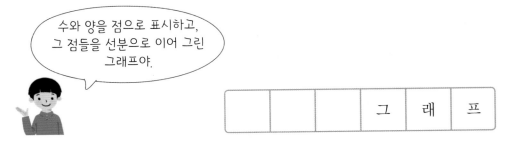

| 최 |
| 가장 높음. |

↔

| 최 |
| 가장 낮음. |

**4** ( ) 안에서 알맞은 낱말을 골라 ○표 하세요.

(1) 황사가 발생한 ( 개수 , 날수 )가 늘었다.

(2) 올해에는 ( 매년 , 전년 )보다 기록이 많이 올랐다.

(3) 전국에서 황사가 발생하여 ( 계속된 , 계획된 ) 날수는 늘었다가 다시 줄어들고 있다.

(4) 우리나라는 겨울에 눈이 얼마나 내리는지 궁금해서 5년 동안의 ( 운동량 , 적설량 )을 조사
했다.

🖉 122～123쪽에서 공부한 낱말을 떠올리며 문제를 풀어 보세요.

**5** 뜻에 알맞은 낱말이 되도록 보기에서 글자를 찾아 쓰세요.

보기

| 대 | 곡 | 가 | 각 | 자 | 장 |

(1) 곧지 않고 굽은 선. → ☐ 선

(2) 어떤 것의 둘레나 끝이 되는 부분. → ☐☐☐ 리

(3) 다각형에서 서로 이웃하지 않는 두 꼭짓점을 이은 선분. → ☐☐ 선

**6** 빈칸에 알맞은 낱말이나 숫자를 쓰세요.

(1)
　육각형, 칠각형, 팔각형 등과 같이 선분으로만 둘러싸인 도형을 ☐ ㉠ ☐이라고 한다. 육각형은 변의 수가 ☐ ㉡ ☐개, 칠각형은 ☐ ㉢ ☐개, 팔각형은 ☐ ㉣ ☐개이다.

㉠: ☐☐☐    ㉡: ☐    ㉢: ☐    ㉣: ☐

(2)
　정삼각형, 정사각형, 정오각형 등과 같이 변의 길이가 모두 같고 각의 크기가 모두 같은 다각형을 ☐이라고 한다.

☐☐☐☐

**7** ( ) 안에서 알맞은 낱말을 골라 ◯표 하세요.

(1) 원은 ( 곡선 , 직선 )으로만 이루어진 도형이다.

(2) 사각형에 그을 수 있는 ( 대각선 , 등고선 )은 모두 2개이다.

(3) 빨대를 7개로 자르면 ( 육각형 , 칠각형 , 팔각형 )을 만들 수 있다.

(4) 도형의 ( 가장자리 , 보금자리 )를 빨간색 크레파스로 굵게 그렸다.

# 과학 교과서 어휘

다음 중 낱말의 뜻을 잘 알고 있는 것에 ☑ 하세요.

☐ 물의 순환 ☐ 머무르다 ☐ 나무줄기 ☐ 스며들다 ☐ 흡수 ☐ 지하수

물이 한곳에 있지 않고 상태를 바꾸어 가며 자유롭게 돌아다니고 있어. 어디에 있는지에 따라 물의 상태는 다르지. 물이 세상 곳곳을 어떻게 여행하는지 낱말 공부를 통해 알아보자.

✏️ 낱말을 읽고, ▨ 부분에 밑줄을 그으면서 낱말 공부를 해 보세요.

## 이것만은 꼭!

### 물의 순환
물의 + 循 돌 순 + 環 고리 환

뜻 물이 상태를 바꾸면서 육지, 바다, 공기 중, 생명체 등 여러 곳을 끊임없이 돌고 도는 과정.

예 물은 상태를 바꾸면서 여러 곳을 돌고 돌기 때문에 물의 순환은 계속되지만, 지구 전체의 물의 양은 변하지 않는다.

관련 어휘 순환
'순환'은 되풀이하여 도는 것을 뜻해.

### 머무르다

뜻 중간에 멈추거나 잠깐 어떤 곳에 묵다.

예 물은 한곳에 머무르지 않고 상태를 바꾸며 자유롭게 돌아다닌다.

'머무르다'는 줄여서 '머물다'라고 쓰기도 해.

## 나무줄기

뜻 아래에는 뿌리가 있고 위로는 가지와 연결된 나무의 한 부분.

예 땅속에 있다가 식물의 뿌리로 빨려 들어간 물은 나무줄기 속을 거쳐 잎을 통해 다시 밖으로 나간다.

## 스며들다

뜻 빛이나 기체, 액체 등이 틈 사이로 들어오거나 배어들어 퍼지다.

예 땅으로 떨어진 물은 땅속으로 스며들기도 하고, 호수나 강을 이루어 바다로 흘러가기도 한다.

비슷한말 스미다

'스미다'는 "서서히 배어들거나 흘러들다."라는 뜻이야.
예 물이 스펀지에 스미다.

## 흡수

吸 마실 흡 + 水 물 수

뜻 물을 빨아들임.

예 땅에 내린 빗물은 호수와 강, 바다, 땅속에 머물다가 공기 중으로 증발하거나 식물의 뿌리로 흡수되었다가 잎에서 수증기가 된다.

'흡수'는 식물이 물을 빨아들일 때뿐만 아니라 무언가를 안으로 빨아들일 때도 써. '충격 흡수', '땀 흡수' 등과 같이 쓰이지.

## 지하수

地 땅 지 + 下 아래 하 + 水 물 수

뜻 땅속에 고여 있는 물.

예 땅속에는 지하수가 흐른다.

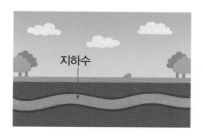
지하수

# 과학 교과서 어휘

다음 중 낱말의 뜻을 잘 알고 있는 것에 ✓ 하세요.

☐ 현황  ☐ 충분하다  ☐ 생활용수  ☐ 공업용수  ☐ 해수  ☐ 담수화

물 부족 국가라는 말 들어 봤어?
바다에 이렇게 물이 많은데, 왜 물이
부족하다고 할까? 바닷물을 우리가
이용할 수 있는 물로 바꿀 수 있다면
참 좋을 텐데. 관련 낱말을 통해
더 자세히 알아보자.

✎ 낱말을 읽고, ▨▨▨ 부분에 밑줄을 그으면서 낱말 공부를 해 보세요.

## 현황

現 지금 현 + 況 상황 황
🖐'현(現)'의 대표 뜻은 '나타나다'야.

뜻 현재의 상황.

예 나라별 물 부족 현황을 파악해 보자.

'상황'과 '현황'은 뜻이
비슷해 보이지만 조금 달라.
상황 가운데 현재의 상황을
가리키는 말이 '현황'이야.

## 충분하다

充 가득할 충 + 分 나눌 분 + 하다

뜻 모자라지 않고 넉넉하다.

예 우리는 언제든지 물을 충분하게 이용할 수 있을까요?

반대말 부족하다
'부족하다'는 "모자라거나 넉넉하지 않다."라는
뜻이야.

예 시간이 부족해서 숙제를 다 하지 못했다.

양이 충분해.

## 생활용수

生 날 **생** + 活 살 **활** +
用 쓸 **용** + 水 물 **수**

뜻 일상생활에 쓰이는 물.

예 이스라엘은 비가 적게 내리고 국토의 절반이 사막이어서 일상생활에 쓸 수 있는 **생활용수**가 부족하다.

▲ 생활용수의 예

## 공업용수

工 장인 **공** + 業 업 **업** +
用 쓸 **용** + 水 물 **수**

뜻 공장에서 물건을 만들 때 쓰는 물.

예 최근에는 환경 오염과 기후 변화로 생활용수뿐만 아니라 공장에서 이용하는 **공업용수**도 부족해지고 있다.

관련 어휘 **공업**

'공업'은 사람의 손이나 기계로 재료를 다루어서 새로운 물건을 만들어 내는 산업을 말해.

## 해수

海 바다 **해** + 水 물 **수**

뜻 맛이 짜고 비릿한, 바다에 있는 물.

예 **해수**는 소금기가 있어서 생활에 이용하기 어렵다.

비슷한말 **바닷물**

'바닷물'은 맛이 짜고 비릿한, 바다에 있는 물을 말해.

예 **바닷물**이 빠지고 갯벌이 드러났다.

## 담수화

淡 맑을 **담** + 水 물 **수** +
化 될 **화**

**이것만은 꼭!**

뜻 강이나 호수의 물처럼 소금기가 없는 물로 만듦.

예 바닷물은 소금기가 있어서 그대로 사용하기 어렵기 때문에 물이 부족한 나라는 **담수화** 기술을 연구하고 있다.

관련 어휘 **담수**

'담수'는 강이나 호수의 물처럼 소금기가 없는 물을 말해. '민물'이라고도 하지.

✎ 126~127쪽에서 공부한 낱말을 떠올리며 문제를 풀어 보세요.

**1** 뜻에 알맞은 낱말을 보기 에서 찾아 쓰세요.

보기
흡수　　　　지하수　　　　스며들다　　　　머무르다

(1) 물을 빨아들임. (　　　　　)

(2) 땅속에 고여 있는 물. (　　　　　)

(3) 중간에 멈추거나 잠깐 어떤 곳에 묵다. (　　　　　)

(4) 빛이나 기체, 액체 등이 틈 사이로 들어오거나 배어들어 퍼지다. (　　　　　)

**2** 친구가 말한 뜻을 가진 말은 무엇인지 빈칸에 알맞은 말을 쓰세요.

(1) 물이 상태를 바꾸면서 육지, 바다, 공기 중, 생명체 등 여러 곳을 끊임없이 돌고 도는 과정이야.

| 물 | 의 |  |  |

(2) 아래에는 뿌리가 있고 위로는 가지와 연결된 나무의 한 부분이야.

| 나 | 무 |  |  |

**3** 빈칸에 들어갈 알맞은 낱말을 글자 카드로 만들어 쓰세요.

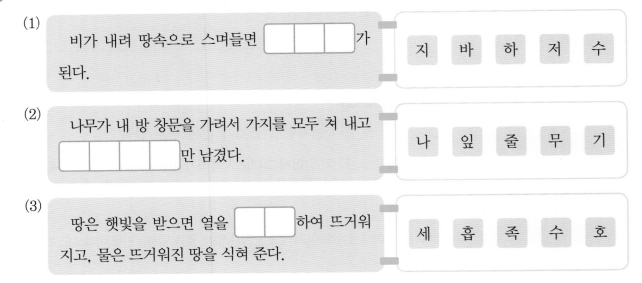

(1) 비가 내려 땅속으로 스며들면 [　　　　　]가 된다.

지　바　하　저　수

(2) 나무가 내 방 창문을 가려서 가지를 모두 쳐 내고 [　　　　　]만 남겼다.

나　잎　줄　무　기

(3) 땅은 햇빛을 받으면 열을 [　　]하여 뜨거워지고, 물은 뜨거워진 땅을 식혀 준다.

세　흡　족　수　호

✏️ 128～129쪽에서 공부한 낱말을 떠올리며 문제를 풀어 보세요.

**4** 낱말의 뜻은 무엇인지 빈칸에 들어갈 알맞은 말을 완성하세요.

(1)

| 현황 | 현재의 | ㅅ | ㅎ |.

(2)

| 해수 | 맛이 짜고 비릿한, | ㅂ | ㄷ | 에 있는 물.

(3)

| 담수화 | 강이나 호수의 물처럼 | ㅅ | ㄱ | ㄱ | 가 없는 물로 만듦.

**5** 다음 뜻을 가진 낱말은 무엇인지 빈칸에 알맞은 말을 쓰세요.

(1)

| 일상생활에 쓰이는 물. | | | 용 | 수 |

(2)

| 공장에서 물건을 만들 때 쓰는 물. | | | 용 | 수 |

**6** ( ) 안에 들어갈 알맞은 낱말을 보기 에서 찾아 쓰세요.

보기
| 해수 | 현황 | 충분 | 담수화 | 생활용수 |

(1) 빗물을 모아 ( )(으)로 사용할 수도 있다.

(2) 물을 ( )하게 주지 않아서 화분의 식물이 모두 시들었다.

(3) 우리나라의 물 부족 ( )을/를 살펴본 결과, 우리나라는 물이 부족한 것으로 나타났다.

(4) 물을 아껴 쓰지 않아 먹을 물까지 부족해지면 ( )에 있는 소금기를 없애는 기술이 필요하다.

(5) 바닷물이 논에 들어가면 피해가 크므로 강물이 바다로 흘러 들어가는 어귀에서 농사를 지으려면 ( )이/가 꼭 필요하다.

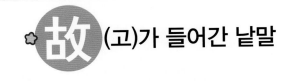
故 (고)가 들어간 낱말

✏️ '故(고)'가 들어간 낱말을 읽고, ▨▨▨ 부분에 밑줄을 그으면서 낱말 공부를 해 보세요.

故

연고 고

'고(故)'는 방패와 입, 막대기로 치는 모습을 합쳐서 표현한 글자야. 오래전에 있었던 전쟁 이야기를 한다는 뜻에 '치다'라는 뜻이 더해져 전쟁이 벌어지게 된 이유를 뜻하게 되었어. 그래서 '고(故)'가 '연고'라는 뜻을 갖게 되었어. '옛'이라는 뜻으로도 쓰여.

故향
故국
죽마故우
故사

---

## 연고 故

### 고향

故 연고 고 + 鄕 시골 향

- 뜻 태어나서 자란 곳.
- 예 명절이 되면 사람들은 고향으로 내려가 가족과 친척을 만난다.

### 고국

故 연고 고 + 國 나라 국

- 뜻 남의 나라에 가 있는 사람이 자기 나라를 부르는 말.
- 예 할아버지는 고국에 가고 싶어 하신다.

비슷한말 조국

'조국'은 조상 때부터 대대로 살던 나라를 말해.
예 가족들은 언제나 떠나온 조국을 그리워했다.

---

## 옛 故

### 죽마고우

竹 대 죽 + 馬 말 마 + 故 옛 고 + 友 벗 우

- 뜻 대나무 말을 타고 놀던 옛 친구라는 뜻으로, 어릴 때부터 같이 놀며 자란 가까운 친구를 이르는 말.
- 예 나와 지호는 어렸을 때부터 한 동네에서 자란 죽마고우 사이이다.

### 고사

故 옛 고 + 事 일 사

- 뜻 유래가 있는 옛날의 일 또는 그런 일을 표현한 말.
- 예 친구의 이야기를 듣고 있으니 '죽마고우'라는 고사가 생각난다.

落(락)이 들어간 낱말

✏️ '落(락)'이 들어간 낱말을 읽고, ▢ 부분에 밑줄을 그으면서 낱말 공부를 해 보세요.

落

떨어질 락

'락(落)'은 풀, 물, 입구에 도착한 발의 모습을 합쳐 표현한 글자야. 입구에 도착한 발은 '가다'라는 뜻을 나타내. 그래서 '락(落)'은 나뭇잎이나 비가 떨어지는 것을 표현한 데에서 '떨어지다'라는 뜻을 나타내. '이루다'라는 뜻으로 쓰이기도 해.

오비이落
추落
군落
부落

### 떨어지다 落

## 오비이락

鳥 까마귀 오 + 飛 날 비 + 梨 배나무 이 + 落 떨어질 락

뜻 까마귀 날자 배 떨어진다는 뜻으로, 아무 관계도 없이 한 일이 우연히 때가 같아 억울하게 의심을 받게 됨을 이르는 말.

예 오비이락이라더니, 내가 들어오자마자 액자가 떨어져 버렸다.

## 추락

墜 떨어질 추 + 落 떨어질 락

뜻 높은 곳에서 떨어짐.

예 비행기 추락 사고가 발생해서 많은 사람이 목숨을 잃었다.

### 이루다 落

## 군락

群 무리 군 + 落 이룰 락

뜻 같은 지역에 모여 있는 여러 마을.

예 산 위에 올라가서 내려다보니 마을들이 듬성듬성 군락을 이루고 있다.

## 부락

部 떼 부 + 落 이룰 락

뜻 주로 시골에서, 여러 집이 모여 사는 곳.

예 우리 마을은 류 씨 성을 가진 사람들이 부락을 이루고 있다.

비슷한말 마을
'마을'은 여러 집이 모여 있는 곳을 말해.
예 나는 조용한 시골 마을에서 자랐다.

✏️ 132쪽에서 공부한 낱말을 떠올리며 문제를 풀어 보세요.

## 1 뜻에 알맞은 낱말을 빈칸에 쓰세요.

| ❶ | | ❷ | |
|---|---|---|---|
| | | | |
| ❸ | | | |
| | | | |

가로 열쇠
❶ 대나무 말을 타고 놀던 옛 친구라는 뜻으로, 어릴 때부터 같이 놀며 자란 가까운 친구를 이르는 말.
❸ 남의 나라에 가 있는 사람이 자기 나라를 부르는 말.

세로 열쇠 ↓
❷ 태어나서 자란 곳.
❸ 유래가 있는 옛날의 일 또는 그런 일을 표현한 말.

## 2 ▨ 안의 낱말과 뜻이 비슷한 낱말을 찾아 ○표 하세요.

| 고국 | 애국 | 조국 | 타국 |
|---|---|---|---|

## 3 밑줄 친 낱말을 알맞게 사용한 친구에게 ○표 하세요.

(1)

나와 짝꿍은 죽마고우 사이라서 길에서 마주쳐도 모른 체한다.
(        )

(2)

나와 짝꿍은 4학년이 되어 처음 만났지만 죽마고우처럼 가깝게 지내고 있다.
(        )

## 4 ( ) 안에서 알맞은 낱말을 골라 ○표 하세요.

(1) 할아버지께서는 ( 고난 , 고향 )을 떠나고 싶어 하지 않으셨다.

(2) 선생님께서 들려주신 ( 고사 , 고장 )을/를 듣고 교훈을 얻었다.

(3) 미국으로 이민을 온 우리 가족은 ( 고국 , 외국 )으로 돌아가기 위해 준비하고 있다.

✎ 133쪽에서 공부한 낱말을 떠올리며 문제를 풀어 보세요.

**5** 낱말의 뜻을 보기 에서 찾아 사다리를 타고 내려간 곳에 기호를 쓰세요.

보기

㉠ 높은 곳에서 떨어짐.

㉡ 같은 지역에 모여 있는 여러 마을.

㉢ 주로 시골에서, 여러 집이 모여 사는 곳.

㉣ 까마귀 날자 배 떨어진다는 뜻으로, 아무 관계도 없이 한 일이 우연히 때가 같아 억울하게 의심을 받게 됨을 이르는 말.

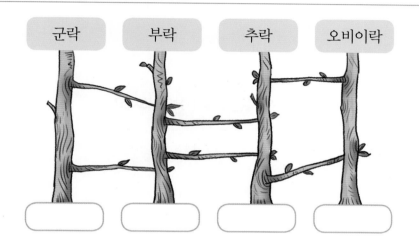

군락　　부락　　추락　　오비이락

**6** 밑줄 친 낱말과 뜻이 비슷한 낱말은 무엇인가요? (　　　　)

우리 <u>부락</u>에서는 추석을 맞아 마을 회관에 모여서 윷놀이를 했다.

① 부분　　　　　② 마을　　　　　③ 나라
④ 모둠　　　　　⑤ 모임

**7** (　　) 안에 들어갈 알맞은 낱말을 보기 에서 찾아 쓰세요.

보기

군락　　　　추락　　　　오비이락

(1) 산에 올라갈 때에는 밑으로 (　　　　　　)하지 않도록 조심해야 한다.

(2) 제주도는 물을 구하기 쉬운 바닷가 근처에 (　　　　　)이 형성되어 있다.

(3) 꽃밭에 떨어진 축구공을 주우려다 꽃을 꺾으려고 했다는 오해를 받고 나니, (　　　　　)
　　이라는 말이 실감 났다.

✏️ 4주차 1~5회에서 공부한 낱말을 떠올리며 문제를 풀어 보세요.

**낱말 뜻**

**1** 낱말의 뜻이 알맞지 <u>않은</u> 것은 무엇인가요? (         )

① 적절하다: 꼭 알맞다.
② 담수: 강이나 호수의 물처럼 소금기가 없는 물.
③ 편견: 어떤 기준을 두어 대상을 구별하고 다르게 대우하는 것.
④ 저작물: 자신만의 생각, 감정, 아이디어 등을 담아 만들어 낸 작품.
⑤ 꺾은선그래프: 수와 양을 점으로 표시하고, 그 점들을 선분으로 이어 그린 그래프.

**낱말 뜻**

**2** (      ) 안에 들어갈 알맞은 낱말을 **보기**에서 찾아 쓰세요.

**보기**

| 선분 | 까닭 | 감동 | 상황 |

(1) '현황'은 현재의 (              )을 말한다.
(2) '감명'은 잊을 수 없는 큰 (              )을 말한다.
(3) '다각형'은 (              )으로만 둘러싸인 도형을 말한다.
(4) '동기'는 어떤 일이나 행동을 하게 된 (              )을 말한다.

**반대말**

**3** 밑줄 친 낱말의 반대말은 무엇인가요? (         )

어머니께서 준비하신 음식은 우리 가족이 먹기에 <u>충분했다</u>.

① 넉넉했다          ② 만족했다          ③ 부족했다
④ 화려했다          ⑤ 충실했다

**비슷한말**

**4** 비슷한말끼리 짝 짓지 <u>못한</u> 것은 무엇인가요? (         )

① 의존 – 의지          ② 날수 – 일수          ③ 전년 – 작년
④ 계속되다 – 연속되다          ⑤ 스며들다 – 빠져들다

글자는 같지만 뜻이 다른 낱말

**5** 빈칸에 공통으로 들어갈 낱말은 무엇인가요? (        )

• 규칙을 [      ] 한다.             • 뜨거운 물은 조심히 [      ] 한다.

① 정해야           ② 따라야           ③ 세워야
④ 고쳐야           ⑤ 마셔야

속담

**6** 밑줄 친 속담을 알맞게 사용한 친구에게 ○표 하세요.

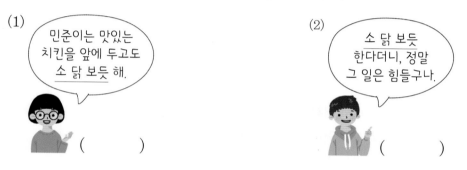

(1) 민준이는 맛있는 치킨을 앞에 두고도 <u>소 닭 보듯</u> 해.      (      )

(2) <u>소 닭 보듯</u> 한다더니, 정말 그 일은 힘들구나.      (      )

낱말 활용

7 ~ 10 (    ) 안에 들어갈 알맞은 낱말을 보기 에서 찾아 쓰세요.

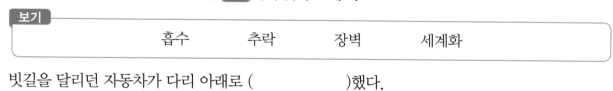

보기

흡수          추락          장벽          세계화

**7** 빗길을 달리던 자동차가 다리 아래로 (        )했다.

**8** 오랜만에 화분에 물을 주었더니 금세 (        )해 버렸다.

**9** 조선 시대에는 신분의 (        )을/를 뛰어넘기 힘들었다.

**10** 한국 음식의 (        )을/를 통해 우리의 전통 음식을 세계에 알리자.

# 찾아보기

『어휘가 문해력이다』 초등 4학년 2학기에 수록된 모든 어휘를
과목별로 나누어 ㄱ, ㄴ, ㄷ … 순서로 정리했습니다.

과목별로 뜻이 궁금한 어휘를 바로바로 찾아보세요!

## 차례

국어 교과서 어휘 ················· 139

사회 교과서 어휘 ················· 140

수학 교과서 어휘 ················· 141

과학 교과서 어휘 ················· 142

한자 어휘 ···························· 143

## 국어 교과서 어휘

### ㄱ

가치관 ························· 78쪽
간략하다 ······················109쪽
감명 ························· 109쪽
공손하다 ······················ 44쪽
관련성 ························ 111쪽
관심 ·························109쪽
구분 ··························77쪽
그림말 ······················· 45쪽
끼어들다 ······················ 44쪽

### ㄴ

낭독 ························· 111쪽
낯설다 ························15쪽

### ㄷ

다문화 ························77쪽
당부 ··························14쪽
대본 ·························· 13쪽
대사 ·························· 13쪽
동기 ·························108쪽
들려주다 ······················111쪽
따르다 ······················ 110쪽

### ㅁ

목록 ························· 108쪽

### ㅂ

발자취 ························ 79쪽
배경 ························· 46쪽
본받다 ························ 78쪽

### ㅅ

사건 ························· 46쪽
소심하다 ······················ 47쪽
수고하다 ······················ 44쪽
시대 상황 ····················· 79쪽
쑥스럽다 ······················14쪽

### ㅇ

안부 ·························14쪽
어떠하다 ······················ 76쪽
어찌하다 ······················ 76쪽
역사적 ························ 79쪽
영화 ························· 12쪽
예고편 ························ 12쪽
요소 ························· 46쪽
위로 ························· 15쪽
의견을 제시하는 글········ 76쪽
의롭다 ························ 47쪽

### ㅈ

적절하다 ····················· 110쪽
전기문 ······················· 78쪽
줄임 말 ······················ 45쪽
중심인물 ······················ 12쪽

### ㅍ

판결 ··························77쪽
평 ·························· 13쪽
평가 ························· 110쪽
표어 ························· 45쪽
표지 ························· 47쪽

### ㅎ

훈훈하다 ·······················15쪽
흥미진진하다 ·············108쪽

## 사회 교과서 어휘

ㄱ

감소 ·············· 85쪽
경제적 교류 ·············· 82쪽
경제 활동 ·············· 50쪽
고령화 ·············· 20쪽
교류 ·············· 21쪽
귀촌 ·············· 21쪽

ㄴ

농촌 ·············· 18쪽

ㄷ

다자녀 ·············· 85쪽
대중 매체 ·············· 82쪽
도시 ·············· 19쪽

ㅁ

목돈 ·············· 53쪽
문화 시설 ·············· 19쪽

ㅂ

발휘 ·············· 117쪽
부당하다 ·············· 117쪽

ㅅ

산지촌 ·············· 19쪽
생산 ·············· 52쪽
세계화 ·············· 115쪽
소득 ·············· 53쪽
소비 ·············· 52쪽
실시간 ·············· 115쪽

ㅇ

어촌 ·············· 18쪽
요양원 ·············· 84쪽
우대 ·············· 85쪽
운반 ·············· 53쪽
원산지 ·············· 83쪽
유출 ·············· 115쪽
의존 ·············· 115쪽

ㅈ

자원 ·············· 51쪽
장벽 ·············· 117쪽
저작물 ·············· 114쪽
저출산 ·············· 84쪽
정보화 ·············· 114쪽
제철 ·············· 21쪽
지원자 ·············· 117쪽
직거래 ·············· 21쪽

ㅊ

촌락 ·············· 19쪽
출생아 ·············· 85쪽
출신 ·············· 116쪽

ㅋ

QR 코드 ·············· 83쪽

ㅌ

특산물 ·············· 83쪽

ㅍ

판매 ·············· 53쪽
편견 ·············· 116쪽
편의 시설 ·············· 20쪽
품질 ·············· 51쪽
품질 인증 표시 ·············· 83쪽

ㅎ

한정되다 ·············· 51쪽
현명한 선택 ·············· 51쪽
희소성 ·············· 50쪽

**수학 교과서 어휘**

**ㄱ**

가마니 ·························· 25쪽
가장자리 ····················· 123쪽
갈림길 ························· 57쪽
거리 ···························· 57쪽
검산 ···························· 25쪽
계속되다 ······················ 121쪽
고정 ···························· 89쪽
곡선 ···························· 122쪽
굿다 ···························· 58쪽
기둥 ···························· 89쪽
꺾은선그래프 ················ 120쪽

**ㄴ**

나타내다 ····················· 24쪽
날수 ···························· 120쪽

**ㄷ**

다각형 ························· 122쪽
대각선 ························· 123쪽
덮다 ···························· 91쪽
둔각삼각형 ···················· 27쪽

**ㄹ**

리터 ···························· 25쪽

**ㅁ**

마름모 ························· 91쪽
마주 보다 ···················· 90쪽
미터 ···························· 24쪽

**ㅂ**

부족 ···························· 25쪽

**ㅅ**

사다리꼴 ····················· 89쪽
삼각자 ························· 59쪽
소수 두 자리 수 ············· 56쪽
소수 세 자리 수 ············· 56쪽
수선 ···························· 59쪽
수직 ···························· 58쪽
쌍 ······························ 88쪽

**ㅇ**

앞모양 ························· 27쪽
앞서다 ························· 57쪽
예각삼각형 ···················· 27쪽
육각형 ························· 123쪽
이등변삼각형 ················ 26쪽
이웃하다 ····················· 91쪽
잇다 ···························· 89쪽

**ㅈ**

적설량 ························· 121쪽
전년 ···························· 121쪽
점 ······························ 27쪽
정다각형 ····················· 123쪽
정삼각형 ····················· 26쪽
지점 ···························· 57쪽

**ㅊ**

최고 ···························· 121쪽

**ㅍ**

펼치다 ························· 91쪽
평행 ···························· 59쪽
평행사변형 ···················· 90쪽
평행선 ························· 59쪽
평행선 사이의 거리 ········· 88쪽

## 과학 교과서 어휘

### ㄱ

가시 ·························· 31쪽
가열 ·························· 32쪽
공기주머니 ·················· 31쪽
공업용수 ·················· 129쪽
그림자 연극 ················ 62쪽
끓음 ·························· 33쪽

### ㄴ

나무줄기 ·················· 127쪽

### ㄷ

담수화 ···················· 129쪽

### ㅁ

마그마 ······················ 94쪽
머무르다 ·················· 126쪽
무색 ·························· 63쪽
물의 순환 ················· 126쪽

### ㅂ

부딪치다 ···················· 64쪽
분화구 ······················ 95쪽
불투명 ······················ 63쪽

비치다 ······················ 65쪽
빛의 반사 ··················· 64쪽
빛의 직진 ··················· 63쪽

### ㅅ

사방 ·························· 63쪽
상하 ·························· 65쪽
생활용수 ·················· 129쪽
수증기 ······················ 32쪽
스며들다 ·················· 127쪽

### ㅇ

용암 ·························· 95쪽
응결 ·························· 33쪽
잎맥 ·························· 30쪽
잎자루 ······················ 31쪽

### ㅈ

재난 ·························· 97쪽
적응 ·························· 31쪽
조명 ·························· 65쪽
좌우 ·························· 65쪽
증발 ·························· 33쪽
지열 발전 ··················· 97쪽
지진 ·························· 97쪽
지하수 ···················· 127쪽

### ㅊ

채집 ·························· 30쪽
충분하다 ·················· 128쪽

### ㅌ

통과 ·························· 62쪽

### ㅎ

해수 ························ 129쪽
현무암 ······················ 96쪽
현황 ······················ 128쪽
화강암 ······················ 97쪽
화산 ·························· 94쪽
화산 분출물 ················ 95쪽
화산재 ······················ 95쪽
화상 ·························· 33쪽
화성암 ······················ 96쪽
흡수 ························ 127쪽

## 한자 어휘

**ㄱ**

감탄고토 ···················· 69쪽
고국 ························· 132쪽
고사 ························· 132쪽
고생 ·························· 69쪽
고진감래 ···················· 69쪽
고향 ························· 132쪽
공유 ·························100쪽
군락 ························· 133쪽

**ㄴ**

노고 ·························· 69쪽

**ㄷ**

단거리 ························ 37쪽
단기간 ························ 37쪽
단점 ·························· 37쪽

**ㅁ**

막상막하 ···················· 101쪽

**ㅂ**

부락 ························· 133쪽
부전자전 ····················· 36쪽
비공개 ························ 68쪽
비몽사몽 ····················· 68쪽
비정 ·························· 68쪽

**ㅅ**

소유 ·························100쪽
승하차 ······················ 101쪽
시비 ·························· 68쪽

**ㅇ**

여자 ·························· 36쪽
오비이락 ···················· 133쪽
유구무언 ····················100쪽
유해 ·························100쪽
일장일단 ····················· 37쪽

**ㅈ**

자녀 ·························· 36쪽
자손 ·························· 36쪽
죽마고우 ···················· 132쪽

**ㅊ**

추락 ························· 133쪽

**ㅎ**

하선 ························· 101쪽
하체 ························· 101쪽

**사진 자료 출처**

· **국립민속박물관** 가마니(25쪽)
· **셔터스톡, 아이클릭아트**

**통계 자료 출처**

· **대한체육회** 봅슬레이 연도별 등록 선수 수(120쪽)

66
어휘가
문해력이다
------------------------
어휘 학습으로
문해력 키우기
99

# 1주차 어휘 학습 점검

1주차에서 학습한 어휘를 잘 알고 있는지 ✔ 해 보고,
잘 모르는 어휘는 해당 쪽으로 가서 다시 한번 확인해 보세요.

## 국어

- [ ] 중심인물 ······· 12
- [ ] 영화 ······· 12
- [ ] 예고편 ······· 12
- [ ] 대사 ······· 13
- [ ] 대본 ······· 13
- [ ] 평 ······· 13
- [ ] 쑥스럽다 ······· 14
- [ ] 당부 ······· 14
- [ ] 안부 ······· 14
- [ ] 낯설다 ······· 15
- [ ] 훈훈하다 ······· 15
- [ ] 위로 ······· 15

## 사회

- [ ] 농촌 ······· 18
- [ ] 어촌 ······· 18
- [ ] 산지촌 ······· 19
- [ ] 촌락 ······· 19
- [ ] 도시 ······· 19
- [ ] 문화 시설 ······· 19
- [ ] 고령화 ······· 20
- [ ] 편의 시설 ······· 20
- [ ] 귀촌 ······· 21
- [ ] 교류 ······· 21
- [ ] 직거래 ······· 21
- [ ] 제철 ······· 21

## 수학

- [ ] 나타내다 ······· 24
- [ ] 미터 ······· 24
- [ ] 리터 ······· 25
- [ ] 가마니 ······· 25
- [ ] 부족 ······· 25
- [ ] 검산 ······· 25
- [ ] 이등변삼각형 ······· 26
- [ ] 정삼각형 ······· 26
- [ ] 예각삼각형 ······· 27
- [ ] 둔각삼각형 ······· 27
- [ ] 앞모양 ······· 27
- [ ] 점 ······· 27

## 과학

- [ ] 채집 ······· 30
- [ ] 잎맥 ······· 30
- [ ] 잎자루 ······· 31
- [ ] 적응 ······· 31
- [ ] 공기주머니 ······· 31
- [ ] 가시 ······· 31
- [ ] 가열 ······· 32
- [ ] 수증기 ······· 32
- [ ] 증발 ······· 33
- [ ] 끓음 ······· 33
- [ ] 응결 ······· 33
- [ ] 화상 ······· 33

## 한자

- [ ] 부전자전 ······· 36
- [ ] 자녀 ······· 36
- [ ] 자손 ······· 36
- [ ] 여자 ······· 36
- [ ] 단거리 ······· 37
- [ ] 단기간 ······· 37
- [ ] 일장일단 ······· 37
- [ ] 단점 ······· 37

# 어휘 학습 점검

2주차에서 학습한 어휘를 잘 알고 있는지 ☑ 해 보고,
잘 모르는 어휘는 해당 쪽으로 가서 다시 한번 확인해 보세요.

## 국어

- 공손하다 ···· 44
- 수고하다 ···· 44
- 끼어들다 ···· 44
- 줄임 말 ···· 45
- 그림말 ···· 45
- 표어 ···· 45
- 사건 ···· 46
- 배경 ···· 46
- 요소 ···· 46
- 표지 ···· 47
- 의롭다 ···· 47
- 소심하다 ···· 47

## 사회

- 경제 활동 ···· 50
- 희소성 ···· 50
- 자원 ···· 51
- 한정되다 ···· 51
- 현명한 선택 ···· 51
- 품질 ···· 51
- 생산 ···· 52
- 소비 ···· 52
- 운반 ···· 53
- 판매 ···· 53
- 소득 ···· 53
- 목돈 ···· 53

## 수학

- 소수 두 자리 수 ···· 56
- 소수 세 자리 수 ···· 56
- 거리 ···· 57
- 지점 ···· 57
- 앞서다 ···· 57
- 갈림길 ···· 57
- 긋다 ···· 58
- 수직 ···· 58
- 수선 ···· 59
- 평행 ···· 59
- 평행선 ···· 59
- 삼각자 ···· 59

## 과학

- 그림자 연극 ···· 62
- 통과 ···· 62
- 빛의 직진 ···· 63
- 불투명 ···· 63
- 무색 ···· 63
- 사방 ···· 63
- 부딪치다 ···· 64
- 빛의 반사 ···· 64
- 조명 ···· 65
- 비치다 ···· 65
- 상하 ···· 65
- 좌우 ···· 65

## 한자

- 비몽사몽 ···· 68
- 비공개 ···· 68
- 시비 ···· 68
- 비정 ···· 68
- 고진감래 ···· 69
- 감탄고토 ···· 69
- 고생 ···· 69
- 노고 ···· 69

# 어휘가 문해력이다

## 초등 4학년 2학기

교과서 어휘

## 정답과 해설

EBS 당신의 문해력

어휘가
문해력
이다

초등 4학년 2학기

1주차 정답과 해설

# 1주차 1회

## 국어 교과서 어휘

수록 교과서 국어 4-2 ㉮
1. 이어질 장면을 생각해요

다음 중 낱말의 뜻을 잘 알고 있는 것에 ☑ 하세요.
□ 중심인물 □ 영화 □ 예고편 □ 대사 □ 대본 □ 평

✎ 낱말을 읽고, ___ 부분에 밑줄을 그으면서 낱말 공부를 해 보세요.

### 중심인물
中 가운데 중 + 心 마음 심 + 人 사람 인 + 物 물건 물

**이것만은 꼭!**
뜻 이야기에서 일어나는 일의 중심이 되는 인물.
예 이어질 내용을 상상할 때에는 가장 먼저 중심인물을 누구로 할 것인지 생각해야 한다.

관련 어휘 **인물**
'인물'은 이야기에서 어떤 일을 겪는 사람이나 사물을 말해.

나는 심청이야. 『심청전』의 중심인물이지.

### 영화
映 비칠 영 + 畫 그림 화

뜻 움직이는 대상을 촬영한 뒤, 촬영한 필름을 영사기로 비추어서 보게 하는 예술.
예 영화를 보고 가장 인상 깊은 장면이 무엇인지 말해 본다.

글자는 같지만 뜻이 다른 낱말 **영화**
'영화'는 몸이 귀하게 되어 이름이 세상에 빛나는 것을 뜻하기도 해.
예 심청은 배우로 성공하여 평생 영화를 누리며 살았어.
**Tip** '부귀영화를 누리다.'라는 말에서 '부귀영화'는 재산이 넉넉하고 지위가 높으며 귀하게 되어서 마음껏 누리며 사는 것을 뜻해.

### 예고편
豫 미리 예 + 告 고할 고 + 篇 책 편

뜻 영화나 텔레비전 프로그램 등이 내용을 미리 알리기 위해 그 내용의 일부를 뽑아 모은 것.
예 영화의 예고편을 보고 어떤 내용이 펼쳐질지 상상해 보면 영화를 더 재미있게 볼 수 있다.

관련 어휘 **예고**
'예고'는 어떤 일이 일어나기 전에 미리 알리는 것을 뜻해.
예 아버지께서 예고도 없이 일찍 오셨다.
**Tip** '편'은 책이나 문학 작품, 또는 영화나 연극 등을 세는 단위로도 쓰여요.
예 소설 두 편

### 대사
臺 무대 대 + 詞 말 사
↳ '대(臺)'의 대표 뜻은 '대'야.

뜻 연극이나 영화 등에서 배우가 하는 말.
예 영화에서 등장인물이 한 말 중 가장 기억에 남는 대사를 떠올려 따라 해 본다.

### 대본
臺 무대 대 + 本 책 본
↳ '대(臺)'의 대표 뜻은 '대'야.

뜻 연극이나 영화에서, 대사나 장면에 대한 설명 등을 적어 놓은 글.
예 영화극을 할 때에는 대본을 쓰고 그것을 보며 연습해야 한다.

영화의 대본은 '시나리오'이고, 연극의 대본은 '희곡'이야.

### 평
評 평할 평

뜻 좋고 나쁨, 잘하고 못함, 옳고 그름 등을 평가하는 말.
예 영화를 보고 짧은 감상 평을 써 본다.

글자는 같지만 뜻이 다른 낱말 **평**
'평'은 넓이의 단위를 나타낼 때 쓰이는 단위이기도 해.
예 우리 집은 24평이야.

## 꼭 알아야 할 속담

왜 시금치와 버섯이 몸에 좋은 음식이야?

녹색 채소와 버섯은 몸에 좋거든.

똑바로 앉아서 숙제해야지.

네.

텔레비전 그만 보고 책을 읽는 게 어때?

네.

쓴 약이 더 좋다고 했어. 다 너 위한 소리야!

**반전 채우기**

'쓴 약'이 더 좋다는 비판이나 충고가 당장에 듣기에는 좋지 않지만 진심으로 받아들이면 자신에게 이로움을 이르는 말입니다.

# 국어 교과서 어휘

수록 교과서 국어 4-2 ㉮
2. 마음을 전하는 글을 써요

다음 중 낱말의 뜻을 잘 알고 있는 것에 ☑ 하세요.

□ 쑥스럽다 □ 당부 □ 안부 □ 낯설다 □ 훈훈하다 □ 위로

낱말을 읽고, ___ 부분에 맞춤을 그으면서 낱말 공부를 해 보세요.

## 쑥스럽다

- 뜻 행동이나 모습이 자연스럽지 못하거나 어울리지 않아 부끄럽다.
- 예 나와 다른 친구에게 쑥스럽지만 용기 내어 사과했다.
- 비슷한말 부끄럽다
- '부끄럽다'는 "쑥스럽거나 수줍다."라는 뜻이야.
- 예 나는 많은 사람들 앞에서 발표하는 것이 부끄럽다.

'쑥스럽다'를 '쑥쓰럽다'라고 쓰지 않도록 주의해!

## 당부

當 마땅할 당 + 付 부탁할 부
☞ 부(付)의 대표 뜻은 '주다'예요.

- 뜻 말로 단단히 부탁함.
- 예 안창호 선생님은 아들에게 편지를 써서 좋은 사람이 되라고 당부하셨다.
- 비슷한말 부탁
- '부탁'은 어떤 일을 해 달라고 하거나 맡기는 것을 뜻해.
- 예 책을 깨끗하게 봐 달라고 부탁했다.

'신신당부'라는 말이 있어. 거듭해서 간절히 부탁한다는 뜻이야. "선생님께서는 지각을 하지 말라고 신신당부를 하셨다."와 같이 쓰여.

**이것만은 꼭!**

## 안부

安 편안할 안 + 否 아닐 부

- 뜻 어떤 사람이 편안하게 잘 지내는지에 대한 소식.
- 예 이들은 잘 지내는지 안부를 묻기 위해서 편지를 썼다.

안부가 궁금해서 전화를 했구나!

잘 지내렴?

---

## 낯설다

- 뜻 전에 보거나 듣거나 경험한 적이 없어 눈에 익숙하지가 않다.
- 예 이사 온 지 얼마 되지 않아 다니는 길이 익숙하거나 낯설기만 하다.
- 반대말 낯익다
- '낯익다'는 "전에 본 적이 있어 눈에 익어 낯설지 않다."라는 뜻이야.
- 예 사진 속 풍경이 낯익다.
- Tip '낯설다'에 '-음'이 연결되면 '낯섦'이 돼요. '낯섬'은 잘못된 표현이에요.
- 예 한밤에 낯선 신발이 있었다.

## 훈훈하다

薰 향초 훈 + 薰 향초 훈 + 하다

- 뜻 마음을 부드럽게 녹여 주는 따뜻함이 있다.
- 예 새로 이사 온 사람이 이웃에게 인사하는 내용을 담은 쪽지를 붙인 모두의 마음이 훈훈해졌다.
- 비슷한말 따뜻하다
- '따뜻하다'는 "마음, 태도, 분위기 등이 정답고 편안하다."라는 뜻이야.
- 예 힘든 이웃을 돕는 어머니의 따뜻한 정에 감동을 받았다.

## 위로

慰 위로할 위 + 勞 일할 로

- 뜻 따뜻한 말이나 행동 등으로 괴로움을 덜어 주거나 슬픔을 달래 줌.
- 예 몸이 아파서 학교에 나오지 못하는 친구에게 위로하는 마음을 전하기 위해 편지를 썼다.

### 국어 교과서 어휘

O표 하기

'눈을 (씻고, 맞추고) 보다'는 정신을 바짝 차리고 집중해서 본다는 뜻입니다.

# 확인 문제

12~13쪽에서 공부한 낱말을 떠올리며 문제를 풀어 보세요.

## 1 뜻에 알맞은 낱말을 완성하세요.

(1) 연극이나 영화 등에서 배우가 하는 말. → 대사

(2) 이야기에서 일어나는 일의 중심이 되는 인물. → 중심인물

(3) 연극이나 영화에서, 대사나 장면에 대한 설명 등을 적어 놓은 글. → 대본

(4) 영화나 텔레비전 프로그램 등의 내용을 미리 알리기 위해 그 내용 일부를 뽑아 보이는 것. → 예고편

해설 | (1) 연극이나 영화 등에서 배우가 하는 말은 '대사'입니다. (2) 이야기에서 일어나는 일의 중심이 되는 인물입니다. (3) 연극이나 영화에서 대사나 장면에 대한 설명 등을 적어 놓은 글은 '대본'입니다. (4) 영화나 텔레비전 프로그램 등의 내용을 미리 알리기 위해 그 내용의 일부를 뽑아 보이는 것은 '예고편'입니다.

## 2 빈칸에 공통으로 들어갈 낱말은 무엇인가요? ( ② )

① 말  ② 평  ③ 생각  ④ 감상  ⑤ 소개

해설 | 친구는 영화를 보고 그림을 평하고 있고, 할머니는 노래자랑을 평하고 있으므로 빈칸에 공통으로 들어갈 말은 '평'입니다.

## 3 밑줄 친 낱말의 쓰임이 알맞으면 ○표, 알맞지 않으면 ×표 하세요.

(1) 인상 깊은 대사를 떠올려 따라 해 보았다. ( ○ )

(2) 영화를 감상하고 이어질 내용을 상상해 보았다. ( ○ )

(3) 대본을 읽으며 자신이 맡은 역할에 대해 생각해 본다. ( ○ )

(4) 예고편에 따르면 오늘 밤 늦게부터 비가 내릴 것이라고 한다. ( × )

해설 | '예고편'은 날씨를 알려 주는 것이 아니므로 (4)의 쓰임이 알맞지 않습니다.

---

14~15쪽에서 공부한 낱말을 떠올리며 문제를 풀어 보세요.

## 4 뜻에 알맞은 낱말을 빈칸에 쓰세요.

(1)

| 가로 열쇠 | ❶ 어떤 사람이 편안하게 잘 지내는지에 대한 소식. |
| 세로 열쇠 | ❷ 일로 단단히 부탁함. |

❶안 / ❷부 → 안부 / 부탁

(2)

❷낯 설 다
❶훈 훈 하 다

해설 | (1) 어떤 사람이 편안하게 잘 지내는지에 대한 소식은 '안부'이고 일로 단단히 부탁하는 것은 '부탁'입니다. (2) "마음을 부드럽게 녹여 주는 따뜻함이 있다."라는 뜻을 가진 낱말은 '훈훈하다'이고, "전에 보거나 듣거나 경험한 적이 없어 익숙하지가 않다."라는 뜻을 가진 낱말은 '낯설다'입니다.

## 5 뜻이 비슷한 낱말끼리 짝 짓지 못한 것에 ×표 하세요.

(1) 당부 - 승부 ( × )

(2) 쑥스럽다 - 부끄럽다 ( )

(3) 훈훈하다 - 따뜻하다 ( )

해설 | '당부'와 뜻이 비슷한 낱말은 '부탁'입니다.

## 6 밑줄 친 낱말의 반대말은 무엇인가요? ( ③ )

낯선 동네로 이사를 와서 어색하다.

① 모르는  ② 유명한  ③ 낯익은
④ 이상한  ⑤ 화려한

해설 | '낯설다'는 "전에 본 적이 있어 낯에 익거나 익숙하다."라는 뜻을 가진 '낯익다'와 뜻이 반대입니다.

## 7 ( ) 안에서 알맞은 낱말을 골라 ○표 하세요.

(1) 아버지는 책을 꾸준히 읽으라고 (당부, 장함) 하셨다.

(2) 미국에 사시는 삼촌의 (안내, 안부)가 궁금해서 전화를 했다.

(3) 친구가 수상해하는 나를 (방해, 위로)해 주어서 마음이 풀렸다.

(4) 어머니의 따뜻한 말씀에 굳었던 마음이 (서늘하게, 훈훈하게) 녹아내렸다.

해설 | (1) 책을 꾸준히 읽으라고 부탁하신 것이므로 '당부'가 알맞습니다. (2) 궁금해서 전화를 했다고 했으므로 '안부'가 알맞습니다. (3) 마음이 풀렸다고 했으므로 '위로'가 알맞습니다. (4) 굳었던 마음이 녹아내렸다고 했으므로 '훈훈하게'가 알맞습니다.

# 사회 교과서 어휘

수록 교과서 사회 4-2
1. 촌락과 도시의 생활 모습

다음 중 낱말의 뜻을 잘 알고 있는 것에 ✓ 하세요.
□ 농촌 □ 어촌 □ 산지촌 □ 촌락 □ 도시 □ 문화 시설

우리가 살고 있는 다양한 고장의 모습이야. 비슷해 보이는 곳도 있고, 전혀 달라 보이는 곳도 있네. 각 고장을 부르는 낱말을 공부해 보고, 각각의 특징도 있을까?

낱말을 읽고, ___ 부분에 알맞은 낱말을 그으면서 낱말 공부를 해 보세요.

## 농촌
農 농사 농 + 村 마을 촌
뜻 논과 밭에서 곡식이나 채소를 기르는 일 등 농업을 하는 곳.
예 농촌에는 농사짓는 땅과 농사짓는 데 도움을 주는 시설들이 있다.
관련 어휘 농업
'농업'은 논이나 밭을 이용하여 인간 생활에 필요한 식물을 가꾸거나 동물을 기르는 일을 말해.

## 어촌
漁 고기 잡을 어 + 村 마을 촌
뜻 물고기를 잡거나 기르고, 김과 미역을 기르는 일 등 어업을 하는 곳.
예 어촌 사람들은 날씨가 나쁘면 배를 타고 바다에 나갈 수 없으므로 날씨를 중요하게 생각한다.
관련 어휘 어업
'어업'은 바다에서 물고기를 잡거나 기르고, 김과 미역을 기르는 일 등을 말해.

## 산지촌
산 山 + 地 땅 지 + 村 마을 촌
뜻 산에서 나무를 베거나 산나물을 캐는 일 등 임업을 하는 곳.
예 산지촌에 살고 계신 삼촌은 산에서 나물을 캐고 버섯을 기우신다.
관련 어휘 임업
'임업'은 산에서 나무를 가꾸어 베거나 산나물을 캐는 일 등을 말해.
Tip '산촌'은 산속에 있는 마을을 말해요.

## 촌락
村 마을 촌 + 落 마을 락
뜻 농촌, 어촌, 산지촌처럼 자연환경을 주로 이용하여 살아가는 지역.
예 촌락은 자연환경의 영향을 많이 받기 때문에 계절이나 날씨에 따라 생활 모습이 달라진다.
포함되는 말 농촌, 어촌, 산지촌
'농촌', '어촌', '산지촌'은 '촌락'에 포함되는 말이야.
이것만은 꼭!

## 도시
都 도읍 도 + 市 시장 시
뜻 인구가 많이 모여 있고 사회, 정치, 경제 활동의 중심이 되는 곳.
예 많은 사람이 모여 사는 도시는 높은 건물이 많고, 버스나 지하철 같은 교통수단도 발달했다.

사람은 학교나 회사에 다니고, 상가에 쇼핑하고, 물건을 사고파는 등 여러 가지 활동을 하며 살아. 이런 활동들을 사회, 정치, 경제 활동이라고 해.

## 문화 시설
文 글월 문 + 化 될 화 + 施 베풀 시 + 設 베풀 설
뜻 문화를 누리고 발달시키는 데 필요한 시설.
예 도시에는 도서관, 미술관, 공연장 같은 문화 시설이 많다.
관련 어휘 문화
'문화'는 사람들이 오랜 시간을 함께 생활하면서 만들어지고 전해져 내려온 공통된 생활 방식을 말해.

이런 곳이 문화 시설이야.

정답과 해설 ▶ 5쪽

# 1주차 2회
## 사회 교과서 어휘

수학 교과서 [사회4-2]
1. 촌락과 도시의 생활 모습

다음 중 낱말의 뜻을 잘 읽고 있는 것에 ✓하세요.

□ 고령화 □ 편의 시설 □ 귀촌 □ 교류 □ 직거래 □ 제철

촌락과 도시는 가까이 문제점을 갖고 있어. 그런데 요즘에는 그림과 같은 좋은 변화도 일어나고 있다고 해. 이런 화제에서는 촌락과 도시의 문제점과 해결하는 방법에 관련된 낱말을 공부해 보자.

✏ 낱말을 읽고, ▨ 부분에 밑줄을 그으면서 낱말 공부를 해 보세요.

**이것만은 꼭!**
- 뜻 전체 인구에서 노인의 비율이 높아지는 현상.
- 예 고령화 현상으로 촌락에 사는 노인의 인구는 조금씩 늘어나고 있지만, 어린이의 수는 크게 줄어들고 있다.

관련 어휘 **비율**
'비율'은 어떤 수나 양에 비해 얼마만큼이 되는지를 나타낸 것을 말해.
예 우리 반은 남학생에 비해 여학생이 비율이 낮다.

### 고령화
高 높을 고 + 齡 나이 령 + 化 될 화

### 편의 시설
- 뜻 어떤 일을 하기 편하도록 좋은 환경을 갖춘 시설.
- 예 도시에는 은행 병원 편의점과 같은 편의 시설이 잘 갖추어져 있다.

便 편할 편 + 宜 마땅할 의 + 施 베풀 시 + 設 베풀 설

'편의'는 어떤 일을 하기에 편하고 좋은 것을 뜻해.

---

### 귀촌
歸 돌아갈 귀 + 村 마을 촌
- 뜻 도시에 살던 사람들이 촌락으로 사는 곳을 옮기는 것.
- 예 최근에는 귀촌을 하는 사람들이 많아지면서 도시에서 촌락으로 이사하는 사람들이 늘고 있다.

농사를 지으며 살려고 귀촌을 해어요.

### 교류
交 사귈 교 + 流 흐를 류
- 뜻 사람들이 오고 가거나 물건, 문화, 기술 등을 서로 주고받는 것.
- 예 도시에 사는 사람들과 촌락에 사는 사람들은 다양한 방법으로 교류를 하며 살아간다.

### 직거래
直 곧을 직 + 去 갈 거 + 來 올 래
- 뜻 물건을 팔 사람과 살 사람이 중간에서 연결해 주는 사람을 거치지 않고 직접 사고파는 것.
- 예 농산물 직거래 장터에서는 싱싱한 농산물을 싸게 살 수 있다.

Tip '거래'는 돈이나 물건을 주고받거나 사고파는 것을 뜻해요.

농산물 직거래 장터 모습이야.

### 제철
- 뜻 알맞은 때.
- 예 도시 사람들은 평소 교류하는 촌락에서 제철 농산물을 얻기도 한다.

글자는 같지만 뜻이 다른 낱말 **제철**
제철은 철광석을 녹여서 쇠를 뽑아내는 일을 뜻하는 낱말로 쓰여.
예 제철 과정에 대해 읽고 싶어서 포항에 있는 제철소를 견학했다.

# 확인 문제

18~19쪽에서 공부한 낱말을 떠올리며 문제를 풀어 보세요.

## 1 뜻에 알맞은 낱말을 빈칸에 쓰세요.

| | ❶촌 | | |
|---|---|---|---|
| | ❷락 | | |
| | | ❸어 | ❹촌 |
| | | | ❺농 |

**가로 열쇠**
❶ 산에서 나무를 베거나 산나물을 캐는 일 등 임업을 하는 곳.
❹ 논과 밭에서 곡식이나 채소를 기르는 일 등 농업을 하는 곳.

**세로 열쇠**
❷ 농촌, 어촌, 산지촌처럼 자연환경을 주로 이용하며 살아가는 지역.
❸ 물고기를 잡거나 기르고, 김과 미역을 기르는 일 등 어업을 하는 곳.

해설 | ❶ 임업을 하는 곳은 '산지촌'입니다. ❷ 자연환경을 주로 이용하며 살아가는 지역이라는 뜻은 '촌락'입니다. ❸ 어업을 하는 곳은 '어촌'입니다. ❹ 농업을 하는 곳은 '농촌'입니다.

## 2 빈칸에 공통으로 들어갈 낱말은 무엇인지 쓰세요.

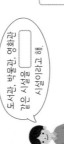

노 사람들이 어린 시간을 함께 생활하면서 만들어지고 전해져 내려온 공통된 생활 방식을 말해.

도서관, 박물관, 영화관 같은 □□ 시설이라고 해.

해설 | 여자아이는 '문화'에 대해 말하고 있고, 남자아이는 '문화 시설'에 대해 말하고 있습니다.

## 3 다음 중 다른 낱말을 모두 포함하는 말에 ○표 하세요.

농촌   어촌   (촌락)   산지촌

해설 | 농촌, 어촌, 산지촌은 '촌락'에 포함되는 말입니다.

## 4 ( ) 안에서 알맞은 낱말을 골라 ○표 하세요.

(1) (도시)에는 회사나 공장이 있어서 일자리가 많다.
(2) 내가 살고 있는 곳은 웅장한 숲에 둘러싸여 있어서 (농업, 어업, (임업))이 발달하였다.
(3) 우리 고장에는 (교육 시설, (문화 시설))이 부족해서 공연을 보려면 이웃 도시까지 가야 한다.

해설 | (1) 회사나 공장이 있어서 일자리가 많은 곳은 '도시'입니다. (2) 웅장한 숲에 둘러싸여 있으므로 '임업'이 발달했을 것입니다. (3) 공연을 보러 이웃 마을까지 가야 한다고 했으므로 '문화 시설'이 부족한 것입니다.

---

20~21쪽에서 공부한 낱말을 떠올리며 문제를 풀어 보세요.

## 5 낱말의 뜻은 무엇인지 빈칸에 들어갈 알맞은 말을 넣어 완성하세요.

(1) 제철 — 알맞은 [때].
(2) 고령화 — 전체 인구에서 [노][인]의 비율이 높아지는 현상.
(3) 귀촌 — 도시에 살던 사람들이 [촌][락]으로 사는 곳을 옮기는 것.
(4) 직거래 — 물건을 팔 사람과 살 사람이 중간에서 연결해 주는 사람을 거치지 않고 [직][접] 사고파는 것.

해설 | (1) '제철'은 알맞은 때를 말합니다. (2) 고령화는 전체 인구에서 노인이 차지하는 현상을 말합니다. (3) '귀촌'은 도시에 살던 사람들이 촌락으로 사는 곳을 옮기는 것을 말합니다. (4) '직거래'는 물건을 팔 사람과 살 사람이 중간에서 직접 사고파는 것을 말합니다.

## 6 ( ) 안에서 알맞은 낱말을 골라 ○표 하세요.

(1) 촌락에는 식당, 마을회, 수영장과 같은 (편리, 편안, (편의)) 시설이 부족하다.
(2) 지역마다 나거나 만드는 물건, 기술, 문화 등이 다르기 때문에 (교매, (교류), 교육 )이/가 이루어진다.

해설 | (1) 식당, 마을회, 수영장 같은 시설은 '편의 시설'입니다. (2) 지역마다 나거나 만드는 물건, 기술, 문화가 달라서 이루어진다고 했으므로 '교류'가 알맞습니다.

## 7 ( ) 안에 들어갈 알맞은 낱말을 보기 에서 찾아 쓰세요.

보기
귀촌   제철   직거래
고령화   현상   고령화

(1) 촌락은 ( 고령화 ) 현상으로 일할 사람이 부족하다.
(2) 진달래 마을 주민들은 현준이네 가족에게 ( 제철 )에만 먹을 수 있는 농산물을 보내 준다.
(3) 지역 사회에서는 ( 귀촌 )을/를 하려는 사람들이 촌락에서 잘 살 수 있도록 도와주고 있다.
(4) 농촌 봉사 활동에 참여한 도시 사람들은 농산물을 ( 직거래 )할 수 있는 기회를 얻기도 한다.

해설 | (1) 일할 사람이 부족하다고 했으므로 고령화가 알맞습니다. (2) 특정한 철에 나는 농산물이 알맞습니다. (3) 촌락에서 잘 살 수 있도록 도와준다고 했으므로 '귀촌'이 알맞습니다. (4) 농산물을 직접 사고파는 내용이므로 '직거래'가 알맞습니다.

## 리터

**뜻** 주로 기계나 액체의 양을 재는 부피의 단위. 1리터는 '1L'라고 씀.

**예** 물 2리터 중 $\frac{3}{5}$리터만 남았다면, 마신 물의 양은 $1\frac{2}{5}$리터입니다.

**관련 어휘** 밀리리터
'밀리리터'는 기계나 액체의 양을 재는 부피의 단위야. 1밀리리터는 '1mL'라고 써.

1000밀리리터 = 1리터

'부피'는 물체가 차지하는 공간의 크기를 말해.

## 가마니

**뜻** 곡식이나 소금 등을 담기 위해 짚으로 만든 큰 주머니의 수를 세는 단위.

**예** 처음에 형이 가지고 있던 쌀은 모두 몇 가마니인가요?

## 부족

**뜻** 모자라거나 넉넉하지 않음.

**예** 사과파이를 만들려면 사과 4개가 필요한데 수입이는 $\frac{3}{4}$개, $3\frac{1}{4}$개를 가졌으므로 부족한 사과의 개수는 $\frac{3}{4}$개입니다.

不 아닐 **부** + 足 넉넉할 **족** 〈9획〉
'足(족)'의 대표 뜻은 '발'이야.

'부족하다'와 '모자라다'는 뜻이 비슷해.

## 검산

**뜻** 계산이 맞았는지 틀렸는지를 확인하기 위해 다시 하는 계산.

**예** 덧셈으로 검산하면 $2\frac{2}{4} + 2\frac{3}{4} = 4\frac{1}{4}$이 아니라 $5\frac{1}{4}$이니까 그 계산은 잘못된 거야.

檢 검사할 **검** + 算 셈 **산**

---

# 1주차 3회

## 수학 교과서 어휘

**수록 교과서** [수학 4-2]
1. 분수의 덧셈과 뺄셈

다음 중 낱말의 뜻을 잘 알고 있는 것에 ✓ 하세요.
□ 나타내다 □ 미터 □ 리터 □ 가마니 □ 부족 □ 검산

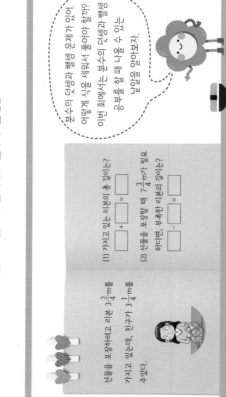

분수의 덧셈과 뺄셈 문제가 있어. 어떻게 식을 세워서 풀어야 할까? 이번 회에서는 분수의 덧셈과 뺄셈 공부를 함께 하면서 낱말을 알아보자.

선물을 포장하려고 리본 $3\frac{2}{4}$ m를 가지고 있는데, 친구가 $1\frac{1}{4}$ m를 주었다.

(1) 가지고 있는 리본의 총 길이는?

□ + □ = □

(2) 선물을 포장할 리본은 $7\frac{3}{4}$ m가 필요하다면, 부족한 리본의 길이는?

□ - □ = □

✏ 낱말을 읽고, ▨ 부분에 알맞은 그림을 그리면서 낱말 공부를 해 보세요.

## 나타내다

**뜻** 생각이나 느낌 등을 글, 그림, 음악 등으로 드러내다.

**예** 처음에 가지고 있던 리본의 길이를 그림에 나타내어 보세요.

**비슷한말** 표현하다
'표현하다'는 "느낌이나 생각 등을 말, 글, 몸짓 등으로 나타내어 겉으로 드러내다."라는 뜻이야. 예 행복한 마음을 그림으로 표현했다.

## 미터

**뜻** 길이의 단위. 1미터는 '1m'라고 씀.

**예** 사용하고 남은 리본은 2미터보다 긴지 짧은지 말해 보세요.

**관련 어휘** 센티미터, 킬로미터
'센티미터'와 '킬로미터'는 길이의 단위야. 1센티미터는 '1cm'라고 쓰고, 1킬로미터는 '1km'라고 써.

100센티미터 = 1미터
1000미터 = 1킬로미터

**이것만은 꼭!**

**Tip** '밀리미터'도 길이의 단위예요. 1밀리미터는 '1mm'라고 써요. 10밀리미터가 1센티미터예요.

# 1주차 3회

## 수학 교과서 어휘

수록 교과서 수학 4-2  2. 삼각형

다음 중 낱말의 뜻을 잘 알고 있는 것에 ✓하세요.

- □ 이등변삼각형  □ 정삼각형  □ 예각삼각형
- □ 둔각삼각형  □ 앞모양  □ 점

그림에서 삼각형을 찾아볼까? 세 변의 길이가 같은 것도 있고, 두 변의 길이만 같은 것도 있어. 각 삼각형이다 각도도 다 달라. 각각의 삼각형을 부르는 낱말을 확인해 보자.

✏ 낱말을 읽고, 부분에 알맞은 글을 그으면서 낱말 공부를 해 보세요.

### 이것만은 꼭!

### 이등변삼각형
二 두 이 + 等 무리 등 + 三 석 삼 + 角 뿔 각 + 形 모양 형
- 뜻 두 변의 길이가 같은 삼각형.
- 예 이등변삼각형은 두 변의 길이와 두 각의 크기가 같다.
- Tip 모든 선과 선의 끝이 만나는 곳을 꼭짓점이라고.

이건 이등변삼각형이야! 변 ㄱㄴ과 변 ㄱㄷ의 길이가 같아.

### 정삼각형
正 바를 정 + 三 석 삼 + 角 뿔 각 + 形 모양 형
- 뜻 세 변의 길이가 같은 삼각형.
- 예 정삼각형은 세 변의 길이와 세 각의 크기가 같다.

이건 정삼각형이야! 변 ㄱㄴ, 변 ㄱㄷ, 변 ㄴㄷ의 길이가 모두 같아.

---

### 예각삼각형
銳 날카로울 예 + 角 뿔 각 + 三 석 삼 + 角 뿔 각 + 形 모양 형
- 뜻 세 각이 모두 예각인 삼각형.
- 예 예각이 있다고 모두 예각삼각형인 것은 아니고, 세 각이 모두 90°보다 작은지 확인해야 한다.

'예각'은 각도가 0°보다 크고 90°보다 작은 각을 일해.

### 둔각삼각형
鈍 둔할 둔 + 角 뿔 각 + 三 석 삼 + 角 뿔 각 + 形 모양 형
- 뜻 한 각이 둔각인 삼각형.
- 예 이 삼각형은 한 각이 105°이므로 둔각삼각형이다.

'둔각'은 각도가 90°보다 크고 180°보다 작은 각을 일해.

Tip '이등변삼각형, 정삼각형, 예각삼각형, 둔각삼각형'은 모두 '삼각형'이고, '삼각형'을 포함하는 낱말은 '도형'이에요.

### 앞모양
앞 + 模 본뜰 모 + 樣 모양 양
- 뜻 앞으로 드러나 보이는 모양.
- 예 전학의 앞모양이 이등변삼각형이 되면 앞에 있는 두 각의 크기가 같이 편안하게 앉아 있을 수 있다.
- 반대말 뒷모양
'뒷모양'은 뒤로 드러나 보이는 모양을 뜻해.
- 예 거울에 내 뒷모양을 비추어 보았다.

### 점
點 점 점
- 뜻 수학에서, 위치만 있고 크기가 없는 가장 단순한 도형.
- 예 주어진 선분의 양 끝에 크기가 각각 30°인 각을 그리고, 두 각의 변이 만나는 점을 찾아 삼각형을 완성해 보세요.
- 여러 가지 뜻을 가진 낱말 점
'점'은 사람의 피부나 동물의 털 등에 있는, 다른 색깔의 작은 얼룩을 뜻하기도 해.
- 예 나는 이마에 큰 점이 있다.

# 확인 문제

26~27쪽에서 공부한 낱말을 떠올리며 문제를 풀어 보세요.

## 4 낱말과 그 뜻을 알맞게 선으로 이으세요.

(1) 정삼각형 •     • 한 각이 둔각인 삼각형.

(2) 예각삼각형 •    • 세 변의 길이가 같은 삼각형.

(3) 둔각삼각형 •    • 두 변의 길이가 같은 삼각형.

(4) 이등변삼각형 •  • 세 각이 모두 예각인 삼각형.

해설 | (1) '정삼각형'은 세 변의 길이가 같은 삼각형입니다. (2) '예각삼각형'은 세 각이 모두 예각인 삼각형입니다. (3) '둔각삼각형'은 한 각이 둔각인 삼각형입니다. (4) '이등변삼각형'은 두 변의 길이가 같은 삼각형입니다.

## 5 빈칸에 들어갈 알맞은 낱말에 ○표 하세요.

(1)

두 개의 선이 만나는 [   ]을 찾아봐.

( 점 , 면 )

(2)

똑같은 길이의 나뭇가지 3개로 [   ]을 만들어봐.

( 정삼각형 , 둔각삼각형 )

해설 | (1) 두 개의 선이 만나는 곳은 '점'이 알맞습니다. (2) 똑같은 길이로 만들었다고 했으므로 '정삼각형'이 알맞습니다.

## 6 빈칸에 들어갈 알맞은 낱말을 글자 카드로 만들어 쓰세요.

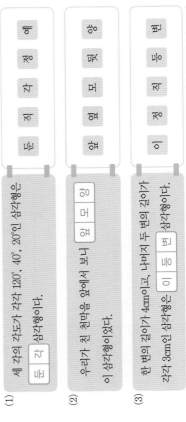

글자 카드: 둔 · 각 · 각 · 정 · 예 / 앞 · 옆 · 모 · 맞 · 양 / 이 · 등 · 변 · 직 · 정

(1) 세 각의 각도가 각각 120°, 40°, 20°인 삼각형은 [둔][각][삼][각][형]이다.

(2) 우리가 친 천막을 앞에서 보니 [앞][모][양]이 삼각형이다.

(3) 한 변의 길이가 4cm이고, 나머지 두 변의 길이가 각각 3cm로 삼각형은 [이][등][변][삼][각][형]이다.

해설 | (1) 한 각이 120°로 둔각이므로 '둔각삼각형'입니다. (2) 앞에서 보았으므로 앞모양이 알맞습니다. (3) 두 변의 길이가 3cm로 같으므로 '이등변삼각형'입니다.

---

# 확인 문제

24~25쪽에서 공부한 낱말을 떠올리며 문제를 풀어 보세요.

## 1 뜻에 알맞은 낱말을 보기 에서 찾아 쓰세요.

보기: 검산  부족  가마니

(1) 모자라거나 넉넉하지 않음. ( 부족 )

(2) 계산이 맞았는지 틀렸는지를 확인하기 위해 다시 하는 계산. ( 검산 )

(3) 곡식이나 소금 등을 담기 위해 짚으로 만든 큰 주머니의 수를 세는 단위. ( 가마니 )

해설 | (1) 모자라거나 넉넉하지 않은 것을 뜻하는 낱말은 '부족'입니다. (2) 계산이 맞았는지 틀렸는지를 확인하기 위해 다시 하는 계산은 '검산'입니다. (3) 곡식이나 소금 등을 담기 위해 짚으로 만든 큰 주머니의 수를 세는 단위는 '가마니'입니다.

## 2 빈칸에 공통으로 들어갈 낱말에 ○표 하세요.

(1) [   ]는 길이의 단위이다. 1[   ]는 'lm'라고 쓴다.

( 리터 , 미터 )

(2) [   ]는 주로 기체나 액체의 양을 재는 부피의 단위이다. 1[   ]는 'lL'라고 쓴다.

( 리터 , 미터 )

해설 | (1) '미터'는 길이의 단위로, 1미터는 'lm'라고 씁니다. (2) '리터'는 주로 기체나 액체의 양을 재는 부피 단위로, 1리터는 'lL'라고 씁니다.

## 3 밑줄 친 낱말이 알맞게 쓰였는지 ○, ×를 따라가며 선을 긋고 몇 번으로 나오는지 쓰세요.

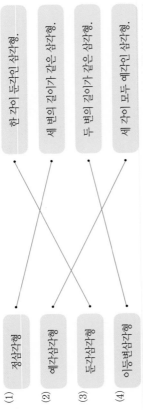

시작

- 습기가 물 2미터를 가지고 등산을 갔다.
- 검산을 해서 답이 맞는지 확인했다.
- 남은 물이 몇 병인지 수로 나타내어 보세요.
- 동생들은 쌀 가마니를 형 집에 가져다 놓았다.

( ② )

해설 | '미터'는 길이의 단위이므로 "습기가 물 2미터를 가지고 등산을 갔다."에서 '미터'의 쓰임이 알맞지 않습니다. 액체의 양을 잴 때 쓰는 부피의 단위는 '리터'입니다.

# 과학 교과서 어휘

**수록 교과서** 과학 4-2
1. 식물의 생활

다음 중 낱말의 뜻을 잘 알고 있는 것에 ✓ 하세요.

□ 채집 □ 잎맥 □ 잎자루 □ 적응 □ 공기주머니 □ 가시

> 식물들이 여러 장소에서 다양한 모습으로 살고 있어. 사는 곳이 달라서 서로 다른 특징을 가지게 되어대. 식물의 생활과 관련된 낱말을 공부하고, 식물을 직접 채집해서 살펴볼까?

📌 낱말을 읽고, 부분에 밑줄을 그으면서 낱말 공부를 해 보세요.

> 자연에서 나는 것을 베거나 캐거나 하여 얻는 것을 '채취'라고 해.

## 채집 採 캘 채 + 集 모을 집
뜻 널리 돌아다니며 얻거나 캐거나 잡아서 모음.
예 식물의 잎을 채집할 때에는 땅에 떨어진 잎을 줍는 것이 좋다.

## 잎맥 잎 + 脈 줄기 맥
뜻 식물의 잎에서 선처럼 보이는 것으로, 물과 양분을 나르는 길.
예 강아지풀의 잎은 긴 편이며, 잎맥은 그물처럼 되어 있지 않고 나란하다.

잎맥 / 잎몸 / 잎자루
▲ 잎의 생김새

---

## 잎자루
뜻 식물의 잎몸과 줄기 사이에 있는 부분으로, 잎을 줄기에 붙어 있게 함.
예 잎과 줄기를 연결하는 잎자루 부분을 잘라 채집한 뒤, 잎의 생김새를 관찰해 보자.

## 적응 適 맞을 적 + 應 응할 응

**이것만은 꼭!**

뜻 생물이 오랜 기간에 걸쳐 주변 환경에 알맞게 변화되어 가는 것.
예 바오바브나무가 키가 크고 줄기가 굵어서 물을 많이 저장할 수 있는 것은 사막의 건조한 환경에 적응했기 때문이다.

> '부적응'은 주변 환경에 알맞게 바뀌지 못한 것을 뜻해. '적응'에 '아님'의 뜻을 더하는 말인 '부-'를 붙여 반대의 뜻을 나타낸 거지.

## 공기주머니 空 빌 공 + 氣 기운 기 + 주머니
뜻 주로 물에 떠서 사는 식물의 잎자루에서 공기를 담고 있는 부분.
예 부레옥잠은 잎자루에 있는 공기주머니의 공기 때문에 물에 떠서 살 수 있다.

▲ 부레옥잠의 공기주머니

## 가시
뜻 식물의 줄기나 잎 또는 잎매를 쓰고 있는 것이 겉면에 바늘처럼 뾰족하게 돋아난 것.
예 선인장은 잎이 가시 모양이라 동물이 함부로 먹지 못한다.

> 선인장에는 바늘처럼 뾰족한 가시가 있어.

Tip 가시는 고슴도치의 가시처럼 뾰족하게 돋친 것을 뜻하기도 하고, 물고기의 가늘고 작은 뼈를 뜻하기도 해요.

# 1주차 4회

## 과학 교과서 어휘

**수록 교과서** 과학 4-2
2. 물의 상태 변화

다음 중 낱말의 뜻을 잘 알고 있는 것에 ✓ 하세요.

□ 가열 □ 수증기 □ 증발 □ 끓음 □ 응결 □ 화상

낱말을 읽고, ___ 부분에 알맞은 뜻풀이를 그으면서 낱말 공부를 해 보세요.

**가열**
加 더할 가 + 熱 더울 열

뜻 어떤 물질에 뜨거운 열을 더함.
예 물을 계속 가열하면서 끓을 때 나타나는 변화를 관찰해 봅시다.
**여러 가지 뜻을 가진 낱말 가열**
'가열'은 어떤 일에 대해 관심이 뜨겁게 모이는 것을 뜻하기도 해.
예 경기가 시작되자 응원 분위기가 가열되었다.

**수증기**
水 물 수 + 蒸 김 오를 증 + 氣 기운 기

뜻 기체 상태로 되어 있는 물.
예 물은 고체인 얼음, 액체인 물, 기체인 수증기의 세 가지 상태로 있고, 서로 다른 상태로 변할 수 있다.

얼음(고체)  물(액체)  수증기(기체)

Tip '수증기'와 '증기'는 뜻이 비슷해요. '증기'는 기체 상태로 되어 있는 물을 말해요.

---

정답과 해설 ▶12쪽

**증발**
蒸 김 오를 증 + 發 떠날 발

뜻 액체인 물이 표면에서 기체인 수증기로 변하는 현상.
예 젖은 머리카락이나 빨래가 마르는 것은 물이 증발하기 때문이다.
Tip 표면은 사물의 가장 바깥쪽 또는 가장 윗부분을 뜻해요.
▲ 물의 증발을 이용한 예

**끓음**

뜻 액체인 물이 표면과 물속에서 기체인 수증기로 변하는 현상.
예 끓음은 물 표면과 물속에서 물이 수증기로 변하기 때문에 증발보다 물의 양이 빠르게 줄어든다.
▲ 물이 끓는 모습
수증기(기체)  물(액체)

**응결**
凝 엉길 응 + 結 맺을 결

뜻 기체인 수증기가 액체인 물 상태로 변하는 것.
예 냉장실에서 꺼낸 물병 표면에 맺힌 물방울은 공기 중의 수증기가 응결한 것이다.
**이것만은 꼭!**
▲ 물병에 맺힌 물방울

**화상**
火 불 화 + 傷 다칠 상

뜻 불이나 뜨거운 것 등에 데어서 피부에 생긴 상처.
예 뜨거운 물이나 가열 중인 실험 기구에 화상을 입지 않도록 주의하세요.
**글자는 같지만 뜻이 다른 낱말 화상**
화상은 텔레비전의 화면에 나타나는 모양을 뜻하는 낱말로도 써.
예 화상 통화를 하다.

▲ 물병에 맺힌 물방울

# 확인 문제

30~31쪽에서 공부한 낱말을 떠올리며 문제를 풀어 보세요.

**1** 낱말의 뜻을 보기에서 찾아 사다리를 타고 내려간 곳에 기호를 쓰세요.

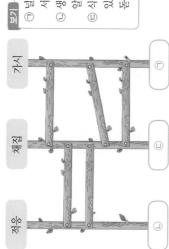

작응 / 채집 / 가시

보기
㉠ 널리 돌아다니며 언저나 캐거나 잡아서 모으는 서 모으는. - 채집
㉡ 생물이 오랜 기간에 걸쳐 주변 환경에 알맞게 변화되어 가는 것. - 적응
㉢ 식물의 줄기나 잎 또는 열매를 싸고 있는 것의 겉면에 바늘처럼 뾰족하게 돋아난 것. - 가시

(1) 작응: ( )    (2) 채집: ( )    (3) 가시: ( )

**2** 친구들이 각각 설명하는 것은 무엇인지 보기에서 찾아 쓰세요.

보기    잎맥    잎자루    공기주머니

예은: 이것은 식물이 잎에서 선처럼 보이는 것으로, 물과 영양분을 나르는 길이야.
소민: 이것은 주로 물에 떠서 사는 식물의 잎자루에서 공기를 담고 있는 부분이야.
준환: 이것은 잎몸과 줄기 사이에 있는 부분으로, 잎몸을 줄기에 붙어 있게 해.

(1) 예은: ( )    (2) 소민: ( )    (3) 준환: ( )

**3** ( )안에 들어갈 알맞은 낱말을 보기에서 찾아 쓰세요.

보기    잎맥 / 작응 / 채집 / 가시 / 잎자루

(1) 선인장의 ( 가시 )에 찔리지 않도록 주의해야 한다.
(2) 식물의 ( 잎맥 )은/는 나란한 것과 그물 모양인 것이 있다.
(3) ( 채집 )한 식물의 잎을 관찰하여 모양에 따라 나누어 보았다.
(4) ( 잎자루 )에 연결된 잎이 하나인 것도 있고 여러 개인 것도 있다.
(5) 부레옥잠이 물에 떠서 사는 것은 물이 많은 환경에 ( 작응 )한 결과이다.

---

32~33쪽에서 공부한 낱말을 떠올리며 문제를 풀어 보세요.

**4** 뜻에 알맞은 낱말을 글자판에서 찾아 묶어 보세요. (낱말은 가로(-), 세로(|), 대각선(\) 방향에 숨어 있어요.)

❶ 기체 상태로 되어 있는 물.
❷ 어떤 물질에 뜨거운 열을 더함.
❸ 기체인 수증기가 외체로 물로 상태가 변하는 것.
❹ 액체인 물이 표면에서 기체인 수증기로 변하는 현상.
❺ 액체인 물이 표면과 속에서 기체인 수증기로 변하는 현상.

| 가 | 상 | 화 | 수 |
| 상 | 응 | 체 | 증 |
| 끓 | 증 | 열 | 기 |
| 음 | 발 | 응 | 결 |

**5** 밑줄 친 낱말이 보기와 같은 뜻으로 쓰인 것에 ○표 하세요.

보기    뜨거운 것을 만질 때에는 화상을 입을 수 있기 때문에 장갑을 끼는 것이 좋다.

(1) 화상 부위가 빨갛게 달아올랐다. ( ○ )
(2) 엄마는 회사에 가시지 않고 집에서 화상으로 회의를 하셨다. ( )

**6** 친구가 한 말과 관련 있는 현상에 ○표 하세요.

(1) 할아버지에게서 고추를 말리셨어
(증발 . 응결)

(2) 추운 겨울날 우리집 안쪽에 물방울이 맺혔어
(증발 . 응결)

**7** ( )안에서 알맞은 낱말을 골라 ○표 하세요.

(1) 우리는 음식을 만들거나 자를 마실 때 물을 (가열 . 가입)한다.
(2) 음을 끓이면 물이 (산소 . 수증기)로 변해 공기 중으로 흩어진다.
(3) 증발은 물 표면에서 천천히 일어나고, (끓음 . 그음)은 물 표면과 속에서 빠르게 일어난다.

# 短 (단)이 들어간 낱말

短
짧을 단

'短(단)'이 들어간 낱말을 읽고, ▨ 부분에 알맞은 그림을 그으면서 낱말 공부를 해 보세요.

'단(短)'은 화살을 던져 통에 넣는 투호 놀이에서 유래한 글자야. 화살을 던지는 거리가 활을 쏘는 거리보다 짧기 때문에 꽹 다란 뜻 짧게 되었어, '모자라다'라는 뜻으로 쓰이기도 해.

短거리 · 短기간 · 일장일短 · 短점

## 짧다 短

### 단거리 短 짧을 단 + 距 떨어질 거 + 離 떠날 리
뜻 짧은 거리.
예 나는 자전거 타는 것을 좋아하지만, 단거리는 그냥 걸어 다닌다.
Tip 시간이나 때 걸리는 단 거리를 뜻하는 '장거리'와 뜻이 반대예요.

### 단기간 短 짧을 단 + 期 기간 기 + 間 사이 간
~'기(期)'의 대표 뜻은 '기약하다'야.
뜻 짧은 기간.
예 짐을 지는 시간도 아껴 가며 공부해서 단기간에 성적을 올렸다.
Tip 긴 기간을 뜻하는 '장기간'은 '단기간'과 반대 예요.

## 모자라다 短

### 일장일단 一 하나 일 + 長 나을 장 + 一 하나 일 + 短 모자랄 단
~'장(長)'의 대표 뜻은 '길다'야.
뜻 어떤 한 면에서의 장점과 다른 면에서의 단점.
예 친구들의 의견은 모두 일장일단을 가지고 있어서 어느 하나를 고르기가 힘들다.

### 단점 短 짧을 단 + 點 점찍을 점
뜻 잘못되고 모자라는 점.
예 내 가방은 주머니가 많아 편리하고 예뻐지만, 무거운다는 단점이 있다.
비슷한말 결점
'결점'은 잘못되거나 부족하여 완전하지 못한 점을 말해.

---

# 1주차 5회 한자 어휘

# 子 (자)가 들어간 낱말

子
이름 자

'子(자)'가 들어간 낱말을 읽고, ▨ 부분에 알맞은 그림을 그으면서 낱말 공부를 해 보세요.

'자(子)'는 어린아이가 두 팔을 벌리고 있는 모습을 본뜬 글자야. 처음에는 '아이'나 '자 식'이라는 뜻으로 쓰였지만, 중국이 남자 중 심 사회가 되면서 '남자아이'를 뜻하게 되었 지. 이후에는 '자식'이나 '사람'과 같은 뜻으 로 쓰이기도 했어.

부전자전 · 자녀 · 子손 · 여子

## 자식·사람 子

### 자손 子 자식 자 + 孫 손자 손
뜻 자식과 손자.
예 옛집 할아버지의 자손은 열여덟 명으로 매우 많다.
관련 어휘 손자
'손자'는 아들의 아들이나 딸의 아들을 말해.

### 여자 女 여자 여 + 子 사람 자
뜻 여성으로 태어난 사람.
예 나는 여자 친구도 많고 남자 친구도 많다.
반대말 남자
'남자'는 남성으로 태어난 사람을 말해.

## 이름 子

### 부전자전 父 아버지 부 + 傳 전할 전 + 子 이름 자 + 傳 전할 전
뜻 아버지의 겉모습, 성격, 버릇 등이 아들에게 그대로 전해짐.
예 부전자전이라더니, 오빠는 성격까지 아버지를 꼭 닮아 있다.
Tip '모전여전'이라는 말도 있어요, 모전여전은 어머니의 겉모습, 성격, 버릇 등이 딸에게 그대로 전해지 는 것을 뜻해요.

### 자녀 子 이름 자 + 女 딸 녀
~'녀(女)'의 대표 뜻은 '여자'야.
뜻 아들과 딸을 아울러 이르는 말.
예 선생님의 두 자녀 중 첫째 딸은 축구를 잘하 고 둘째 아들은 그림을 잘 그린다.

# 확인 문제

## 36쪽에서 공부한 낱말을 떠올리며 문제를 풀어 보세요.

**1 뜻에 알맞은 낱말을 빈칸에 쓰세요.**

(1)

| 여 | ❷자 |
|---|---|
| 네 | |

가로 열쇠 ❶ 여성으로 태어난 사람.
세로 열쇠 ❷ 아들과 딸을 아울러 이르는 말.

(2)

| ❶부 | 전 | 자 | 전 |
|---|---|---|---|
| | | 손 | |

가로 열쇠 ❶ 아버지의 겉모습, 성격, 버릇 등이 아들에게 그대로 전해짐.
세로 열쇠 ❷ 자식의 자식.

해설 | (1) 여성으로 태어난 사람은 '여자'이고, 아들과 딸을 아울러 이르는 말은 '자녀'입니다. (2) 아버지의 겉모습, 성격, 버릇 등이 아들에게 그대로 전해지는 것은 '부전자전'이고, 자식의 자식은 '손자'입니다.

**2 밑줄 친 낱말을 알맞게 사용한 친구에게 ○표 하세요.**

(1)
엄마와 아빠는 서로 나이 차이 좀 있으셔, 부전자전이지.
( )

(2)
아버지가 겉이 많은 신데, 나동생도 겉이 많아. 부전자전이지.
( )

해설 | '부전자전'은 아버지와 아들이 닮을 때 쓰는 말이므로 (2)가 알맞게 사용한 것입니다.

**3 밑줄 친 낱말과 바꾸어 쓸 수 있는 낱말에 ○표 하세요.**

(1) 선생님은 아들딸을 몇으로 두셨습니까? ( 식구, 자녀, 자매 )

(2) 할아버지는 자식과 손자가 보고 싶어서 눈물을 흘리셨다. ( 가족, 자손, 형제 )

해설 | (1) '아들딸'과 바꾸어 쓸 수 있는 낱말은 '자녀'입니다. (2) '자식과 손자'를 바꾸어 쓸 수 있는 낱말은 '자손'입니다.

**4 ( ) 안에 들어갈 알맞은 낱말을 보기에서 찾아 쓰세요.**

보기
여자 자손 자녀

옆집 아저씨는 (1)( 자녀 )이/가 다섯인데, 모두 아들이다. 그래서 옆집 (2)( 여자 )은/는 아주머니뿐이다. 이제서는 나중에 다섯 아들이 자식을 많이 낳아서 (3)( 자손 )이/가 많아지기를 바라신다.

해설 | (1) 아들과 딸에 대해 명칭에 말하는 것이므로 '자녀'가 알맞습니다. (2) 여성을 뜻하는 낱말은 '여자'가 알맞습니다. (3) 자식과 손자를 뜻하는 자손이 알맞습니다.

## 37쪽에서 공부한 낱말을 떠올리며 문제를 풀어 보세요.

**5 낱말의 뜻은 무엇인지 ( ) 안에서 알맞은 말을 골라 ○표 하세요.**

(1) 단거리    ( 긴, (짧은) ) 거리.
(2) 단기간    ( (짧은), 모자란 ) 기간.
(3) 단점    잘못되고 ( 이상한, (모자란) ) 점.
(4) 일장일단    어떤 한 면에서의 장점과 다른 면에서의 ( (단점), 차이점 ).

해설 | (1) '단거리'는 짧은 거리를 말합니다. (2) '단기간'은 짧은 기간을 말합니다. (3) '단점'은 잘못되고 모자라는 점을 말합니다. (4) '일장일단'은 어떤 한 면에서의 장점과 다른 면에서의 단점을 말합니다.

**6 밑줄 친 낱말과 뜻이 비슷한 낱말은 무엇인가요? ( ③ )**

나의 단점은 참을성이 부족하다는 것이다.

① 득점    ② 요점    ③ 결점
④ 장단점    ⑤ 공통점

해설 | '단점'은 잘못되거나 부족하여 온전하지 못한 점을 뜻하는 '결점'과 뜻이 비슷합니다.

**7 보기의 글자를 사용하여 문장에 알맞은 낱말을 완성하세요.**

보기
간 거 기 리 단 장

(1) 오래 걸릴 것 같았던 일을 단 기 간 에 끝냈다.

(2) 우리 동네 슈퍼마켓은 단 거 리 은/는 무료로 배달해 준다.

(3) 꼼꼼한 성격을 가진 사람은 일을 완벽하게 해내기는 하지만 시간이 너무 오래 걸리기 때문에 일 장 일 단 이 있다.

해설 | (1) 짧은 기간에 끝냈다는 내용이 되어야 하므로 단기간이 알맞습니다. (2) 짧은 거리라는 내용이 되어야 하므로 '단거리'가 알맞습니다. (3) 장점과 단점이 있다는 내용이 되어야 하므로 '일장일단'이 알맞습니다.

# 1주차 어휘력 테스트

1주차 1~5회에서 공부한 낱말을 떠올리며 문제를 풀어 보세요.

낱말 뜻

## 1 낱말의 뜻이 알맞지 않은 것은 무엇인가요? ( ① )

① 응결: 액체인 물이 기체인 수증기로 상태가 변하는 것.
② 귀촌: 도시에 살던 사람들이 촌락으로 사는 곳을 옮기는 것.
③ 검산: 계산이 맞았는지 틀렸는지를 확인하기 위해 다시 다시 하는 계산.
④ 적응: 생물이 오랜 시간에 걸쳐 주변 환경에 알맞게 변화되어 가는 것.
⑤ 위로: 따뜻한 말이나 행동 등으로 괴로움을 덜어 주거나 슬픔을 달래 줌.

해설 | 응결은 기체인 수증기가 액체인 물로 상태가 변하는 것을 말합니다.

낱말 뜻

## 2 ( ) 안에서 알맞은 낱말을 골라 ○표 하세요.

(1) ((단기간), 장기간 )은 짧은 기간을 말한다.
(2) ((정삼각형), 이등변삼각형 )은 세 변의 길이가 같은 삼각형을 말한다.
(3) (문화 시설, (편의 시설) )은 어떤 일을 하기 편하도록 좋은 환경을 갖춘 시설을 말한다.
(4) ((교류), 안부 )는 사람들이 오고 가거나 물건, 문화, 기술 등을 서로 주고받는 것을 말한다.

해설 | (1) '장기간'은 긴 기간을 말합니다. (2) '이등변삼각형'은 두 변의 길이가 같은 삼각형을 말합니다. (3) '문화 시설'은 문화를 누리고 발달시키는 데 필요한 시설을 말합니다. (4) '안부'는 어떤 사람이 편안하게 잘 지내는지에 대한 소식을 말합니다.

비슷한말

## 3 밑줄 친 낱말과 뜻이 비슷한 낱말은 무엇인가요? ( ⑤ )

동생은 자신의 마음을 편지로 나타냈다.

① 물었다 ② 그쳤다 ③ 비추었다
④ 이해했다 ⑤ 표현했다

해설 | '나타내다'는 '생각이나 느낌 등을 글, 그림, 음악 등으로 드러내다.'라는 뜻이므로 '느낌이나 생각 등을 말, 글, 몸 짓 등으로 나타내어 겉으로 드러내다.'라는 뜻을 가진 '표현하다'와 비슷합니다.

반대말

## 4 뜻이 서로 반대되는 낱말끼리 짝 지은 것은 무엇인가요? ( ④ )

① 대사 – 대본 ② 가을 – 부족 ③ 채집 – 직거래
④ 낯설다 – 낯익다 ⑤ 혼동하다 – 쑥스럽다

해설 | '낯설다'는 '전에 보거나 듣거나 경험한 적이 없어 익숙하지가 않다.'라는 뜻이고, '낯익다'는 '전에 본 적이 있어 눈에 익거나 어색하지 않다.'라는 뜻입니다.

---

글자는 같지만 뜻이 다른 낱말

## 5~6 밑줄 친 낱말의 뜻으로 알맞은 것에 ○표 하세요.

### 5 삼촌이 만드는 영화는 사람들에게 좋은 평을 듣었다.

(1) 땅의 넓이를 나타낼 때 쓰이는 단위. ( )
(2) 좋고 나쁨, 잘하고 못함, 옳고 그름 등을 평가하는 말. ( ○ )

해설 | 좋은 평가를 들었다는 뜻을 나타내고 있으므로 (2)의 뜻으로 쓰였습니다.

### 6 화상 치료를 하고 있다.

(1) 텔레비전의 화면에 나타나는 모양. ( )
(2) 불이나 뜨거운 것 등에 데어서 피부에 생긴 상처. ( ○ )

해설 | 데어서 생긴 상처를 뜻하고 있으므로 (2)의 뜻으로 쓰였습니다.

낱말 활용

## 7~10 빈칸에 들어갈 알맞은 낱말에 ○표 하세요.

### 7 열심히 연습해서 100 □를 15초에 뛸 수 있게 되었다.

( 리터 , (미터) )

해설 | 거리를 나타내야 하므로 '미터'가 알맞습니다.

### 8 비의 □은/는 강아지풀처럼 나란히 되어 있다.

( (잎맥) , 잎자루 )

해설 | 나란히 되어 있다고 했으므로 '잎맥'이 알맞습니다.

### 9 삼촌은 □에서 김과 미역을 기르는 일을 한다.

( 농촌, (어촌), 산지촌 )

해설 | 김과 미역을 기른다고 했으므로 '어촌'이 알맞습니다.

### 10 상품마다 □이 있으므로 어떤 것을 선택해도 상관없다.

( 부직자선, (일장일단) )

해설 | 장점과 단점이 있다는 것을 나타내야 하므로 '일장일단'이 알맞습니다.

어휘가
문해력
이다

초등 4학년 2학기

2주차 정답과 해설

# 국어 교과서 어휘

정답과 해설 ▶ 18쪽

수록 교과서 국어 4-2 ㉮
3. 바르고 공손하게

다음 중 낱말의 뜻을 잘 알고 있는 것에 ✓ 하세요.

□ 공손하다  □ 수고하다  □ 끼어들다  □ 줄임 말  □ 그림말  □ 표어

낱말을 읽고, 부분에 알맞은 낱말을 그으면서 낱말 공부를 해 보세요.

## 공손하다
恭 공손할 공 + 遜 겸손할 손 + 하다

**이것만은 꼭!**

뜻 말이나 행동이 예의 바르고 자기를 낮추는 마음이 있다.
예 온라인 대화를 할 때에는 상대가 보이지 않아도 예의를 갖추어 공손한 말투를 사용해야 한다.

반대말 **불손하다**
'불손하다'는 "말이나 행동이 예의가 없거나 자기를 낮추는 마음이 없다."라는 뜻이야.
예 할머니께 불손한 태도로 말해서 아버지께 꾸중을 들었다.

## 수고하다

뜻 어떤 일을 하느라고 힘을 들이고 애를 쓰다.
예 우리 반을 위해 수고하는 회장에게 "고마워."라고 말했다.

헷갈리는 말 **수고하셨어요**
웃어른께 "수고하셨어요."라고 말하는 것은 예절에 어긋나는 것은 예절에 어긋나. 그러니까 등굣길에 교통 봉사 활동을 하시는 어른을 만나면 "수고하셨어요."가 아니라 "고맙습니다."라고 말하는 게 좋아.

고맙습니다.

## 끼어들다

뜻 다른 사람의 자리나 순서 등에 비집고 들어서다.
예 다른 사람이 발표할 때 중간에 끼어들면 안 된다.

맞춤법 **끼어들다**
'끼어들다'를 '끼여들다'라고 쓰지 않도록 주의해야 해.
차례를 지켜야지! 이렇게 끼어들면 안 돼.

Tip '끼어들다'를 '껴들다'로 줄여서 쓸 수도 있어요. '껴들다'처럼 낱말의 일부분이 줄어들어 만들어진 말을 '준말'이라고 해요. '보았다'의 준말은 '봤다', '주었다'의 준말은 '줬다'예요.

## 줄임 말

뜻 주로 온라인 대화에서 낱말의 일부분을 줄여서 쓰는 말.
예 온라인 대화를 할 때 'ㄱㄱ', 'ㄴㄴ'과 같은 줄임 말은 꼭 필요한 경우에만 알맞게 사용해야 한다.

## 그림말

뜻 컴퓨터나 휴대 전화의 문자와 기호, 숫자 등을 합쳐서 만든 그림 문자. 감정이나 느낌을 전달할 때 사용함.
예 😊와 같은 그림말은 기분을 더 잘 표현해 줄 수도 있지만 너무 많이 사용하면 장난스러운 대화가 될 수도 있다.

## 표어
標 표할 표 + 語 말씀 어

뜻 전하고 싶은 의견 등을 간단하게 나타낸 짧은 말.
예 "함께 지킨 대화 예절 우리 모두 기분 UP"이라는 표어를 만들었다.

▲ 표어가 담긴 그림

## 꼭 알아야 할 속담

빈칸 채우기 [ 연기 ]

낱가는 원인이 없으면 결과가 있을 수 없음을 이르는 말입니다.

# 2주차 1회

## 국어 교과서 어휘

수록 교과서 국어 4-2 ㉮
4. 이야기 속 세상

다음 중 낱말의 뜻을 잘 알고 있는 것에 ✓ 하세요.
□ 사건 □ 배경 □ 요소 □ 표지 □ 이롭다 □ 소심하다

✏ 낱말을 읽고, ___ 부분에 밑줄을 그으면서 낱말 공부를 해 보세요.

**사건** (事 일 사 + 件 사건 건)

뜻 이야기에서 일어나는 일.
예 이야기에서 일어난 사건 때문에 주인공이 경찰서에 가게 되었다.

말풍선: 「견우와 직녀」의 한 장면이야. 이 장면에서 일어난 사건은 견우와 직녀가 까치와 까마귀 덕분에 만난다는 거지.

**배경** (背 뒤 배 + 景 경치 경)

뜻 이야기가 펼쳐지는 시간과 장소.
예 이야기의 배경은 옛날, 선녀 바위였다.

이것만은 꼭!
관련 어휘 시간적 배경, 공간적 배경
'언제'에 해당하는 것은 '시간적 배경', '어디에서'에 해당하는 것은 '공간적 배경'이야.

말풍선: 「신데렐라」의 한 장면이야. 시간적 배경은 밤이고, 공간적 배경은 궁전 앞 계단이야.

**요소** (要 요긴할 요 + 素 본디 소)

뜻 무엇을 이루는 데 반드시 있어야 할 중요한 것.
예 인물, 사건, 배경은 이야기를 구성하는 데 꼭 필요한 요소이다.

말풍선: 인물, 사건, 배경은 이야기의 재료가 되지!
(이야기의 구성 요소: 사건, 인물, 배경)

---

**표지** (表 겉 표 + 紙 종이 지)

뜻 책의 맨 앞과 뒤를 둘러싼 종이나 가죽.
예 이야기책을 만들 때 책의 앞쪽 표지에는 등장인물을 크게 그리고 제목과 지은이를 쓴다.

**이롭다** (義 옳을 의 + 롭다)

뜻 바르고 옳다. 또는 굳고 떳떳하다.
예 세찬이 자신이 당한 일도 아닌데 민호한테 우리에게 사과하라고 말한 것을 보면 세찬이의 성격이 이로운 것 같다.

Tip '이롭다'에 쓰인 '-롭다'는 '그러함' 또는 '그럴 만함'이 뜻을 더해 주는 말이에요. '의롭다'처럼 '-롭다'가 쓰인 말은 많아요. 예 신비롭다 / 자유롭다 / 향기롭다

**소심하다** (小 작을 소 + 心 마음 심 + 하다)

뜻 겁이 많아 용감하지 못하고 지나치게 조심스럽다.
예 책장에게 하고 싶은 말을 하지 못하는 것으로 보아, 지효는 소심한 성격이다.

반대말 대담하다
'대담하다'는 "행동이나 성격이 겁이 없고 용감하다."라는 뜻이야.
예 이모는 아무리 무서운 놀이 기구라도 대담하게 도전했다.

### 꼭 관련있는 어휘 찾기

○표 하기

'마음이 (통하다 / 풀리다 )'는 서로 생각이 같아 이해가 잘된다는 뜻입니다.

# 확인 문제

44~45쪽에서 공부한 낱말을 떠올리며 문제를 풀어 보세요.

**1** 뜻에 알맞은 낱말을 글자판에서 찾아 묶으세요. (낱말은 가로(ㅡ), 세로(ㅣ), 대각선(╲) 방향에 숨어 있어요.)

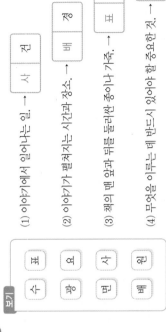

| | | | | |
|---|---|---|---|---|
| 공 | 순 | 하 | 고 | 준 |
| 대 | ❷ 고 | 림 | 하 | 다 |
| 어 | ❸ 표 | 수 | 고 | ❶ 다 |

❶ 어떤 일을 하느라고 힘을 들이고 애를 쓰다.
❷ 잘하고 싶은 의견 등을 간단하게 나타낸 짧은 말.
❸ 말이나 행동이 예의 바르고 자기를 낮추는 마음이 있다.

해설 | ❶ '어떤 일을 하느라고 힘을 들이고 애를 쓰다.'는 '수고하다'는 뜻입니다. ❷ '잘하고 싶은 의견 등을 간단하게 나타낸 짧은 말'은 '표어'입니다. ❸ '말이나 행동이 예의 바르고 자기를 낮추는 마음이 있다.'는 '공손하다'는 뜻입니다.

**2** 친구가 말한 뜻을 가진 낱말은 무엇인지 빈칸에 알맞은 말을 쓰세요.

(1)
주로 온라인 대화에서 낱말의 일부분을 줄여서 쓰는 말이야.

| 줄 | 임 | 말 |
|---|---|---|

(2)
컴퓨터나 휴대 전화의 문자와 기호, 숫자 등을 합쳐서 만든 그림 문자야.

| 그 | 림 | 말 |
|---|---|---|

해설 | 주로 온라인 대화에서 낱말의 일부분을 줄여서 쓰는 말은 '줄임말'입니다. ... 등을 합쳐서 만든 그림 문자는 '그림말'입니다.

**3** ( ) 안의 낱말 중 바른 것을 골라 ○표 하세요.

(1) 거리를 청소하시는 환경미화원 아저씨께는 "(고맙습니다, 수고하세요 )."라고 인사한다.

(2) 내가 이야기하는 도중에 미진이가 갑자기 (끼어들어, 끼여들어 ) 말을 다 하지 못했다.

해설 | (1) 웃어른에게는 '수고하세요'라는 말을 하면 안 됩니다. (2) '끼어들다가'가 바른 표현입니다.

**4** ( ) 안에 들어갈 알맞은 낱말을 보기에서 찾아 쓰세요.

보기
표어
그림말
공손한
수고한

(1) 청소를 하느라 ( 수고한 ) 친구들에게 음료수를 사 주었다.
(2) 웃어른께 말씀드릴 때에는 ( 공손한 ) 태도로 말해야 한다.
(3) 온라인 대화를 할 때 받은 ( 그림말 )의 표정이 재미있었다.
(4) 우리 반 반장 불조심 ( 표어 )을/를 만들어 학급 게시판에 붙였다.

해설 | (1) 친구들이 청소를 했으므로 '수고한'이 알맞습니다. (2) 웃어른께 말씀드린다고 했으므로 '공손한'이 알맞습니다. (3) 온라인 대화를 할 때 받았고 표정이 재미있었다고 했으므로 '그림말'이 알맞습니다. (4) 불조심을 해야 한다는 의견이므로 표로 만들어 학급 게시판에 붙였다.

46~47쪽에서 공부한 낱말을 떠올리며 문제를 풀어 보세요.

**5** 뜻에 알맞은 낱말이 되도록 보기에서 글자를 찾아 쓰세요.

보기

| 수 | 표 |
|---|---|
| 광 | 요 |
| 사 | 면 |
| 배 | 원 |

(1) 이야기에서 일어나는 일. → | 사 | 건 |
(2) 이야기가 펼쳐지는 시간과 장소. → | 배 | 경 |
(3) 책의 맨 앞과 뒤를 둘러싼 종이나 가죽. → | 표 | 지 |
(4) 무엇을 이루는 데 반드시 있어야 할 중요한 것. → | 요 | 소 |

해설 | (1) 이야기에서 일어나는 일은 '사건'입니다. (2) 이야기가 펼쳐지는 시간과 장소는 '배경'입니다. (3) 책의 맨 앞과 뒤를 둘러싼 종이나 가죽은 중요한 것은 '요소'입니다.

**6** 밑줄 친 말을 알맞게 사용했으면 ○표, 알맞게 사용하지 못했으면 ×표 하세요.

(1)
오늘 읽은 이야기의 <u>시간적 배경</u>이 도깨비가 사는 마을이야.

( × )

(2)
주인공은 소심한 성격이라서 사람들 앞에 나서는 것을 싫어했어.

( ○ )

해설 | (1) 도깨비가 사는 마을은 이야기의 장소를 말하므로 '시간적'이 아니라 '공간적 배경'으로 바꾸어야 합니다. (2) 사람들 앞에 나서는 것을 싫어한다고 했으므로 '소심한' 성격이 알맞습니다.

**7** 빈칸에 들어갈 알맞은 낱말을 낱말에 ○표 하세요.

(1) 새로 꾸밀 이야기의 구성 [ ]을/를 정한다. ( 요소 , 요점 )
(2) 인물의 성격이 바뀌면 [ ]이 흐름도 바뀐다. ( 사건 , 사실 )
(3) 꾸민 이야기를 책으로 만들 때 [ ]는 친구들의 관심을 끌 수 있게 꾸민다. ( 편지 , 표지 )
(4) 지민이는 성격이라서 영안이에게 괴롭힘을 당하는 [ ]이 대신 영안이에게 맞섰다. ( 새로운 , 의로운 )

해설 | (1) 이야기의 구성 요소를 정한다고 하는 것이 알맞으므로 '요소'입니다. (2) 인물의 성격이 바뀌면 사건도 바뀐다고 하는 것이 알맞습니다. (3) 친구들의 관심을 끌 수 있게 꾸며야 하는 것은 '표지'입니다. (4) 괴롭힘을 당하는 친구를 도와주는 것이므로 '의로운' 성격이 알맞을 것입니다.

# 2주차 2회

## 사회 교과서 어휘

다음 중 낱말의 뜻을 잘 알고 있는 것에 ✓ 하세요.

☐ 경제 활동  ☐ 희소성  ☐ 자원  ☐ 한정되다  ☐ 현명한 선택  ☐ 품질

**수록 교과서** 사회 4-2
2. 필요한 것의 생산과 교환

사람들이 무엇을 먹고, 무엇을
사고, 무엇을 타야 할지 고민하고 있어.
그냥 아무거나 선택하면 될 텐데
왜 고민을 함께 나아가 고민을 공부해서
그 이유를 알아보자.

낱말을 읽고, █████ 부분에 알맞은 낱말을 공부를 해 보세요.

### 경제 활동

經 지날 경 + 濟 건널 제 +
活 살 활 + 動 움직일 동

뜻 사람들이 생활하는 데 필요한
것들을 만들고 사용하는 것과
관련된 모든 활동.

예 사람들은 살아가는 데 필요하거나
원하는 것을 얻으려고 경제 활동을
한다.

▲ 경제 활동을 하는 모습

### 희소성

稀 드물 희 + 少 적을 소 +
性 성질 성

뜻 사람들이 원하는 것은 많으나,
그것을 모두 가질 수 없는 상태.

예 경제 활동에서 선택의 문제가 일어나는 까닭은 희소성 때문이다.

**관련 어휘 희소**

희소는 매우 드물고 적음을 뜻한다.

예 그 물건은 희소 상품이라 구하기 힘들다.

**Tip** '-성'은 '성질'의 뜻을 더해 주는 말이에요. 희소성처럼 '-성'이 붙어서 만들어진

※ '성(性)'의 대표 뜻은 '성질'이에요.

낱말이 있어요. 예 가능성 공격성

50 어휘가 문해력이다

---

### 자원

資 재물 자 + 源 근원 원

뜻 광물, 수산물 등과 같이 사람이 생활하거나 필요한 물건을 만드는 데 사용되는 원료.

예 각 지역마다 자연환경이 다르고 가지고 있는 자원이 다르다.

**관련 어휘 광물, 수산물**

· 광물은 금, 은, 철 등과 같이 자연에서 생기는 물질을 말해. '수산물'은 바다나 강 등의 물에서 나는 물고기, 조개, 미역 등의 생물을 말해.

### 한정되다

限 한계 한 + 定 정할 정 +
되다

뜻 어느 정도를 넘지 못하게 양이나 범위 등이 정해지다.

예 사람이 쓸 수 있는 돈이나 자원은 한정되어 있으므로 원하는 것을 모두 가질 수는 없다.

### 현명한 선택

賢 어질 현 + 明 밝을 명 +
한 + 選 가릴 선 + 擇 가릴 택

뜻 경제 활동에서 선택을 해야 할 때 여러 가지를 고려해 돈과 자원을 낭비하지 않고 큰 만족감을 얻을 수 있도록 선택하는 것.

예 현명한 선택을 하면 자신에게 알맞은 물건을 골라 큰 만족감을 얻을 수 있다.

### 품질

品 물건 품 + 質 바탕 질

뜻 물건의 성질과 바탕.

예 물건을 살 때에는 품질이 좋은지 꼼꼼히 따져 보아야 한다.

**비슷한말 질**

· '질'은 어떤 물건의 바탕이 되는 성질을 뜻해.

예 물건의 질이 좋다.

---

초등 4학년 2학기 | **21** | 2주차 2회_정답과 해설

## 2주차 2회_정답과 해설

희소성 · · "마음에 내키었고 지내로우며
일이 옳고 그름을 잘 안다"
라는 뜻이야.

'현명하다'는
먹을 수 있는 사탕이
두 개로 한정되어 있으니까
한 개씩 먹자.

# 사회 교과서 어휘

다음 중 낱말의 뜻을 잘 알고 있는 것에 ✓ 하세요.

□ 생산　□ 소비　□ 운반　□ 판매　□ 소득　□ 목돈

수록 교과서 **사회 4-2**
2. 필요한 것의 생산과 교환

시장의 모습이야. 물건을 사고파는 사람, 다른 곳에서 가져온 물건을 차례로 내리는 사람, 물건을 배달하는 사람 등으로 북적이고 있어. 이번 회에서는 이와 관련된 낱말을 공부해 보자.

낱말을 읽고, ▨ 부분에 말풍선을 그으면서 낱말 공부를 해 보세요.

## 생산
生 날 생 + 産 낳을 산

뜻 생활에 필요한 물건을 만들거나 생활을 편리하고 즐겁게 해 주는 활동.
예 빵집 주인이 빵을 만들거나 미용사가 머리를 잘라 주는 것은 생산 활동의 모습이다.

## 소비
消 사라질 소 + 費 쓸 비

**이것만은 꼭!** 뜻 생산한 것을 쓰는 것.
예 우리가 빵집에서 빵을 사 먹거나 미용실에서 머리 손질을 받는 것은 소비 활동의 모습이다.

## 운반
運 옮길 운 + 搬 옮길 반

뜻 물건 등을 옮겨 나름.
예 시장에는 물건을 사고파는 사람, 다른 곳에서 운반해 온 물건을 차례서 내리는 사람 등 다양한 사람이 바쁘게 움직이고 있다.

관련 어휘 **운송 수단**
운송 수단은 사람을 태워 보내거나 물건 등을 실어 보내는 수단을 말해. 물건을 운반할 때 운송 수단을 이용하지.

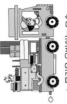

▲ 물건을 운반하는 모습

## 판매
販 팔 판 + 賣 팔 매

뜻 상품을 팖.
예 공장에서 만들어진 신발을 신발 가게나 홈쇼핑 등을 통해 판매한다.

반대말 **구입**
'구입'은 물건 등을 사는 것을 뜻해.
예 서점에 가서 책을 구입했다.

▲ 신발을 판매하는 모습

## 소득
所 바 소 + 得 얻을 득

뜻 경제 활동의 대가로 얻는 돈.
예 대부분의 가정에서는 생산 활동으로 얻은 소득으로 생활한다.

비슷한말 **수입**
'수입'은 어떤 일을 하여 거두어들이는 돈이나 물건을 말해.
예 부모님은 작은 수입으로도 알뜰하게 생활을 하셨다.

Tip '바'는 일의 방법을 뜻하기도 해.

## 목돈

뜻 액수가 큰 돈.
예 소득의 일부를 꾸준히 저축하면 목돈을 만들 수 있다.

반대말 **푼돈**
'푼돈'은 많지 않은 돈을 말해.
예 푼돈은 생길 때마다 저금통에 넣었다.

Tip '목돈'과 '뭉칫돈'은 뜻이 같아요. '뭉칫돈'도 '액수가 큰 돈'을 말해요.

정답과 해설 22쪽

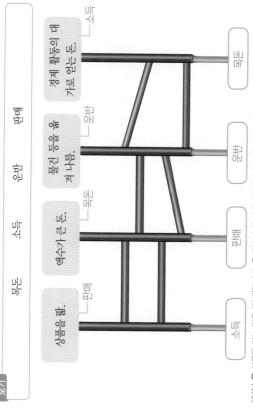

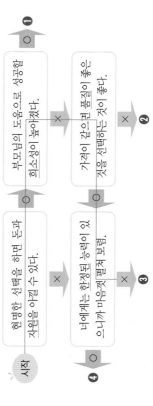

## 확인 문제

50~51쪽에서 공부한 낱말을 떠올리며 문제를 풀어 보세요.

**1** 뜻에 알맞은 낱말을 보기 에서 찾아 쓰세요.

보기    자원    품질    희소성

(1) 물건의 성질과 바탕. ( 품질 )
(2) 사람이 생활하거나 필요한 물건을 만드는 데 사용되는 원료. ( 자원 )
(3) 사람들이 원하는 것은 많으나, 그것을 모두 가질 수 없는 상태. ( 희소성 )

해설 | (1) 물건의 성질과 바탕을 뜻하는 낱말은 '품질'입니다. (2) 사람이 생활하거나 필요한 물건을 만드는 데 사용되는 원료는 '자원'입니다. (3) 사람들이 원하는 것은 많으나, 그것을 모두 가질 수 없는 상태를 '희소성'이라고 합니다.

**2** 다음 뜻을 가진 낱말은 무엇인지 빈칸에 알맞은 말을 쓰세요.

(1) 어느 정도를 넘지 못하게 양이나 범위 등이 정해지다. → 한 정 되 다
(2) 사람들이 생활하는 데 필요한 것을 만들고 사용하는 것과 관련된 모든 활동. → 경 제 활 동
(3) 경제 활동에서 선택을 해야 할 때 여러 가지를 고려해 도과 자원을 낭비하지 않고 만족감을 얻을 수 있도록 하는 것. → 현 명 한 선 택

해설 | (1) "어느 정도를 넘지 못하게 양이나 범위 등이 정해지다."는 '한정되다'의 뜻입니다. (2) 사람들이 생활하는 데 필요한 것을 만들고 사용하는 것과 관련된 모든 활동은 '경제 활동'입니다. (3) 경제 활동에서 선택을 해야 할 때 여러 가지를 고려해 돈과 자원을 낭비하지 않고 큰 만족을 얻을 수 있도록 하는 것을 '현명한 선택'이라고 합니다.

**3** 밑줄 친 낱말이 알맞게 쓰였는지 ○, ×를 따라가며 선을 긋고 및 번으로 나오는지 쓰세요.

시작 →
현명한 선택을 하면 돈과 자원을 아낄 수 있다. — ○ →
부모님의 도움으로 성공할 희소성이 높아졌다. — × → ❶

나에게도 한정된 능력이 있으니까 마음껏 펼쳐 보자. — ○ →
가격이 같으면 품질이 좋은 것을 선택하는 것이 좋다. — × → ❷

나에게는 한정된 능력이 있으니까 마음껏 펼쳐 보자. — × →
운송 수단을 이용해 공장에서 만든 물건을 시장이나 가게로 운반한다. — ○ → ❸

해설 | "부모님의 도움으로 성공할 희소성이 높아졌다."는 '성공할 가능성이 높아졌다'로 고쳐야 합니다. "가격이 같으면 품질이 좋은 것을 선택하는 것이 좋다."는 ...

정답과 해설 ▶ 23쪽

52~53쪽에서 공부한 낱말을 떠올리며 문제를 풀어 보세요.

**4** 뜻에 알맞은 낱말을 보기 에서 찾아 사다리를 타고 내려간 곳에 쓰세요.

보기    목돈    소득    운반    판매

상품을 팖. / 예수가 크는 돈. / 물건 등을 옮겨 나름. / 경제 활동의 대가로 얻는 돈.

소득 / 판매 / 운반 / 목돈

해설 | ① 상품을 파는 것은 '판매'입니다. ② 예수가 크는 돈은 '목돈'입니다. ③ 물건 등을 옮겨 나르는 것은 '운반'입니다. ④ 경제 활동의 대가로 얻는 돈은 '소득'입니다.

**5** 낱말의 뜻은 무엇인지 ( ) 안에서 알맞은 말을 골라 ○표 하세요.

| 생산 | 소비 |
|---|---|
| (1) 생활에 필요한 물건을 (만들거나, 사용하거나) 생활을 편리하고 즐겁게 해 주는 활동. | (2) 생산한 것을 직접 (쓰는, 파는) 것. |

해설 | (1) '생산'은 생활에 필요한 물건을 만들거나 생활을 편리하고 즐겁게 해 주는 활동을 말합니다. (2) '소비'는 생산한 것을 쓰는 것을 말합니다.

**6** 밑줄 친 낱말의 쓰임이 알맞으면 ○표, 알맞지 않으면 ×표 하세요.

(1) 판매가 잘되는 상품은 더 많이 만들어 낸다. ( ○ )
(2) 물고기를 잡거나 배추를 짓는 것도 소비 활동이다. ( × )
(3) 운송 수단을 이용해 공장에서 만든 물건을 시장이나 가게로 운반한다. ( ○ )
(4) 가정의 소득은 한정되어 있으므로 가족이 사고 싶은 것을 다 살 수는 없다. ( ○ )

해설 | (2) 물고기를 잡거나 배추를 짓는 것은 물건을 만드는 것에 해당하므로 '소비'가 아니라 '생산'입니다.

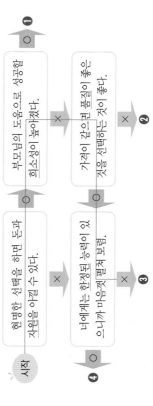

# 2주차 3회
## 수학 교과서 어휘

다음 중 낱말의 뜻을 잘 알고 있는 것에 ✓하세요.

□ 소수 두 자리 수  □ 소수 세 자리 수  □ 거리  □ 지점  □ 앞서다  □ 갈림길

수록 교과서 [수학 4-2]
**3. 소수의 덧셈과 뺄셈**

이 문제는 소수의 덧셈과 뺄셈 문제야! 이 문제를 풀려면 소수에 대해 알아야겠지? 지금부터 관련 낱말을 차근차근 살펴보자.

친구들이 뛴 거리의 합은?
친구들이 뛴 거리의 차는?

85cm
1m 23cm

□ + □ = □ m
□ - □ = □ m

낱말을 읽고, 　 부분에 알맞은 말줄임을 그으면서 낱말 공부를 해 보세요.

### 소수 두 자리 수
小 작을 소 + 數 셈 수 + 두 자리 + 數 셈 수

**뜻** 일의 자리보다 작은 자리의 값을 가진 소수 중에서 소수 둘째 자리까지 있는 수.
**예** 0.24는 소수 두 자리 수이다.

**이것만은 꼭!**
0.24
소수 첫째 자리 → 소수 둘째 자리

### 소수 세 자리 수
小 작을 소 + 數 셈 수 + 세 자리 + 數 셈 수

**뜻** 일의 자리보다 작은 자리의 값을 가진 소수 중에서 소수 셋째 자리까지 있는 수.
**예** 0.534는 소수 세 자리 수이다.
0.534 → 소수 셋째 자리

---

### 거리
距 떨어질 거 + 離 떠날 리

**뜻** 두 개의 물건이나 장소 등이 서로 떨어져 있는 길이.
**예** 친구가 달린 거리는 100m로, km로 나타내면 0.1km이다.
**글자는 같지만 뜻이 다른 낱말 거리**
'거리'는 사람이나 차들이 다니는 길을 뜻하는 낱말로도 쓰여.
**예** 거리에 사람이 별로 없다.

### 지점
地 땅 지 + 點 점 점

**뜻** 어떤 지역 안의 특정한 곳.
**예** 승기는 출발 지점에서부터 0.85km를 달렸다.
**글자는 같지만 뜻이 다른 낱말 지점**
'지점'은 본래의 중심 가게에서 갈라져 나온 가게를 뜻하는 낱말 지점을 썼다.
**예** 식당 주인은 장사가 잘돼서 다른 동네에 지점을 냈다.

### 앞서다

**뜻** 앞에 서다.
**예** 달린 거리가 슬기는 0.57km, 도영이는 0.74km, 지혜는 0.92km이므로 앞서 달리고 있는 순서는 지혜, 도영, 슬기이다.
**반대말 뒤떨어지다**
'뒤떨어지다'는 "어떤 것의 뒤에 떨어져 거리를 두다."라는 뜻이야.
**예** 나는 힘이 들어서 다른 사람보다 뒤떨어지게 걸었다.

### 갈림길

**뜻** 여러 갈래로 갈린 길.
**예** 미로 찾기를 하다가 갈림길이 나오면 더 큰 소수가 있는 길로 가야 한다.
**Tip** 갈림길은 선택이나 상황에 따라 앞날이 아주 달라지는 순간을 뜻하기도 해요.
**예** 실패와 성공의 갈림길에 놓여 있다.

뒤떨어지다 / 앞서다

# 수학 교과서 어휘

수록 교과서 수학 4-2
4. 사각형

다음 중 낱말의 뜻을 잘 알고 있는 것에 ✓하세요.
□ 긋다  □ 수직  □ 수선  □ 평행  □ 평행선  □ 삼각자

친구가 고궁을 관람하고 있어. 창살을 살펴보니 두 직선이 만나 직각을 이루기도 하고, 직선이 서로 만나지 않고 쭉 이어지기도 하네. 이와 관련 있는 낱말에는 무엇이 있을까?

✏ 낱말을 읽고, ▨ 부분에 따름을 그으면서 낱말 공부를 해 보세요.

## 긋다

뜻 금이나 줄을 그리다.
예 공책에 자를 대고 직선을 긋는다.

밑줄을 긋고 있다.
선을 그어라고 했다.

'긋다'는 문장에서 '긋고', '긋는', '그어', '그으니'와 같이 형태가 바뀌어서 쓰여. 받침 'ㅅ'이 없어지기도 하는 거지.

## 수직
垂 드리울 수 + 直 곧을 직

뜻 두 직선이 만나서 직각을 이루는 상태.
예 다리를 쭉 펴고 앉아 몸을 직각으로 만들면 내 몸도 수직이 된다.

Tip 직선뿐만 아니라 두 선분, 직선과 선분, 선분과 선분이 만나서 이루는 길이 직각일 때도 '수직'이라고 해요.

## 수선
垂 드리울 수 + 線 선 선

뜻 두 직선이 서로 수직으로 만날 때, 한 직선을 다른 직선에 대해 부르는 말.
예 교실 앞 칠판의 가로는 세로에 대한 수선이다.

글자는 같지만 뜻이 다른 낱말 수선
'수선'은 오래되거나 고장 난 것을 다시 쓸 수 있게 고치는 것을 뜻하는 낱말로도 쓰여. 예 찢어진 운동화를 수선했다.

## 평행
平 평평할 평 + 行 다닐 행

뜻 한 직선에 수직인 두 직선을 그었을 때, 두 직선이 서로 만나지 않는 상태.
예 굽은 자를 공책에 대고 자의 위와 아래를 따라 선을 그으면 두 선은 평행하다.

이것만은 꼭!

## 평행선
平 평평할 평 + 行 다닐 행 + 線 선 선

뜻 평행한 두 직선.
예 평행선은 아무리 길게 이어 그려도 서로 만나지 않는다.

평행봉에 매달려 본 적 있지? 평행봉의 양쪽 두 봉은 평행해.

## 삼각자
三 석 삼 + 角 모 각 + 자

뜻 삼각형으로 된 자.
예 삼각자를 사용하여 주어진 직선에 대한 수선을 그어 보세요.

Tip '각(角)'에는 '대표로 뜻도 뜻이'. 모든 선과 선의 끝이 만난 곳을 못해요.

삼각자는 한쪽에 눈금이 있고 가운데에 구멍이 뚫려 있어.

# 확인 문제

56~57쪽에서 공부한 낱말을 떠올리며 문제를 풀어 보세요.

**1** 낱말의 뜻은 무엇인지 빈칸에 들어갈 알맞은 말을 완성하세요.

(1) 앞서다 — 앞 에 서다.

(2) 소수 두 자리 수 — 일의 자리보다 작은 자리의 값을 가진 소수 중에서 소수 둘 째 자리까지 있는 수.

(3) 소수 세 자리 수 — 일의 자리보다 작은 자리의 값을 가진 소수 중에서 소수 셋 째 자리까지 있는 수.

해설 | (1) '앞서다'는 "앞에 서다."라는 뜻이다. (2) '소수 두 자리 수'는 소수 중에서 소수 둘째 자리까지 있는 수입니다. (3) '소수 세 자리 수'는 소수 중에서 소수 셋째 자리까지 있는 수입니다.

**2** 밑줄 친 낱말의 뜻을 보기 에서 찾아 기호를 쓰세요.

보기
㉠ 사람이나 차들이 다니는 길.
㉡ 두 개의 물건이나 장소 등이 서로 떨어져 있는 길이.

(1) 지진이 나자 사람들이 거리로 쏟아져 나왔다. ( ㉠ )

(2) 주현이가 제자리멀리뛰기 대회에서 잰 거리는 85cm이다. ( ㉡ )

해설 | (1)은 사람들이 길로 쏟아져 나왔다는 뜻이므로 ㉠의 뜻으로 써야 합니다. (2)는 잰 길이를 뜻하므로 ㉡의 뜻으로 쓰였습니다.

**3** 밑줄 친 낱말의 반대말에 ○표 하세요.

아버지에게서 앞서서 걸어갔다. (뒤돌아서 , 앞장서서 , 뒤떨어져서)

해설 | '앞서다'와 뜻이 반대인 낱말은 '뒤떨어지다'입니다. '뒤돌다'는 "뒤로 돌다."라는 뜻이고, '앞장서다'는 '무리의 맨 앞에 서다.'라는 뜻입니다.

**4** ( ) 안에서 알맞은 낱말을 골라 ○표 하세요.

(1) 분수 $\frac{1}{100}$ 은 0.01로, 소수 (두 , 세 ) 자리 수이다.
(2) 슬기는 도착 (지향 , 지점 )을 0.43km 앞에 두고 있다.
(3) (앞당겨 , 앞서서) 달리는 선수와의 거리를 계산해 보자.
(4) 두 갈래의 (손길 , 갈림길)에서 계산이 맞는 쪽으로 가면 된다.

해설 | (1) 0.01은 소수 둘째 자리까지 있으므로 소수 두 자리 수입니다. (2) 도착하는 곳을 뜻하므로 '지점'이 알맞습니다. (3) 도착하는 곳을 향해야 하므로 '앞서'가 알맞습니다. (4) 두 갈래로 갈리는 길을 뜻해야 하므로 '갈림길'이 하므로 '갈림길'이 알맞습니다.

---

58~59쪽에서 공부한 낱말을 떠올리며 문제를 풀어 보세요.

**5** 뜻에 알맞은 낱말을 빈칸에 쓰세요.

(1)

| 수 | 직 |
|---|---|
| 선 |  |

가로 열쇠 ❶ 두 직선이 만나서 직각을 이루는 상태.
세로 열쇠 ❶ 두 직선이 서로 수직으로 만날 때, 한 직선을 다른 직선에 대해 부르는 말.

(2)

| 평 | 행 |
|---|---|
| 행 |  |
| 선 |  |

가로 열쇠 ❶ 평행한 두 직선.
세로 열쇠 ❶ 한 직선에 수직인 두 직선을 그었을 때, 두 직선이 서로 만나지 않는 상태.

해설 | (1) 두 직선이 만나서 직각을 이루는 상태는 '수직'입니다. 두 직선이 서로 수직으로 만날 때, 두 직선은 서로 수직으로 만날 때 한 직선을 다른 직선에 대해 부르는 말은 '수선'입니다. (2) 평행한 두 직선은 '평행선'입니다. 한 직선을 다른 직선에 대해 수직으로 만날 때, 한 직선을 다른 직선에 그었을 때, 두 직선이 서로 만나지 않는 상태는 '평행'입니다.

**6** 빈칸에 공통으로 들어갈 낱말에 ○표 하세요.

• 오래된 바지를 [ ] 해서 입었다.
• 평행선의 한 직선에서 다른 직선에 [ ]을/를 긋는다.

(수선 , 수리 , 직선 )

해설 | 첫 번째 문장에는 오래되거나 고장 난 것을 다시 쓸 수 있게 고치는 것을 뜻하는 '수리'가 알맞고, 두 번째 문장에는 두 직선이 서로 수직으로 만날 때, 한 직선에서 다른 직선에 긋는 것이므로 '수선'이 알맞습니다.

**7** 빈칸에 들어갈 알맞은 것은 무엇인가요? ( ③ )

① 써 ② 적어 ③ 그어
④ 이어 ⑤ 맞춰

해설 | 주어진 직선에 대한 수선을 그려 보는 것이므로 '그어'가 알맞습니다. '긋는'은 '긋고', '그어', '그으니', '그어서' 등과 같이 활용합니다.

**8** ( ) 안에 들어갈 알맞은 낱말을 보기 에서 찾아 쓰세요.

보기
수직
평행
삼각자
평행선

(1) ( 평행선 )은/는 한 직선에 수직인 두 직선이다.
(2) 직각삼각형은 ( 수직 )상태의 한 각을 가진 도형이다.
(3) 두 직선을 계속 늘여도 만나면 ( 평행 )한 것이 아니다.
(4) 직각삼각형의 모양으로 된 ( 삼각자 )를 이용해 수선을 그어 본다.

해설 | (1) 한 직선에 수직인 두 직선은 평행인 두 직선입니다. (2) 직각삼각형의 한 각은 수직 상태의 한 각입니다. (3) 직각삼각형으로 된 '삼각자'를 이용해 수선을 그을 수 있습니다. (4) 두 직선을 아무리 늘여도 만나지 않는 평행인 두 직선은 어도 만나지 않을 것입니다. (4) 직각삼각형으로 된 '삼각자'를 이용해 수선을 그을 수 있습니다.

# 2주차 4회

## 과학 교과서 어휘

수록 교과서 과학 4-2
3. 그림자와 거울

다음 중 낱말의 뜻을 잘 알고 있는 것에 ✓하세요.

□ 그림자 연극  □ 통과  □ 빛의 직진  □ 볼투명  □ 무색  □ 사방

길이가 서로 다른 막대가 늘어서 있는데, 각각의 막대에 그림자가 생겼어. 그림자가 생기는 까닭은 뭘까? 오늘은 그림자와 거울의 성질에 대해 알아보자.

✏ 낱말을 읽고, ▨ 부분에 알맞은 그림을 그어면서 낱말 공부를 해 보세요.

### 그림자 연극
그림자 + 演 펼 연 + 劇 연극 극
今(극)의 대표 뜻은 '상하다'.

뜻 인형을 빛과 스크린 사이에서 움직여 스크린에 생긴 그림자를 이용해 꾸민 연극.
예 그림자 연극을 할 때 인형을 움직이면 그림자도 같이 움직인다.
Tip '스크린'은 영상이나 영화를 비치기 위한 막을 말해요.

### 통과
通過 통할 通 + 過 지날 과
뜻 장애물이나 어려운 상황 등을 뚫고 지나감.
예 빛이 물체를 통과하는 정도에 따라 그림자의 진하기가 달라진다.
여러 가지 뜻을 가진 낱말 통과
'통과'는 시험, 심사, 검사에서 인정받거나 합격하는 것을 뜻하는 낱말로도 써.
예 나는 열심히 공부해서 시험에 통과했다.

---

이것만은 꼭!

### 빛의 직진
빛 + 直 곧을 직 + 進 나아갈 진
뜻 빛이 곧게 나아가는 성질.
예 앞에 놓인 물체 때문에 빛의 직진이 방해받으면 빛이 물체를 통과하지 못해 물체 모양과 비슷한 그림자가 뒤쪽에 있는 스크린에 생긴다.
Tip '직진'은 앞으로 곧게 나아가는 것을 뜻해요.

### 볼투명
不 아닐 불 + 透 통할 투 + 明 밝을 명
뜻 물이나 유리 등이 맑지 않고 흐릿함.
예 빛이 나아가다가 도자기 컵, 책, 손과 같은 볼투명한 물체를 만나면 빛이 통과하지 못해 진한 그림자가 생긴다.
관련 어휘 투명, 반투명
'투명'은 물이나 유리 등이 맑은 것을 뜻해. '반투명'은 빛이 또렷하게 통과하지 않아 반대쪽이 보이는 성질이 있는 것을 뜻해.

### 무색
無 없을 무 + 色 빛 색
뜻 아무런 빛깔이 없음.
예 유리컵, 무색 비닐, OHP 필름과 같은 물체는 투명한 물체이다.
반대말 유색
'유색'은 빛깔이 있다는 뜻이야.

▲ 무색  ▲ 유색

### 사방
四 넉 사 + 方 방향 방
(방)의 대표 뜻은 '모양'.
뜻 둘레의 모든 곳.
예 빛은 태양이나 전등에서 나와 사방으로 곧게 나아간다.
비슷한말 여기저기
'여기저기'는 분명하게 정해지지 않은 여러 장소나 위치를 뜻해.
예 강아지가 없어져서 여기저기를 찾아다녔다.

## 과학 교과서 어휘

다음 중 낱말의 뜻을 잘 읽고 알고 있는 것에 ✓ 하세요.

□ 부딪치다  □ 빛의 반사  □ 조명  □ 비치다  □ 상하  □ 좌우

수록 교과서 과학 4-2
3. 그림자와 거울

자동차의 앞쪽 바깥에는 거울이 달려 있어. 옆면, 이빠는 뒤에 오는 차들을 확인해. 그 거울을 통해 뒤에 오는 차를 볼 수 있어. 이렇게 볼 수 있는 까닭은 무엇인지, 관련 내용을 통해 알아보자.

✎ 낱말을 읽고, ▢부분에 밑줄을 그으면서 낱말 공부를 해 보세요.

### 부딪치다
뜻 매우 세게 마주 닿다.
예 손전등의 빛이 거울에 부딪치면 거울에서 빛의 방향이 바뀐다.
여러 가지 뜻을 가진 낱말 부딪치다
'부딪치다'는 "의견이나 생각이 달라 다른 사람과 맞서는 관계에 놓이다."라는 뜻도 가지고 있어.
예 요즘 나는 여러 가지 일로 동생과 자주 부딪친다.

### 빛의 반사
빛의 + 反 돌이킬 반 + 射 쏠 사
뜻 빛이 나아가다가 거울에 부딪쳐서 빛의 방향이 바뀌는 성질.
예 거울은 빛의 반사를 이용해 물체를 모습을 비추는 도구이다.
Tip '반사'는 빛이나 소리 등이 다른 물체의 표면에 부딪혀서 나아가던 방향이 반대 방향으로 바뀌는 현상을 말해요.

이것만은 꼭!

---

### 조명
照 비출 조 + 明 밝을 명
뜻 물체에 빛을 비추는 것.
예 물체에 비추는 조명의 방향을 바꾸면 물체의 모습이 다르게 보이기도 한다.

▲ 무대를 비추는 조명

### 비치다
뜻 어디에 모양이 나타나다.
예 거울에 비친 물체의 모습은 실제 물체와 비슷해 보이지만 다른 점도 있다.
여러 가지 뜻을 가진 낱말 비치다
'비치다'는 "빛이 나서 환하게 되다."라는 뜻도 가지고 있다.
예 달빛이 비치다.

### 상하
上 위 상 + 下 아래 하
뜻 위와 아래.
예 물체를 거울에 비춰 보면 물체의 상하는 바뀌어 보이지 않는다.

거울에 비친 고양이의 모습이 위, 아래는 상하는 바뀌어 보이지 않아.

### 좌우
左 왼쪽 좌 + 右 오른쪽 우
뜻 왼쪽과 오른쪽.
예 물체를 거울에 비춰 보면 물체의 좌우는 바뀌어 보인다.
여러 가지 뜻을 가진 낱말 좌우
'좌우'는 옆이나 주변을 뜻하기도 해. 좌우를 두리번거리다.
Tip '상하', 좌우는 모두 반대의 뜻을 가진 한자로 이루어진 낱말이에요. '남자'를 못하는 '남'과 '여자'를 못하는 '여'가 만나 이루어진 '남녀'도 그런 낱말이에요.

'상하좌우'라는 낱말도 있어. 위, 아래, 왼쪽과 오른쪽을 아울러 이르는 말이야. '상하좌우로 움직이다.'와 같이 쓰여.

# 확인 문제

✏️ 62~63쪽에서 공부한 내용을 떠올리며 문제를 풀어 보세요.

**1** 낱말의 뜻을 보기 에서 찾아 사다리를 타고 내려간 곳에 기호를 쓰세요.

통과　불투명　무색　사방

**보기**
㉠ 둘레의 모든 곳. - 사방
㉡ 아무런 빛깔이 없음. - 무색
㉢ 장애물이나 어려운 상황 등을 뚫고 지나감. - 통과
㉣ 물이나 유리 등이 맑지 않고 흐릿함. - 불투명

해설 | 통과는 장애물이나 어려운 상황 등을 뚫고 지나가는 것을, '불투명'은 물이나 유리 등이 맑지 않고 흐릿한 것을, 무색은 아무런 빛깔이 없는 것을, '사방'은 둘레의 모든 곳을 뜻합니다.

**2** 빈칸에 들어갈 알맞은 낱말에 ○표 하세요.

(1) 물체의 모양과 물체 뒤쪽에 생긴 그림자의 모양이 비슷한 것은 빛이 □□ 때문이다. ( 통과 · (직진) )

(2) 빛이 나아가다 유리컵, 무색 비닐과 같이 빛을 잘 만나면 빛이 대부분 통과해 연한 그림자가 생긴다. ( (투명) · 불투명 · 반투명 )

해설 | (1) 빛이 곧게 나아가는 성질을 '빛의 직진'이라고 합니다. (2) 유리컵, 무색 비닐은 투명한 물체입니다.

**3** ( ) 안에 들어갈 알맞은 낱말을 보기 에서 찾아 쓰세요.

**보기**
사방　통과　불투명　그림자

(1) 종소리가 ( 사방 )(으)로 울려 퍼졌다.
(2) 빛이 일부만 ( 통과 )하는 물체를 반투명하다고 한다.
(3) 빛과 스크린 사이에 인형을 놓고 ( 그림자 ) 연극을 꾸몄다.
(4) 도자기 접시처럼 물체 뒤에 있는 모습이 보이지 않는 것은 ( 불투명 )한 물체이다.

해설 | (1) 종소리가 울려 퍼졌으므로 '사방'이 알맞습니다. (2) 빛이 일부만 통과하므로 '통과'가 알맞습니다. (3) 빛과 스크린 사이에 인형을 놓고 그림자 연극을 꾸몄다고 했으므로 '그림자'가 알맞습니다. (4) 물체 뒤에 있는 모습이 보이지 않는다고 했으므로 '불투명'이 알맞습니다.

---

✏️ 64~65쪽에서 공부한 내용을 떠올리며 문제를 풀어 보세요.

**4** 뜻에 알맞은 말을 완성하세요.

(1) 상 하 ─ 위와 아래.
(2) 좌 우 ─ 왼쪽과 오른쪽.
(3) 조 명 ─ 물체에 빛을 비추는 것.
(4) 부 딪 치 다 ─ 매우 세게 마주 닿다.
(5) 빛 의 반 사 ─ 빛이 나아가다가 거울에 부딪쳐서 빛이 방향이 바뀌는 성질.

해설 | (1) 위와 아래를 가리키는 말은 '상하'입니다. (2) 왼쪽과 오른쪽을 가리키는 말은 '좌우'입니다. (3) 물체에 빛을 비추는 것은 '조명'이라고 합니다. (4) '매우 세게 마주 닿다.'라는 뜻의 낱말은 '부딪치다'라고 합니다. (5) 빛이 나아가다가 거울에 부딪쳐서 빛의 방향이 바뀌는 성질을 '빛의 반사'라고 합니다.

**5** 밑줄 친 낱말의 뜻을 알맞게 선으로 이으세요.

(1) '응'은 원래 모양과 거울에 비친 모양이 같은 글자이다. — 빛이 나서 환하게 되다.
(2) 햇빛이 비치는 낮에는 물체 주변에 그림자가 생긴다. — 어디에 모양이 나타나다.

해설 | (1) 거울에 모양이 나타난 것이므로 "어디에 모양이 나타나다."라는 뜻으로 쓰였습니다. (2) 빛이 나서 환하게 되다.라는 뜻으로 쓰였습니다.

**6** ( ) 안에서 알맞은 낱말을 골라 ○표 하세요.

(1) 어두운 곳에서는 밝게 비추기 위한 ( 배경 · (조명) )이 필요하다.
(2) 구급차의 앞부분에는 119를 ( 상하 · (좌우) )를 바꾸어 (ㅣㅁ로 써 놓았다.
(3) 빛이 나아가다가 거울에 ( (부딪치면) · 지나치면 ) 거울에서 방향이 바뀌어 나온다.
(4) 빛의 ( (반사) · 직진 ) 때문에 버스 운전사가 앞다리도 뒤를 돌아보지 않더라도 거울로 버스 뒤쪽 문에 있는 승객을 볼 수 있다.

해설 | (1)은 밝게 비춘다고 했으므로 '조명'이, (2)는 숫자가 왼쪽과 오른쪽이 반대 것이므로 '좌우', (3)은 빛이 거울에 마주 닿는 것이므로 '부딪치면'이, (4)는 빛의 방향이 반대 것이므로 '반사'가 알맞습니다.

## 苦(고)가 들어간 낱말

### 苦 (쓸 고)

'苦(고)가 들어간 낱말을 읽고, ▨ 부분에 알맞은 그림을 그으면서 낱말 공부를 해 보세요.

고(苦)는 풀을 뜯는 모습에서 나온 글자야. 풀이 매우 쓰니까 '쓰다'라는 뜻을 나타내. 또 풀이 써서 괴로우니까 '괴롭다'라는 뜻을 나타내기도 해. '애쓰다'라는 뜻으로 쓰일 때도 있어.

苦盡甘來(고진감래), 감탄苦토, 苦생, 노苦

**괴롭다·애쓰다 苦**

**고생** 苦 괴로울 고 + 生 살 생
뜻 괴롭거나 어렵고 힘든 생활.
예 아버지는 어린 시절 가난으로 고생을 하셨지만 지금은 큰 회사를 운영하신다.
속담 고생 끝에 낙이 온다
어려운 일이나 고된 일을 겪은 뒤에는 반드시 즐거운 좋은 일이 생긴다는 말이야.
Tip '고생 끝에 낙이 온다'는 '고진감래'와 뜻이 같아요.

**노고** 勞 일할 로 + 苦 쓸 애쓸 고
뜻 힘들여 수고하고 애씀.
예 선생님의 노고에 감사하는 마음으로 선물을 준비했다.

**쓰다 苦**

**고진감래** 苦 쓸 고 + 盡 다할 진 + 甘 달 감 + 來 올 래
뜻 쓴 것이 다하면 단 것이 온다는 뜻으로, 고생 끝에 즐거움이 옴을 이르는 말.
예 두 번의 실패 끝에 성공을 해서 고진감래의 기쁨을 누렸다.

**감탄고토** 甘 달 감 + 呑 삼킬 탄 + 苦 쓸 고 + 吐 토할 토
뜻 달면 삼키고 쓰면 뱉는다는 뜻으로, 자신의 이익에 따라서 일의 옳고 그름을 판단함을 이르는 말.
예 감탄고토라더니, 자기에게 유리할 때만 내 말이 옳다고 하네!

---

## 非(비)가 들어간 낱말

### 非 (아닐 비)

'非(비)가 들어간 낱말을 읽고, ▨ 부분에 알맞은 그림을 그으면서 낱말 공부를 해 보세요.

'비(非)'는 새의 양 날개를 본뜬 글자야. 그래서 처음에는 '날다'라는 뜻을 나타냈어. 하지만 이후에 새의 양 날개가 서로 엇갈려 있는 모습에서 뜻이 달라져, '아니다'라는 뜻으로 쓰였어. '그르다, 없다'라는 뜻을 나타낼 때도 있어.

非몽사몽, 非공개, 시非, 非정

**그르다·없다 非**

**시비** 是 옳을 시 + 非 그를 비
뜻 옳고 그른 것과 잘잘못.
예 우리는 누가 잘못했는지 시비를 가리느라 한참 동안 목소리를 높여 말했다.
비슷한말 잘잘못
'잘잘못'은 잘함과 잘못함을 뜻함.

**비정** 非 아닐 비 + 情 인정 정
← '정(情)'의 대표 뜻은 '정'이다.
뜻 사람에게서 느껴지는 따뜻한 마음이 없이 차갑고 쌀쌀함.
예 사람들은 부모를 버린 비정의 자식을 욕했다.
Tip '인정'은 남을 생각하고 도와주는 따뜻한 마음을 뜻해요.

**아니다 非**

**비몽사몽** 非 아닐 비 + 夢 꿈 몽 + 似 같을 사 + 夢 꿈 몽
뜻 꿈인지 현실인지도 모를 만큼 정신이 흐릿한 상태.
예 잠에서 갓 깬 지 얼마 되지 않아 비몽사몽이다.

**비공개** 非 아닐 비 + 公 공평할 공 + 開 열 개
뜻 어떤 사실이나 내용을 외부에 알리거나 보이지 않음.
예 비공개 자료는 아무나 함부로 볼 수 없다.
반대말 공개
'공개'는 어떤 내용이나 사물 등을 여러 사람에게 널리 알리는 것을 뜻해.

# 확인 문제

✏️ 68쪽에서 공부한 낱말을 떠올리며 문제를 풀어 보세요.

## 1 뜻에 알맞은 낱말이 되도록 보기 에서 글자를 찾아 쓰세요.

보기: 사 동 뭉 개 정 시 비

(1) 옳은 것과 잘못된 것. → [시] [비]

(2) 사람에게서 느껴지는 따뜻한 마음이 없이 차갑고 쌀쌀함. → [비] [정]

(3) 어떤 사실이나 내용을 외부에 알리거나 보이지 않음. → [비] [공] [개]

(4) 꾸민지 현실인지도 모를 만큼 정신이 흐릿한 상태. → [비] [몽] [사] [몽]

해설 | (1) 옳은 것과 잘못된 것은 '시비'입니다. (2) 사람에게서 느껴지는 따뜻한 마음이 없이 차갑고 쌀쌀한 것은 '비정'입니다. (3) 어떤 사실이나 내용을 외부에 알리거나 보이지 않는 것은 '비공개'입니다. (4) 꾸민지 현실인지도 모를 만큼 정신이 흐릿한 상태는 '비몽사몽'입니다.

## 2 밑줄 친 낱말과 뜻이 비슷한 낱말은 무엇인가요? ( ⑤ )

선생님께서 시비를 가려 주셨다.

① 사실  ② 진실  ③ 등수
④ 성격  ⑤ 잘잘못

해설 | 옳은 것과 잘못된 것을 뜻하는 '시비'와 뜻이 비슷한 낱말은 '잘잘못'입니다.

## 3 ( ) 안에 들어갈 알맞은 낱말을 보기 에서 찾아 쓰세요.

보기: 공개  비정  시비  비몽사몽

(1) 알려지면 안 되는 내용이라서 회의를 ( 공개 )하지 않았다.

(2) 국가는 법을 통해 사람 사이의 ( 시비 )을/를 가려 주는 역할을 한다.

(3) 정답 숙제를 하느라 잠을 조금밖에 자지 못해서 ( 비몽사몽 )(으)로 하교에 갔다.

(4) 심순이 형편이 어려운 친척을 모른 척하는 ( 비정 )한 사람인 것 같아서 실망했다.

해설 | (1) 알려지면 안 되는 내용이므로 '공개'하지 않았다고 하는 것이 알맞습니다. (2) 법을 통해 시비를 가려 준다고 하는 것이 알맞습니다. (3) 잠을 자지 못했으므로 '비몽사몽'이 알맞습니다. (4) 이러한 친척을 모른 척한 ...

✏️ 69쪽에서 공부한 낱말을 떠올리며 문제를 풀어 보세요.

## 4 낱말의 뜻이 알맞지 않은 것에 ×표 하세요.

(1) 노고: 힘들여 수고하고 애씀. ( )

(2) 고생: 괴롭거나 어렵고 힘든 생활. ( )

(3) 고진감래: 쓴 것이 다하면 단 것이 온다는 뜻으로, 고생 끝에 낙이 온다는 말. ( × )

(4) 감탄고토: 달면 삼키고 쓰면 뱉는다는 뜻으로, 자신의 싫거나 좋은 마음에 따라서 일이 옳고 그름을 판단함을 이르는 말. ( )

해설 | (3) 고진감래는 쓴 것이 다하면 단 것이 온다는 뜻으로, 고생 끝에 즐거움이 온다는 말입니다.

## 5 밑줄 친 낱말을 알맞게 사용한 것의 기호를 쓰세요.

(1)
㉠ 고생 끝에 낙이 온다더니 이제는 좋은 일만 가득하구나.
㉡ 고생 끝에 낙이 온다고 ... 안 좋은 습관은 빨리 고쳐야 해.  ( ㉠ )

(2)
㉠ 살도 빼지고 건강도 좋아져서 감탄고토이다.
㉡ 감탄고토라더니, 친구는 나에게 어려운 부탁을 할 때에는 친한 척을 하면서 내가 부탁을 하면 모른 척을 한다.  ( ㉡ )

해설 | (1) '고생 끝에 낙이 온다'는 어려운 일이나 고된 일을 겪은 뒤에는 반드시 즐겁고 좋은 일이 생긴다는 말이므로 ㉠이 알맞게 사용한 것입니다. (2) '감탄고토'는 자신의 싫거나 좋은 마음에 따라서 일이 옳고 그름을 판단함을 이르는 말이므로 ㉡이 알맞게 사용한 것입니다.

## 6 빈칸에 들어갈 알맞은 낱말을 낱글자 카드로 만들어 쓰세요.

(1) 우리 가족은 등산을 하다 걸음을 잃어서 밤새 무척 [고][생]을 했다.

보기: 노 고 통 도 생

(2) 선생님의 [노][고]에 보답하기 위해서 열심히 공부하겠습니다.

보기: 노 성 고 진 난

(3) 우리는 [고][진][감][래]라는 말을 떠올리며 열심히 훈련했다.

보기: 고 난 진 래 감

해설 | (1) 등산을 하다 걸음을 잃었으므로 고생을 했다고 했으므로 '고생'이 알맞습니다. (2) 선생님께 보답하기 위해서 열심히 공부한다고 하므로 '노고'가 알맞습니다. (3) 열심히 훈련할 때에 떠올린 말이므로 '고진감래'가 알맞습니다.

정답과 해설 ▶ 32쪽
## 2주차 어휘력 테스트

2주차 1~5회에서 공부한 낱말을 떠올리며 문제를 풀어 보세요.

**낱말 뜻**

**1** 낱말의 뜻이 알맞은 것은 무엇인가요? ( ④ )
① 배경: 이야기에서 일어나는 일.
② 노고: 괴롭거나 어렵고 힘든 생활.
③ 빛의 반사: 빛이 나아가다가 가운데 부딪쳐서 멈추는 성질.
④ 희소성: 사람들이 원하는 것은 많으나, 그것을 모두 가질 수 없는 상태.
⑤ 소비: 생활에 필요한 물건을 만들거나 생활을 편리하고 즐겁게 해 주는 활동.

해설 | '배경'은 이야기가 펼쳐지는 시간과 장소를 말합니다. 이야기에서 일어나는 일은 '사건'입니다. ② '노고'는 힘들여 수고하고 애쓰는 것을 뜻합니다. 괴롭거나 어렵고 힘든 생활은 '고생'이 알맞습니다. ③ '빛의 반사'는 빛이 나아가다가 가운데 부딪쳐서 빛의 방향이 바뀌는 성질을 말합니다. ⑤ '소비'는 생산한 것을 쓰는 것을 말합니다. 생활에 필요한 물건을 만들거나 생활을 편리하고 즐겁게 해 주는 활동은 '생산'입니다.

**낱말 뜻**

**2** ( ) 안에서 알맞은 말을 골라 ○표 하세요.
(1) '묵도'는 예수가 (은), 작은 ) 도움을 말한다.
(2) '빛의 직진'은 빛이 ((곧게), 휘어서 ) 나아가는 성질을 말한다.
(3) '수직'은 두 직선이 만나서 ( 예각, (직각))을 이루는 상태를 말한다.
(4) '평행'은 한 직선에 수직인 두 직선을 그었을 때, 두 직선이 ( 만나는, (만나지 않는)) 상태를 말한다.

해설 | (1) '묵도'는 예수가 큰 도움을 말합니다. (2) '빛의 직진'은 빛이 곧게 나아가는 성질을 말합니다. (3) '수직'은 두 직선이 만나 직각을 이룰 때의 두 직선을 말합니다. (4) '평행'은 한 직선을 그었을 때, 두 직선이 만나지 않는 상태를 말합니다.

**반대말**

**3~4** 서로 반대되는 낱말의 뜻을 보고, 빈칸에 알맞은 말을 쓰세요.

**3**
공개 ↕ 비공개
어떤 내용이나 사물 등을 사람들에게 널리 알리는 것. / 어떤 사실이나 내용을 외부에 알리거나 보이지 않음.

해설 | '공개'에 '비(非)'를 붙여 반대말을 만듭니다.

**4**
투명 ↕ 불투명
물이나 유리 등이 맑음. / 물이나 유리 등이 맑지 않고 흐릿함.

해설 | '투명'에 '불(不)'을 붙여 반대말을 만듭니다.

**비슷한말**

**5** 뜻이 비슷한 낱말끼리 짝 짓지 못한 것에 ×표 하세요.
(1) 품질 - 요소 ( × )
(2) 소득 - 수입 ( )
(3) 사방 - 여기저기 ( )

해설 | '품질'은 물건의 성질과 바탕을 뜻하고, '요소'는 무엇을 이루는 데 반드시 있어야 할 중요한 것을 뜻합니다.

**여러 가지 뜻을 가진 낱말**

**6** 밑줄 친 낱말이 다른 뜻으로 쓰인 하나를 찾아 ○표 하세요.
(1) 가운데 비친 내 모습이 오늘따라 예뻐 보였다. ( )
(2) 동생은 강물에 비친 자기 얼굴을 보고 있었다. ( )
(3) 햇빛이 비치는 곳에서 자란 표고버섯은 생강이 하얗다. ( ○ )

해설 | (1)과 (2)는 '어디에 모양이 나타나다.'라는 뜻으로 쓰였고, (3)은 "빛이 나서 환하게 되다."라는 뜻으로 쓰였습니다.

**낱말 활용**

**7~10** ( ) 안에 들어갈 알맞은 낱말을 보기에서 찾아 쓰세요.

보기
소심해서   이르러서   끼어들어서   한정되어서

**7** 나는 ( 소심해서 ) 친구에게 부탁을 해 본 적이 없다.
해설 | 친구에게 부탁을 해 본 적이 없다고 했으므로 '소심해서'가 알맞습니다.

**8** 시간이 ( 한정되어서 ) 일을 모두 끝낼 수 없을 것 같다.
해설 | 일을 모두 끝낼 수 없다고 했으므로 '한정되어서'가 알맞습니다.

**9** 옆 차가 우리 차 앞으로 갑자기 ( 끼어들어서 ) 사고가 날 뻔했다.
해설 | 사고가 날 뻔했다고 했으므로 '끼어들어서'가 알맞습니다.

**10** 동생은 평소 ( 이르러서 ) 나쁜 행동을 하는 사람을 보면 참지 못한다.
해설 | 나쁜 행동을 하는 사람을 보면 참지 못하다고 했으므로 '의로워서'가 알맞습니다.

72 어휘력 문해력이다        초등 4학년 2학기 73

초등 4학년 2학기   32   2주차 어휘력 테스트_정답과 해설

어휘가
# 문해력이다
초등 4학년 2학기

## 3주차 정답과 해설

# 국어 교과서 어휘

정답과 해설 ▶ 34쪽

수록 교과서 국어 4-2 ㉯
5. 의견이 드러나게 글을 써요

다음 중 낱말의 뜻을 잘 알고 있는 것에 ✓ 하세요.
□ 어찌하다 □ 어떠하다 □ 판결 □ 이견을 제시하는 글 □ 구문 □ 다문화

✏ 낱말을 읽고, ▨ 부분에 알맞은 그림을 그으면서 낱말 공부를 해 보세요.

## 어찌하다

뜻 누가/무엇이+어찌하다의 짜임에서 움직임을 나타내는 말.

예 "늙은 농부의 세 아들은 밭으로 달려갔다."에서 '달려갔다'는 '어찌하다'에 해당한다.

움직임을 나타내는 말
타다 씻다 읽다

## 어떠하다

뜻 누가/무엇이+어떠하다의 짜임에서 성질이나 상태를 나타내는 말.

예 "우리 할아버지와 할머니는 친절하시다."에서 '친절하시다'는 '어떠하다'에 해당한다.

성질이나 상태를 나타내는 말
슬프다 맛있다 춥다

Tip '어찌하다'와 '어떠하다'에 해당하는 말은 형태가 바뀌는 낱말이에요.

## 이견을 제시하는 글

意뜻 의+見볼 견+示보일 시+하는 글

뜻 어떤 문제 상황에 대한 자신의 의견을 뒷받침하는 까닭과 함께 쓴 글.

예 이견을 제시하는 글을 쓸 때에는 읽는 사람이 들어줄 수 있는 의견인지 생각해 보아야 한다.

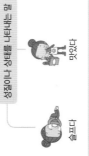

이것만은 꼭! 제시는 무엇을 하고자 하는 생각을 말이나 글로 나타내 보이는 것을 뜻해요.

## 판결

判판단할 판+決결정할 결

뜻 옳고 그름이나 나쁨을 가려서 결정함.

예 내 사람은 아무리 싸워도 해결할 수 없다. 사또를 찾아가 판결해 달라고 부탁했다.

## 구문

區구분할 구+分나눌 분

뜻 어떤 기준에 따라 전체를 몇 개의 부분으로 나눔.

예 문장에서 '누가/무엇이'와 '무엇이다/어찌하다/어떠하다'의 구문이 잘 드러나게 글을 써야 한다.

## 다문화

多많을 다+文글월 문+化될 화

뜻 한 사회 안에 여러 나라의 문화가 섞여 있는 것.

예 우리나라도 우리나라에 살고 있는 외국인의 수가 점점 늘어나 다문화 사회가 되고 있다.

뜻을 더해 주는 말 다-
'다-'는 '여러' 또는 '많은'의 뜻을 더해 주는 말이야. 예) 다용도, 다방면

'다용도'는 여러 가지 쓰임을, '다방면'은 여러 분야를 뜻하는 낱말이야.

## 꼭! 알아야 할 속담

빈칸 채우기

'오르지 못할 나무는 쳐다보지도 마라'는 자기의 능력 밖의 불가능한 일에 대해서는 처음부터 욕심을 내지 않는 것이 좋다는 말입니다.

# 3주차

## 1회

### 국어 교과서 어휘

수록 교과서 국어 4-2 ㉯
6. 본받고 싶은 인물을 찾아봐요

▶ 다음 중 낱말의 뜻을 잘 알고 있는 것에 ✓ 하세요.
- ☐ 전기문 ☐ 가치관 ☐ 본받다 ☐ 시대 상황 ☐ 역사적 ☐ 발자취

✏ 낱말을 읽고, 부분에 들어갈 낱말을 찾으면서 낱말 공부를 해 보세요.

부분에 들어갈 낱말을 찾으면서 낱말 공부를 해 보세요.

## 전기문
傳 전할 전 + 記 기록할 기 + 文 글월 문
ⓢ '記(기)'의 대표 뜻은 '기록하다'.

뜻 인물이 삶을 사실대로 쓴 글.
예 책에서 본 인물이 한 일을 알고 싶어서 그 인물의 전기문을 찾아 읽었다.
비슷한말 전기
'전기'는 한 사람이 태어나서 죽을 때까지의 일을 쓴 글을 말해.

신사임당 전기문을 읽고 있어요.

뭐 읽고 있어?

Tip '위인전'이라는 낱말도 있어요. 뛰어난 업적을 세우거나 훌륭한 삶을 산 사람이 업적과 삶을 적은 글이나 책을 말해요.

## 가치관
價 값 가 + 値 값 치 + 觀 볼 관
ⓢ '觀(관)'의 대표 뜻은 '보다'.

이것만은 꼭!

뜻 사람이 어떤 행동이나 일을 하는 데 바탕이 되는 생각.
예 나는 남에게 베푸는 삶을 중요하게 생각했던 김만덕과 가치관이 같다.

나는 슈바이처야. 내 가치관은 궁금하다니? 나는 무엇보다 생명을 소중하게 생각해. 그래서 아프리카에 가서 아픈 사람들을 치료했어.

## 본받다
本 근본 본 + 받다

뜻 보고 배울 만한 것이 있는 대상을 그대로 따라 하다.
예 헬렌 켈러에게 본받을 점은 자신도 장애 때문에 배우는 것이 힘든데 다른 사람을 돕기 위해 노력한 점이다.
비슷한말 배우다
'배우다'는 "남의 행동이나 태도를 그대로 따르다."라는 뜻이야.
예 어머니는 배울 점이 많은 분이시다.

'본'과 '본보기'의 '본'은 비슷한말이야. 올바르거나 훌륭해서 남이 따라 하거나 배울 만한 것을 말해.

---

뜻 주로 이야기에서 인물이 살았을 때의 나라의 형편.
예 유관순은 우리나라가 일본에 나라를 빼앗겼던 시대 상황에서 살았다.
관련 어휘 시대적 배경
'시대적 배경'은 이야기에서 인물이 처한 시대의 상황을 말해.

## 시대 상황
時 때 시 + 代 시대 대 + 狀 형상 상 + 況 상황 황
ⓢ '代(대)'의 대표 뜻은 '대신하다'.

뜻 인간 사회가 시간이 지남에 따라 변해 온 과정인 역사에 관한.
예 전기문은 인물이 살아온 과정을 역사적 사실을 바탕으로 쓴 글이기 때문에 인물이 언제 어떤 일을 했는지 파악하며 읽는 것이 좋다.

## 역사적
歷 지날 역 + 史 역사 사 + 的 과녁 적
ⓢ '的(적)'의 대표 뜻은 '-의 것'.

뜻 지나온 과정.
예 뛰어난 업적을 남긴 인물이 살아온 발자취를 살펴보고 싶을 때 전기문을 읽는다.
관련 어휘 자취
'발자취'는 '발'과 '자취'가 합쳐진 낱말이야. '자취'는 어떤 것이 남긴 표시나 자리를 말해.

## 발자취

## 꼭! 알아야 할 관용어

소처럼 빈둥대며 살고 싶다.

응.

자동.

야! 내가 소가 돼냐.

틀이 안 받쳐서

엄청나? 아무리 머리를 굴려도 방법을 못 찾겠어.

'머리를 (굴리다, 굴러다)'는 머리를 써서 해결 방안을 생각해 낸다는 뜻입니다.

○표 하기

78~79쪽에서 공부한 낱말을 떠올리며 문제를 풀어 보세요.

## 5 뜻에 알맞은 낱말이 되도록 보기에서 글자를 찾아 쓰세요.

보기
자 진 역 가 취 치 사 기 판 적

(1) 지나온 과정. → 전 [발][자][취]... 전 기

(2) 인물의 삶을 사실대로 쓴 글. → 전 기 문

(3) 사람이 어떤 행동이나 일을 하는 데 바탕이 되는 생각. → 가 치 관

(4) 인간 사회가 시간의 지남에 따라 변해 온 과정인 역사에 관한. → 역 사 적

해설 | 지나온 과정은 발자취입니다. (2) 인물의 삶을 사실대로 쓴 글은 전기문입니다. (3) 사람이 어떤 행동이나 일을 하는 데 바탕이 되는 생각은 가치관입니다. (4) 인간 사회가 시간이 지남에 따라 변해 온 과정인 역사에 관한 것을 뜻하는 낱말은 역사적입니다.

## 6 반칸에 들어갈 알맞은 낱말을 완성하세요.

주시경 선생님이 사셨을 때의 ☐☐☐☐ 은 어땠어요?

우리글을 읽지 못하는 사람이 대부분이었어.

시 대 상 황

해설 | ...

## 7 ( ) 안에서 알맞은 낱말을 골라 ○표 하세요.

(1) 내가 (본받고, 이어받고) 싶은 인물은 이순신 장군이다.
(2) 슈바이처에 대해 더 읽고 싶어서 (광고문, 전기문)을 읽었다.
(3) 장영실은 우리나라 과학의 발전에 큰 (발자취, 발걸음)을/를 남겼다.
(4) 백성을 중요하게 생각한 정약용의 (습관, 가치관)은 훌륭하다고 생각한다.
(5) 인물을 이해하려면 인물이 살았던 시대의 (개인적, 역사적) 특징을 잘 이해해야 한다.

해설 | ...

---

# 확인 문제

76~77쪽에서 공부한 낱말을 떠올리며 문제를 풀어 보세요.

## 1 뜻에 알맞은 낱말을 보기에서 찾아 쓰세요.

보기
판결  구분  어떠하다  어찌하다

(1) 옳고 그름이나 좋고 나쁨을 가려서 결정함. ( 판결 )
(2) 어떤 기준에 따라 전체를 몇 개의 부분으로 나눔. ( 구분 )
(3) '누가/무엇이+어찌하다'의 짜임에서 움직임을 나타내는 말. ( 어찌하다 )
(4) '누가/무엇이+어떠하다'의 짜임에서 성질이나 상태를 나타내는 말. ( 어떠하다 )

해설 | ...

## 2 뜻에 알맞은 말을 완성하세요.

어떤 문제 상황에 대한 자신의 의견을 뒷받침하는 까닭과 함께 쓴 글.

의 견 을 제 시 하 는 글

해설 | 어떤 문제 상황에 대한 자신의 의견을 ...

## 3 밑줄 친 말의 뜻이 다른 하나를 찾아 ○표 하세요.

다문화  다문화  다양도  다양성  다방면

해설 | ...

## 4 밑줄 친 낱말이 알맞게 쓰였는지 ○, ×를 따라가며 선을 긋고 몇 번으로 나오는지 쓰세요.

시작 → 우리 집은 엄마가 안 계셔서 다문화 가정이다.

해설 | ...

# 3주차 2회
## 사회 교과서 어휘

수록 교과서 사회 4-2
2. 필요한 것의 생산과 교환

다음 중 낱말이 뜻을 잘 알고 있는 것에 ✓ 하세요.

□ 경제적 교류 □ 대중 매체 □ 원산지 □ 품질 인증 표시 □ QR 코드 □ 특산물

사람들이 대량을 하인 있인집에서 물건을 사고 있어. 각 상품들은 다양한 나라와 지역에서 왔어. 우리가 경제적으로 교류를 하며 살기 때문에 가능한 일이지. 관련 낱말을 통해 더 자세히 공부해 보자.

생선 코너 · 정육 코너 · 과일 코너 · 도서 · 과자

낱말을 읽고, [   ] 부분에 알맞은 낱말을 그으면서 낱말 공부를 해 보세요.

**이것만은 꼭!**

### 경제적 교류
經 지날 경 + 濟 건널 제 + 的 ~의 적 + 交 사귈 교 + 流 흐를 류
'交流(교류)'의 대표 뜻은 '교환'이야.

뜻 개인이나 지역이 이익을 얻기 위해 물건, 기술, 정보 등을 서로 주고받는 것.
예 옛날에도 주로 시장에서 경제적 교류를 활발하게 했다.

▲ 시장을 이용한 경제적 교류

### 대중 매체
大 큰 대 + 衆 무리 중 + 媒 중매 매 + 體 몸 체
'대중 매체'를 '매스 미디어'라고 말하기도 해.

뜻 많은 사람에게 동시에 정보나 생각을 전달하는 신문, 잡지, 영화, 텔레비전 등과 같은 것.
예 대중 매체를 이용하면 장소나 시간에 관계없이 이 상품의 정보를 얻을 수 있다.

### 원산지
原 근원 원 + 産 낳을 산 + 地 땅 지

뜻 어떤 물건이 생산된 곳.
예 이 제품은 중국에서 만들어져서 원산지에 '중국'이라고 써 있다.

나의 원산지는 필리핀이야.

나의 원산지는 제주특별자치도야.

### 품질 인증 표시
品 물건 품 + 質 바탕 질 + 認 알 인 + 證 증거 증 + 標 표할 표 + 示 보일 시

뜻 상품이 안전하고 품질이 우수하다는 것을 밝히는 표시.
예 상품에 KS 마크와 같은 품질 인증 표시가 붙어 있으면 안심하고 사용할 수 있다.

'인증'은 어떤 일이 올바른 방법과 순서로 이루어졌다는 것을 누군가 밝혀 주거나 사회 기관에서 받아는 것을 뜻해.

### QR 코드

뜻 흰색과 검은색을 가로 세로로 엮어 많은 양의 정보를 담을 수 있게 만든 바코드.
예 상품에 붙어 있는 QR 코드를 통해 상품의 원산지, 가격 등의 정보를 알 수 있다.
Tip 바코드는 컴퓨터로 상품을 관리할 수 있도록 상품에 표시해 놓은 줄무늬를 말해요.

### 특산물
特 특별할 특 + 産 낳을 산 + 物 물건 물

뜻 어떤 지역에서 특별히 생산되는 물건.
예 직거래 장터에서 각 지역의 다양한 특산물을 살 수 있다.

▲ 굴비(전남 영광 특산물)

## 2회

# 사회 교과서 어휘

다음 중 낱말의 뜻을 잘 알고 있는 것에 ✓ 하세요.

□ 저출산 □ 요양원 □ 출생아 □ 우대 □ 다자녀 □ 감소

**수록 교과서** [사회 4-2]
3. 사회 변화와 문화의 다양성

올해 우리 사회는 노인의 수는 늘고 태어나는 아이의 수는 줄고 있어. 이런 변화들로 생활하는 사람들의 모습도 달라지고 있지. 관련 낱말을 공부하며 우리 사회가 어떻게 달라졌는지 알아보자.

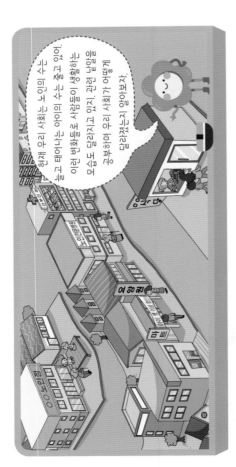

✏ 낱말을 읽고, ▨ 부분에 밑줄을 그으면서 낱말 공부를 해 보세요.

### 저출산
低 낮을 저 + 出 날 출 + 産 낳을 산

**이것만은 꼭!**

**뜻** 태어나는 아이의 수가 줄어드는 현상.

**예** 사람들이 아이를 많이 낳지 않아 저출산 현상이 점점 더 심해지고 있다.

**관련 어휘** 출산
'출산'은 아이를 낳는 것을 뜻해.

### 요양원
療 고칠 요 + 養 기를 양 + 院 집 원

**뜻** 환자들이 편안히 쉬면서 몸을 보살피고 병을 치료할 수 있도록 시설을 갖추어 놓은 기관.

**예** 편찮으신 할아버지, 할머니를 위한 요양원이 많이 생겼다.

**관련 어휘** 요양
'요양'은 편안히 쉬면서 몸을 보살피고 병을 치료하는 것을 뜻해.

---

### 출생아
出 날 출 + 生 날 생 + 兒 아이 아

**뜻** 새로 태어난 아이.

**예** 이번 해에 태어난 출생아 수는 작년에 비해 많이 줄었다.

**관련 어휘** 신생아
'신생아'는 태어난 지 얼마 되지 않은 아이를 말해. '갓난아이'와 뜻이 같아.

### 우대
優 넉넉할 우 + 待 대우할 대

**뜻** 특별히 잘 대우함.

**예** 노인을 우대하는 서비스가 많이 생겨나고 있다.

**비슷한말** 후대
'후대'는 아주 잘 대접한다는 뜻이야.
**예** 가게 주인의 후대를 받으니 기분이 좋았다.

**Tip** '우대'와 뜻이 반대인 낱말에 '박대'가 있어요. '박대'는 정이 없이 아무렇게나 대접하는 것을 뜻해요.

### 다자녀
多 많을 다 + 子 아들 자 + 女 딸 녀

**뜻** 자녀가 많음.

**예** 다자녀 우대 카드는 자녀를 여러 명 둔 가정에 다양한 혜택을 주는 카드이다.

▲ 다자녀 가정

### 감소
減 덜 감 + 少 적을 소

**뜻** 양이나 수가 줄어듦.

**예** 많은 지역에서 초등학생 수가 계속 감소해 매년 전국 초등학생 수가 줄고 있다.

**반대말** 증가
'증가'는 수나 양이 이전보다 더 늘어나거나 많아지는 것을 뜻해.
**예** 인구가 증가하다.

감소    증가

# 확인 문제

✏️ 82~83쪽에서 공부한 낱말을 떠올리며 문제를 풀어 보세요.

## 1 뜻에 알맞은 말을 완성하세요.

(1) 품 질 인 증 표시 — 상품이 안전하고 품질이 우수하다는 것을 밝히는 표시.

(2) 경 제 적 교 류 — 개인이나 지역이 이익을 얻기 위해 물건, 기술, 정보 등을 서로 주고받는 것.

(3) Q R 코드 — 흑색과 검은색을 가로 세로로 엮어 많은 양의 정보를 담을 수 있게 만든 바코드.

(4) 대 중 매체 — 많은 사람에게 동시에 정보나 생각을 전달하는 신문, 잡지, 영화, 텔레비전 등과 같은 것.

해설 | (1) 상품이 안전하고 품질이 우수하다는 것을 밝히는 표시는 '품질 인증 표시'입니다. (2) 개인이나 지역이 이익을 얻기 위해 물건, 기술, 정보 등을 서로 주고받는 것은 '경제적 교류'라고 합니다. (3) 흑색과 검은색을 가로 세로로 엮어 만든 바코드는 'QR 코드'입니다. (4) 많은 사람에게 동시에 정보나 생각을 전달하는 신문, 잡지, 영화, 텔레비전 등과 같은 것은 '대중 매체'입니다.

## 2 뜻에 알맞은 낱말을 빈칸에 쓰세요.

가로 열쇠 → ❶ 어떤 지역에서 특별히 생산되는 물건.
세로 열쇠 ↓ ❷ 어떤 물건이 생산되는 곳.

|   |   |   |
|---|---|---|
|   | ❷원 |   |
| ❶특 | 산 | 물 |
|   | 지 |   |

해설 | ❶ 어떤 지역에서 특별히 생산되는 물건은 '특산물'입니다. ❷ 어떤 물건이 생산되는 곳은 '원산지'입니다.

## 3 ( ) 안에 들어갈 알맞은 말을 보기에서 찾아 쓰세요.

보기
특산물  원산지  품질 인증  경제적 교류

(1) 오늘 산 파인애플의 ( 원산지 )은/는 미국이다.
(2) 우리 지역의 ( 특산물 )은/는 감자와 옥수수이다.
(3) 안전성과 품질을 인증받은 제품에는 ( 품질 인증 ) 표시를 붙일 수 있다.
(4) ( 경제적 교류 )은/는 사람들이 사는 곳의 자연환경과 생산 기술, 자원 등이 달라지기 때문에 발생한다.

해설 | (1) 파인애플이 생산되는 곳을 뜻하며 '원산지'입니다. (2) 지역에서 특별히 생산되는 물건을 뜻하며 '특산물'입니다. (3) 안전성과 품질을 인증받은 제품에 붙일 수 있는 것은 '품질 인증'이, (4) 자연환경과 생산 기술, 자원이 달라서 발생하는 것은 '경제적 교류'입니다.

86 어휘가 문해력이다

---

정답과 해설 ▶ 39쪽

✏️ 84~85쪽에서 공부한 낱말을 떠올리며 문제를 풀어 보세요.

## 4 낱말의 뜻은 무엇인지 ( ) 안에서 알맞은 말을 골라 ○표 하세요.

(1) 다자녀 — 자녀가 ( 적음 , (많음) ).
(2) 출생아 — 새로 ( (태어난) , 임용한 ) 아이.
(3) 우대 — 특별히 잘 ( 관리함 , (대우함) ).
(4) 저출산 — 태어나는 아이의 수가 ( 늘어나는 , (줄어드는) ) 현상.

해설 | (1) '다자녀'는 자녀가 많은 것을 말합니다. (2) '출생아'는 새로 태어난 아이를 말합니다. (3) '우대'는 특별히 잘 대우하는 것을 말합니다. (4) '저출산'은 태어나는 아이의 수가 줄어드는 현상을 말합니다.

## 5 밑줄 친 낱말의 반대말을 찾아 ○표 하세요.

초등학생의 수가 감소하고 있어서 학생이 없어 문을 닫는 초등학교가 (증가하고) 있다.

해설 | 앞의 '수가 줄어드는' 것을 뜻하지 못하는 '감소하다'는 수나 양이 늘어나거나 많아지는 것을 뜻하는 '증가하다'와 뜻이 반대입니다.

## 6 빈칸에 들어갈 알맞은 낱말을 글자 카드로 만들어 쓰세요.

(1) 저 출 산 문제가 계속되면 인구가 줄어 일할 사람이 부족해진다.

임 지 고 출 산

(2) 아이를 낳지 않으려는 사람들이 늘어 출 생 아 수가 감소하고 있다.

출 생 아 내 자 생

(3) 어떤 가게는 자녀를 많이 낳은 가정을 우 대 하기 위해 할인을 해 주기도 한다.

이 우 별 자 대

(4) 큰 수술을 받고 퇴원하신 할아버지는 요 양 원에서 치료를 받으며 쉬시기로 했다.

요 양 원 병 노

해설 | (1) 인구가 줄어든다고 했으므로 '저출산'이 알맞습니다. (2) 아이를 낳지 않아 감소한다고 했으므로 '출생아'가 알맞습니다. (3) 특별히 잘 해주는 것이므로 '우대'가 알맞습니다. (4) 치료를 위해 머무는 곳이므로 '요양원'이 알맞습니다.

초등 4학년 2학기 39   3주차 2회_정답과 해설

초등 4학년 2학기 87

# 3주차 3회

다음 중 낱말의 뜻을 잘 알고 있는 것에 ✓ 하세요.

- [ ] 평행선 사이의 거리
- [ ] 쌍
- [ ] 사다리꼴
- [ ] 고정
- [ ] 기둥
- [ ] 잇다

수록 교과서 수학 4-2
4. 사각형

앞쪽에 보이는 다리라고 하면 기둥은 사각형 모양인데, 뭐라고 부를까? 그리고 다리 기둥 사이에 거리는 또 뭐라고 할까? 이번 회에 나오는 낱말을 공부해서 그 답을 찾아보자.

낱말을 읽고, 부분에 어울을 그으면서 낱말 공부를 해 보세요.

## 평행선 사이의 거리
平 평평할 평 + 行 다닐 행 + 線 선 선 + 사이의 + 距 떨어질 거 + 離 떼놓을 리

- 뜻 평행선의 한 직선에서 다른 직선에 그은 수선의 길이.
- 예 평행선 사이의 거리는 어디에서 재도 모두 같다.

빨간 수선의 길이가 평행선 사이의 거리야.

▲ 날개가 두 쌍인 잠자리

## 쌍
雙 두 쌍

- 뜻 둘을 하나로 묶어 세는 단위.
- 예 △은 평행한 변이 한 쌍도 없다.

---

평행

**이것만은 꼭!**

## 사다리꼴
- 뜻 평행한 변이 한 쌍이라도 있는 사각형.
- 예 평행한 변이 두 쌍인 사각형도 사다리꼴에 해당한다.
- Tip 꼴은 겉으로 보이는 사물의 모양을 뜻하는 말이에요.

## 고정
固 굳을 고 + 定 정할 정

- 뜻 한곳에서 움직이지 않게 함.
- 예 그림과 같이 삼각자 2개를 붙인 후 한 삼각자를 고정하고 다른 삼각자를 움직여 평행선을 그어 보세요.

고정

## 기둥
- 뜻 천장이나 지붕처럼 위에 있는 것을 떠받치려고 바닥에 곧고 높게 세운 것.
- 예 옛 궁궐에서 기둥 사이의 거리를 재는 방법을 알아보자.
- 여러 가지 뜻을 가진 낱말 기둥
  '기둥'은 어떤 일을 하는 데 중요한 사람을 뜻하기도 해.
  예 어린이는 나라의 기둥이다.

## 잇다
- 뜻 두 끝을 맞대어 붙이다.
- 예 평행선 위의 두 점을 잇는 선분을 여러 개 긋고 길이를 비교해 보자.
- 반대말 끊다
  '끊다'는 '실, 줄, 끈 등이 이어진 것을 잘라 따로 떨어지게 하다.'라는 뜻이야.
  예 고무줄이 끊어졌다.
- Tip '잇다'는 문장에서 '잇고', '잇는', '이어', '이으니'와 같이 형태가 바뀌어서 쓰여요. 받침 'ㅅ'이 없어지기도 하는 거지요.

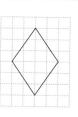

# 수학 교과서 어휘

**수학 교과서 수학 4-2**

## 4. 사각형

다음 중 낱말의 뜻을 잘 알고 있는 것에 ✓ 하세요.

□ 마주 보다 □ 평행사변형 □ 마름모 □ 이웃하다 □ 닮다 □ 펼치다

한옥에 가 본 적 있니? 한옥의 문에는 다양한 사각형 모양이 나타나 있어. 네 변의 길이가 모두 같은 것, 마주 보는 두 쌍의 변이 서로 평행한 것 등 무척 다양해. 이번 회에서는 다양한 사각형의 이름을 중심으로 공부해 보자.

---

✏️ 낱말을 읽고, ▨ 부분에 알맞은 말을 그으면서 낱말 공부를 해 보세요.

### 마주 보다
뜻 서로 똑바로 향하여 보다.
예 사다리꼴은 한 쌍의 마주 보는 변이 평행하다.

Tip '마주'는 '서로 똑바로 향해'라는 뜻이에요.

> 마주 보고 있는 변 ㄱㄴ과 변 ㄹㄷ이 평행하네.

### 평행사변형
平 평평할 평 + 行 다닐 행 + 四 넉 사 + 邊 가 변 + 形 모양 형

뜻 마주 보는 두 쌍의 변이 서로 평행한 사각형.
예 평행사변형은 마주 보는 두 변의 길이가 같고 마주 보는 두 각의 크기가 같다.

---

정답과 해설 ▶ 41쪽

**이것만은 꼭!**

### 마름모
뜻 네 변의 길이가 모두 같은 사각형.
예 한 변의 길이가 7cm인 마름모는 다른 변의 길이도 모두 7cm이다.

### 이웃하다
뜻 어떤 것에 나란히 또는 가까이 있다.
예 정사각형의 이웃하는 변이 이루는 각의 크기를 재 보자.

> 이웃하고 있는 변 ㄱㄷ과 변 ㄱㄴ이 이루는 각의 크기를 재 볼까?

### 닮다
뜻 무엇이 보이지 않도록 낮은 것을 얹어서 덮다.
예 색종이를 사다리꼴 모양으로 오려서 직사각형 모양의 모눈종이를 빈틈없이 덮으려고 한다.

헷갈리는 말 **덥다**
'덥다'는 "몸으로 느끼기에 기온이 높다."라는 뜻이야.
예 이름을 덮다 / 날씨가 덥다.

### 펼치다
뜻 접히거나 포개진 것을 넓게 펴다.
예 정사각형 모양의 종이를 삼각형 모양으로 접었다가 펼친 뒤, 펼친 선을 따라 잘라 보세요.

반대말 **접다**
'접다'는 "천이나 종이 등을 꺾어서 겹치게 하다."라는 뜻이야.
예 다 쓴 편지를 접어서 편지 봉투에 넣었다.

접다          펼치다

Tip 펼치다는 "보고 듣거나 감상할 수 있도록 사람들 앞에 주어를 쭉 만한 상태로 만난 상태로 나타내다"라는 뜻도 가지고 있어요. 예 육상 경기를 펼치다.

# 확인 문제

88~89쪽에서 공부한 낱말을 떠올리며 문제를 풀어 보세요.

**1** 낱말의 뜻을 보기에서 찾아 사다리를 타고 내려간 곳에 기호를 쓰세요.

보기
㉠ 한곳에서 움직이지 않게 함. - 고정
㉡ 둘을 하나로 묶어 세는 단위. - 쌍
㉢ 평행한 변이 한 쌍이라도 있는 사각형. - 사다리꼴
㉣ 평행선의 한 직선에서 다른 직선에 수선을 그었을 때 그 수선의 길이. - 평행선 사이의 거리

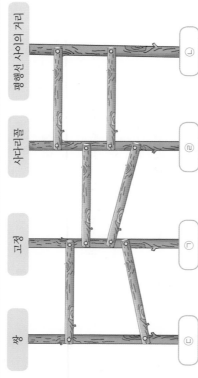

고정    쌍    사다리꼴    평행선 사이의 거리

㉣    ㉠    ㉢    ㉡

해설 | (1) '쌍'은 둘을 하나로 묶어 세는 단위입니다. (2) '고정'은 한곳에서 움직이지 않게 하는 것을 말합니다. (3) '사다리꼴'은 평행한 변이 한 쌍이라도 있는 사각형을 말합니다. (4) '평행선 사이의 거리'는 평행선의 한 직선에서 다른 직선에 수선을 그었을 때 그 수선의 길이를 말합니다.

**2** 밑줄 친 낱말의 뜻으로 알맞은 것에 ○표 하세요.

건물의 기둥들이 서로 평행하다.

(1) 어떤 일을 하는 데 중요한 사람. (　)
(2) 천장이나 지붕처럼 위에 있는 것을 떠받치려고 바닥에 곧고 높게 세운 것. ( ○ )

해설 | 건물을 받치고 있는 기둥이므로 (2)의 뜻으로 쓰인 것입니다.

**3** ( ) 안에서 알맞은 낱말을 골라 ○표 하세요.

(1) 점 ㄱ과 점 ㄴ을 직선으로 (잇는다, 찾는다).
(2) 직사각형은 평행선이 두 (때, (쌍))인 사각형이다.
(3) 평행한 변이 없는 사각형은 (도형, (사다리꼴))이 아니다.
(4) 왼쪽 자가 움직이지 않게 ((고정), 관련) 시킨 다음 오른쪽 삼각자를 밑으로 내려 직선을 긋는다.

해설 | (1) 점과 점을 맞닿게 붙이는 것이므로 '잇는다'가 알맞습니다. (2) 평행선이 두 쌍인 것을 '쌍'을 써서 표현하므로 '쌍'이 알맞습니다. (3) 평행한 변이 없는 것은 '사다리꼴'이 될 수 없습니다. (4) 움직이지 않게 한다고 했으므로 '고정'이 알맞습니다.

---

90~91쪽에서 공부한 낱말을 떠올리며 문제를 풀어 보세요.

**4** 다음 뜻을 가진 낱말을 찾아 선으로 이으세요.

(1) 서로 똑바로 향하여 보다.
(2) 겹치거나 포개진 것을 넓게 펴다.
(3) 어떤 것에 나란히 또는 가까이 있다.
(4) 무엇이 보이지 않도록 다른 것을 얹어서 씌우다.

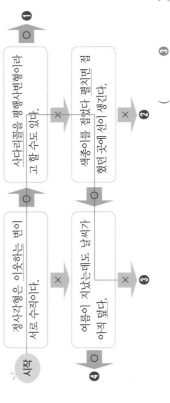

씌우다
펼치다
이웃하다
마주 보다

해설 | (1) '서로 똑바로 향하여 보다.'라는 뜻을 가진 낱말은 '마주 보다'입니다. (2) '겹치거나 포개진 것을 넓게 펴다.'라는 뜻을 가진 낱말은 '펼치다'입니다. (3) '어떤 것에 나란히 또는 가까이 있다.'라는 뜻을 가진 낱말은 '이웃하다'입니다. (4) '무엇이 보이지 않도록 다른 것을 얹어서 씌우다.'라는 뜻을 가진 낱말은 '씌우다'입니다.

**5** 밑줄 친 낱말을 바르게 고쳐 쓰세요.

(1) 마름모는 네 변의 길이가 같은 사각형이야.
( 네모든 )

해설 | (1) '마름모'는 네 변의 길이가 모두 같은 사각형입니다.

(2) 평행사변형은 마주 보는 한 쌍의 변이 서로 평행한 사각형이야.

( 두 )

해설 | (2) '평행사변형'은 마주 보는 두 쌍의 변이 서로 평행한 사각형입니다.

**6** 밑줄 친 낱말이 알맞게 쓰였는지 ○, ×를 따라가며 선을 긋고 몇 번으로 나오는지 쓰세요.

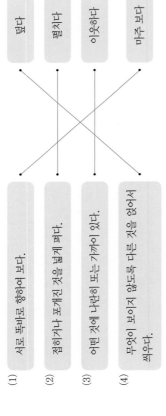

시작

정사각형은 이웃하는 변이 서로 수직이다.
사다리꼴을 평행사변형이라고 한다.
색종이를 접었다 펼치면 접혔던 곳에 선이 생긴다.
여름이 지났는데도 날씨가 아직 덥다.

( ❶ )

해설 | 평행사변형을 '사다리꼴'이라고 할 수 있습니다. 기온이 높은 것을 표현할 때에는 '덥다'가 아니라 '덥다'입니다.

# 3주차 4회

## 과학 교과서 어휘

수록 교과서 과학 4-2
4. 화산과 지진

다음 중 낱말의 뜻을 잘 알고 읽고 있는 것에 ☑ 하세요.
□ 마그마 □ 화산 □ 분화구 □ 용암 □ 화산재 □ 화산 분출물

이곳이 어디인지 알겠니? 바로 백두산이야. 이 사진은 백두산 꼭대기에 있는 천지를 찍은 거야. 백두산도 제주도에 있는 한라산처럼 화산에 속해. 화산을 공부할 때 나오는 낱말을 알아보자.

낱말을 읽고, ▨ 부분에 미음을 그으면서 낱말 공부를 해 보세요.

**마그마**
뜻 땅속 깊은 곳에서 암석이 녹은 것.
예 마시멜로는 열에 잘 녹기 때문에 포일 안에 두고 열을 가하면 땅속의 암석이 녹아서 만들어진 마그마처럼 포일 밖으로 흘러나온다.

**화산**
火불 화 + 山메 산
뜻 마그마가 분출하여 생긴 지형.
예 제주도에 있는 한라산은 마그마가 분출하여 생긴 화산이다.
관련 어휘 **분출**
'분출'은 액체나 기체가 세차게 뿜어져 나오는 것을 뜻해.
예 가스가 분출되다.
Tip 지형은 땅이 많이 생긴 모양을 뜻해요.

**이것만은 꼭!**

---

**분화구**
噴뿜을 분 + 火불 화 + 口구멍 구
→ '口'구멍의 대표 뜻은 '입'이야.
뜻 화산의 꼭대기에 움푹 파인 곳.
예 화산의 꼭대기에는 화산 분출로 생긴 분화구에 물이 고여 커다란 호수나 물웅덩이가 생기기도 한다.

**용암**
鎔 녹일 용 + 巖 바위 암
뜻 마그마에서 기체가 빠져나간 것.
예 화산이 분출하여 산불이 나고 용암이 흘러 마을을 덮치기도 한다.
Tip 마그마와 용암을 구분하여 알 수 있도록 해요.

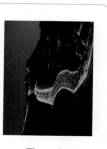

**화산재**
火불 화 + 山메 산 + 재
뜻 화산에서 분출된 용암이 용암의 부스러기 중 재와 비슷한 것.
예 화산이 분출하면 화산재가 하늘을 뒤덮어 태양빛을 가리기도 한다.
관련 어휘 **재**
재는 불에 타고 남은 가루 모양의 물질을 말해.
예 낙엽을 태우자 재만 남았다.

**화산 분출물**
火불 화 + 山메 산 + 噴뿜을 분 + 出 날 출 + 物 물건 물
뜻 화산이 분출할 때 나오는 물질.
예 화산이 분출하면 기체인 화산 가스, 액체인 용암, 고체인 화산재와 석 조각 등 다양한 화산 분출물이 나온다.
뜻을 더해 주는 말 **-물**
'물'은 '물건' 또는 '물질'의 뜻을 더해 주는 말이야.
예 농산물, 건축물

▲ 한라산 백록담(한라산 분화구)

# 과학 교과서 어휘

수록 교과서 과학 4-2
4. 화산과 지진

다음 중 낱말의 뜻을 잘 알고 있는 것에 ✔ 하세요.

□ 화성암 □ 현무암 □ 화강암 □ 지진 □ 재난 □ 지열 발전

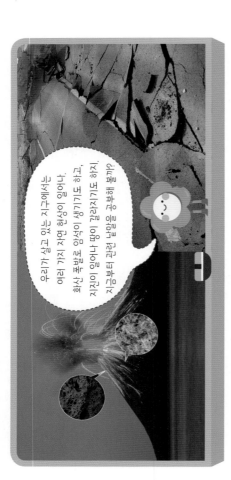

우리가 살고 있는 지구에서는 여러 가지 자연 현상이 일어나. 화산 폭발로 암석이 생기기도 하고, 지진이 일어나 땅이 갈라지기도 하지. 지금부터 관련 낱말의 뜻을 공부해 볼까?

낱말을 읽고, _____ 부분에 밑줄을 그으면서 낱말 공부를 해 보세요.

이것만은 꼭!

## 화성암
火 불 화 + 成 이룰 성 + 巖 바위 암
뜻 마그마의 활동으로 만들어진 암석.
예 마그마가 땅속 깊은 곳이나 지표 가까이에서 식으면 화성암이 만들어진다.
Tip 지표는 지구나 땅의 겉면을 말해요.

▲ 다양한 화성암

## 현무암
玄 검을 현 + 武 굳셀 무 + 巖 바위 암
뜻 마그마가 지표 가까이에서 식어 만들어진 화성암으로, 색깔이 어둡고 알갱이의 크기가 작음.
예 현무암은 지표나 지표 가까이에서 빠르게 식어서 알갱이의 크기가 작다.

## 화강암
花 꽃 화 + 岡 언덕 강 + 巖 바위 암
뜻 마그마가 땅속 깊은 곳에서 식어 만들어진 화성암으로, 색깔이 밝고 알갱이의 크기가 큼.
예 화강암은 땅속 깊은 곳에서 서서히 식어서 알갱이의 크기가 크다.
Tip 현무암과 화강암은 화성암에 포함되는 암이에요.

## 지진
地 땅 지 + 震 벼락 진
뜻 땅이 지구 내부에서 작용하는 힘을 오랫동안 받아 휘어지거나 끊어져 땅이 흔들리는 것.
예 지진이 나면 건물과 도로가 무너지는 등 큰 피해를 줄 수 있다.
▲ 지진 피해 모습

## 재난
災 재앙 재 + 難 어려울 난
뜻 뜻하지 않게 일어난 불행한 사고.
예 우리나라에도 지진이나 홍수와 같은 재난이 발생한다.

▲ 여러 가지 재난

## 지열 발전
地 땅 지 + 熱 더울 열 + 發 필 발 + 電 번개 전
뜻 땅속에서 나오는 뜨거운 기운이나 따뜻한 물을 이용해서 전기를 만드는 것.
예 화산 활동으로 생긴 땅속의 높은 열을 지열 발전에 활용해 전기를 만들어 낼 수 있다.
관련 어휘 발전
'발전'은 전기를 일으키는 것을 말해. 예 수력 발전, 풍력 발전

## 확인 문제

, 94~95쪽에서 공부한 낱말을 떠올리며 문제를 풀어 보세요.

**1** 뜻에 알맞은 낱말을 빈칸에 쓰세요.

(1)
| 화 | 산 |
|---|---|
| 산 | |
| 재 | |

① 마그마가 분출하여 생긴 지형.
② 화산에서 분출된 용암의 부스러기 중 재와 비슷한 것.

(2)
| | | 구 |
|---|---|---|
| 분 | 화 | |
| 출 | | |

① 화산의 꼭대기에 움푹 파인 곳.
① 액체나 기체가 세차게 뿜어져 나오는 것.

가로 열쇠 ① 화산의 꼭대기에 움푹 파인 곳.
세로 열쇠 ① 액체나 기체가 세차게 뿜어져 나오는 것.

해설 | (1) 마그마가 분출하여 생긴 지형은 '화산'이고, 화산에서 분출된 용암의 부스러기 중 재와 비슷한 것은 '화산재'입니다. (2) 화산의 꼭대기에 움푹 파인 곳은 '분화구'이고, 액체나 기체가 세차게 뿜어져 나오는 것은 '분출'이라고 합니다.

**2** 낱말의 뜻은 무엇인지 ( ) 안에서 알맞은 말을 골라 ○표 하세요.

(1) 용암: 마그마에서 ( 기체 , 액체 )가 빠져나간 것.

(2) 마그마: 땅속 깊은 곳에서 ( 식물 , 암석 )이 녹은 것.

해설 | (1) 용암은 마그마에서 기체가 빠져나간 것입니다. (2) 마그마는 땅속 깊은 곳에서 암석이 녹은 것입니다.

**3** 밑줄 친 낱말의 쓰임이 알맞으면 ○표, 알맞지 않으면 ✕표 하세요.

(1) 한라산의 분화구에 빗물담이는 물이 고여 있다.
( ○ )

(2) 화산이 폭발하면 교체인 마그마는 높이 올라가 비행기의 엔진 고장을 일으키기도 한다.
( ✕ )

(3) 화산 주변에서 연기가 나고 큰 소리와 함께 산꼭대기에서 용암이 흘러내렸다.
( ○ )

(4) 화산 활동으로 생긴 화산 분출물은 마음을 뒤덮거나 산불을 발생시켜 피해를 주기도 한다.
( ○ )

해설 | (2) 화산이 폭발할 때 높이 올라가 비행기의 엔진 고장을 일으키는 것은 '화산재'입니다.

---

, 96~97쪽에서 공부한 낱말을 떠올리며 문제를 풀어 보세요.

**4** 뜻에 알맞은 낱말을 빈칸에 쓰세요.

| | 화 | 재 | |
|---|---|---|---|
| 지 | | | 난 |
| | | 강 | |
| | 현 | 암 | |

가로 열쇠
① 뜻하지 않게 일어난 불행한 사고.
② 마그마가 지표 가까이에서 식어 만들어진 화성암으로, 색깔이 어둡고 알갱이의 크기가 작음.

세로 열쇠
① 마그마가 지표 가까이에서 식어 만들어진 화성암으로, 색깔이 어둡고 알갱이의 크기가 작음.
③ 마그마가 땅속 깊은 곳에서 식어 만들어진 화성암으로, 색깔이 밝고 알갱이의 크기가 큼.

해설 | ① 뜻하지 않게 일어난 불행한 사고는 '재난'입니다. ② 마그마가 지표 가까이에서 식어 만들어진 화성암은 '현무암'입니다. ③ 마그마가 땅속 깊은 곳에서 식어 만들어진 화성암은 '화강암'입니다.

**5** 낱말의 뜻은 무엇인지 빈칸에 들어갈 알맞은 말을 완성하세요.

(1) 지진: 땅이 [내] [부] 에서 작용하는 힘을 오랫동안 받아 휘어지거나 끊어지면서 흔들리는 것을 말한다.

(2) 지열 발전: 땅속에서 나오는 뜨거운 기운이나 더운물을 이용해서 [전] [기] 를 만드는 것을 말한다.

해설 | (1) 지진은 땅이 지구 내부에서 작용하는 힘을 오랫동안 받아 휘어지거나 끊어지면서 흔들리는 것을 말합니다. (2) 지열 발전은 땅속에서 나오는 뜨거운 기운이나 더운물을 이용해서 전기를 만드는 것을 말합니다.

**6** 빈칸에 들어갈 알맞은 낱말에 ○표 하세요.

(1) 지진이 나면 긴급 [ ] 문자를 받는다.
( 고난 , 재난 )

(2) 발전은 화산 활동이 우리에게 주는 이로움 중 하나이다.
( 수력 , 지열 )

(3) 현무암과 화강암은 가장 흔한 [ ] 이다.
( 화성암 , 퇴적암 )

(4) 제주도에서는 생명이 어둡고 알갱이의 크기가 작은 [ ] 으로 돌담을 쌓기도 한다.
( 현무암 , 화강암 )

해설 | (1) 지진이 났다고 했으므로 '재난'이 알맞습니다. (2) 화산 활동과 관련 있는 것이므로 '지열'이 알맞습니다. (3) 현무암과 화강암은 화성암입니다. (4) 색깔이 어둡고 알갱이의 크기가 작은 것은 '현무암'입니다.

## 有(유)가 들어간 낱말

☞ '유(有)'가 들어간 낱말을 읽고, ▨ 부분에 맞춤을 그으면서 낱말 공부를 해 보세요.

有 있을 유

'유(有)'는 손에 고기를 들고 있는 모양을 나타낸 글자로, 감싸쥔 고기를 가지고 있다는 대서 '있다'라는 뜻을 나타내. '가지다'라는 뜻으로도 쓰여.

### 있다 有

**유구무언** 有 있을 유 + 口 입 구 + 無 없을 무 + 言 말씀 언
뜻 입은 있어도 말은 없다는 뜻으로, 변명할 말이 없음을 이르는 말.
예 모두 내 잘못이라 유구무언이었다.

**유해** 有 있을 유 + 害 해로울 해
뜻 해로움이 있음.
예 유해 물질이 들어 있는 것으로 밝혀진 장난감은 판매가 금지되었다.
반대말 **무해**
'무해'는 해로움이 없음을 뜻하는 말이야.
예 천연 성분으로 만든 비누는 환경에 무해하다.

### 가지다 有

**소유** 所 것 소 + 有 가질 유
뜻 '소(所)'의 대표 뜻은 '바'이야.
뜻 가지고 있음.
예 휴먼이는 자기 소유의 땅을 갖는 것이 소원이다.
비슷한말 **보유**
'보유'는 가지고 있는 것을 뜻해.
예 그 부자는 자동차 수십 대를 보유하고 있다.

**공유** 共 함께 공 + 有 가질 유
뜻 두 사람 이상이 어떤 것을 함께 가지고 있음.
예 인터넷의 발달은 정보의 공유를 가능하게 했다.

Tip '유해'를 죽은 사람의 몸을 태우고 남은 뼈나 무덤에서 나온 뼈를 뜻하는 낱말로도 써요. 이때에는 '유골과 유해'의 '유해'는 죽은 사람 몸에서 나온 것이 같아요.

---

## 下(하)가 들어간 낱말

☞ '하(下)'가 들어간 낱말을 읽고, ▨ 부분에 맞춤을 그으면서 낱말 공부를 해 보세요.

下 아래 하

'하(下)'는 넓은 땅 아래를 표현한 글자야. 땅 아래를 가리켜 '아래'라는 뜻으로 써여. '내리다'라는 뜻으로 쓰이기도 해.

### 내리다 下

**하선** 下 내릴 하 + 船 배 선
뜻 배에서 내림.
예 배가 항구에 도착하자 승객들은 하선을 하기 시작했다.
반대말 **승선**
'승선'은 배에 타는 것을 뜻해.
예 이 배는 50명이 승선할 수 있는 배이다.

**승하차** 乘 탈 승 + 下 내릴 하 + 車 수레 차
뜻 차를 타거나 차에서 내림.
예 버스 승하차는 정류장에서만 가능하다.
Tip '승차'와 '하차'는 서로 반대예요.

### 아래 下

**막상막하** 莫 없을 막 + 上 위 상 + 莫 없을 막 + 下 아래 하
뜻 어느 것이 위이고 아래인지 가릴 수 없음을 뜻하는 말로, 더 낫고 더 못함의 차이가 거의 없음을 이르는 말.
예 두 선수의 달리기 실력은 막상막하이다.

**하체** 下 아래 하 + 體 몸 체
뜻 사람의 몸이나 물체의 아랫부분.
예 다리 운동을 많이 하면 하체가 튼튼해진다.
반대말 **상체**
'상체'는 사람의 몸이나 물체의 윗부분을 뜻해.
예 동작을 주의하고 상체를 굽히다.

Tip '하선'은 사람이 몸에서 배에서 내려지는 부분을 말해요.

## 확인 문제

✏️ 100쪽에서 공부한 낱말을 떠올리며 문제를 풀어 보세요.

**1** 뜻에 알맞은 낱말을 색칠하고, 어떤 숫자가 나오는지 쓰세요. (낱말은 가로(→), 세로(↓) 방향에 숨어 있어요.)

❶ 가지고 있음.
❷ 해로움이 없음.
❸ 없는 것이 있다는 뜻으로, 변명할 말이 없음을 이르는 말. ( 7 )

해설 (1) 가지고 있음을 뜻하는 낱말은 '소유'입니다. (2) 해로움이 없음을 뜻하는 낱말은 '무해'입니다. (3) 없는 것이 있다는 듯으로, 변명할 말이 없음을 이르는 낱말은 '유구무언'입니다.

**2** 밑줄 친 낱말에서 '유'는 어떤 뜻으로 쓰였나요? ( ④ )

언니와 나는 웃음 공유하고 있다.

① 있다. ② 많다. ③ 친하게 지내다.
④ 가지다. ⑤ 친하게 지내다.

해설 공유는 두 사람 이상이 어떤 것을 함께 가지고 있음을 뜻하는 말로, '유'는 '가지다'라는 뜻으로 쓰였습니다.

**3** 밑줄 친 낱말의 반대말은 무엇인지 빈칸에 알맞은 말을 쓰세요.

담배는 건강에 유해하다. → [무][해]

해설 '유해'는 해로움이 있다는 뜻으로, '유' 대신 '무'를 써서 '무해'로 쓰면 반대말이 됩니다.

**4** ( )안에서 알맞은 낱말을 골라 ○표 하세요.
(1) 친구들과 자료를 ((공유), 공연) 했다.
(2) 할아버지는 큰 과수원을 (소비, (소유))하고 계시다.
(3) 내 실수로 우리 팀이 축구 경기에서 졌기 때문에 ((유구무언), 이구동성)이다.

해설 (1) 자료를 함께 가지고 있다는 뜻이 되도록 '공유'가 알맞습니다. (2) 과수원을 가지고 계시다고 했으므로 '소유'가 알맞습니다. (3) 1점 할 말이 없다는 뜻으로 '유구무언'이 알맞습니다.

---

✏️ 101쪽에서 공부한 낱말을 떠올리며 문제를 풀어 보세요.

**5** 뜻에 알맞은 낱말을 빈칸에 쓰세요.

(1)

가로 열쇠: ❶ 어느 것이 위이고 아래인지 가릴 수 없음을 뜻하는 말로, 더 낫고 더 못함의 차이가 거의 없음을 이르는 말.
세로 열쇠: ❷ 배에서 내림.

(2)
가로 열쇠: ❶ 차를 타거나 차에서 내림.
세로 열쇠: ❷ 사람의 몸이나 물체의 아랫부분.

해설 (1) ❶ 어느 것이 위이고 아래인지 가릴 수 없음을 뜻하는 말로, 더 낫고 더 못함의 차이가 거의 없음을 이르는 말은 '막상막하'입니다. ❷ 배에서 내리는 것을 뜻하는 낱말은 '하선'입니다. (2) ❶ 차를 타거나 차에서 내리는 것을 뜻하는 낱말은 '승하차'입니다. ❷ 사람의 몸이나 물체의 아랫부분은 '하체'입니다.

**6** 밑줄 친 낱말의 반대말에 ○표 하세요.
(1) 항구는 승선하는 사람들로 몹시 붐볐다. (수선, (하선), 하차)
(2) 상체를 꼿꼿이 세우고 바른 자세로 앉아야 한다. (전신, 전체, (하체))

해설 (1) 배에 탄다는 뜻의 '승선'은 '하선'과 뜻이 반대입니다. (2) 사람의 몸에서 허리 위의 부분을 뜻하는 '상체'와 뜻이 반대되는 낱말은 '하체'입니다.

**7** ( )안에 들어갈 알맞은 낱말을 보기에서 찾아 쓰세요.

보기 하선 하체 승하차 막상막하

(1) 엄마는 ( 하체 )가 튼튼해서 잘 넘어지신다.
(2) 선장은 배에 이상이 생기자 승객들을 ( 하선 )시켰다.
(3) 택시 운전기사인 아버지는 평소 장애인 ( 승하차 )을/를 도와주신다.
(4) ( 막상막하 )의 경기가 펼쳐지자 관객들은 모두 숨을 죽이고 경기를 지켜보셨다.

해설 (1) 배에서 내려야 한다는 뜻으로 '하선'을 써야 합니다. (2) 배에 이상이 생겼다고 했으므로 '하선'이 알맞습니다. (3) 택시 운전기사인 아버지는 평소 승하차를 도와주신다고 했으므로 '승하차'가 알맞습니다. (4) 관객들이 숨을 죽이고 경기를 지켜보았으므로 '막상막하'가 알맞습니다.

# 3주차 어휘력 테스트

3주차 1~5회에서 공부한 낱말을 떠올리며 문제를 풀어 보세요.

**낱말 뜻**

## 1 뜻에 알맞은 낱말을 보기 에서 찾아 쓰세요.

보기
지진  공유  요양원  본받다  이웃하다

(1) 어떤 곳에 나란히 또는 가까이 있다. ( 이웃하다 )
(2) 두 사람 이상이 어떤 것을 함께 가지고 있음. ( 공유 )
(3) 보고 배울 만한 것이 있는 대상을 그대로 따라 하다. ( 본받다 )
(4) 땅이 지구 내부에서 작용하는 힘을 오랫동안 받아 휘어지거나 끊어지면서 흔들리는 것. ( 지진 )
(5) 환자들이 편안히 쉬면서 병을 보살피고 병을 치료할 수 있도록 시설을 갖추어 놓은 기관. ( 요양원 )

해설 | (1) "어떤 곳에 나란히 또는 가까이 있다."는 '이웃하다'의 뜻입니다. (2) 두 사람 이상이 어떤 것을 함께 가지고 있음을 뜻하는 낱말은 '공유'입니다. (3) "보고 배울 만한 것이 있는 대상을 그대로 따라 하다."는 '본받다'의 뜻입니다. (4) 땅이 지구 내부에서 작용하는 힘을 오랫동안 받아 휘어지거나 끊어지면서 흔들리는 것은 '지진'입니다. (5) 환자들이 편안히 쉬면서 병을 보살피고 병을 치료할 수 있도록 시설을 갖추어 놓은 기관은 '요양원'입니다.

**낱말 뜻**

## 2 ( ) 안에서 알맞은 말을 골라 ○표 하세요.

(1) 원산지는 어떤 물건이 (생산, 사용)된 곳을 말한다.
(2) 화산은 (용암·마그마)이/가 분출하여 생긴 지형을 말한다.
(3) '사다리꼴'은 평행한 변이 한 쌍이라도 있는 (삼각형, 사각형)을 말한다.
(4) '화장암'은 마그마가 (지표 가까이, 땅속 깊은 곳)에서 식어 만들어진 화성암이다.
(5) '가치관'은 사람이 어떤 행동이나 일을 하는 네 바탕이 되는 (경험, 생각)을 말한다.

해설 | (1) '원산지'는 어떤 물건이 생산된 곳을 말합니다. (2) 화산은 마그마가 분출하여 생긴 지형을 말합니다. (3) '사다리꼴'은 평행한 변이 한 쌍이라도 있는 사각형을 말합니다. (4) 화장암은 마그마가 땅속 깊은 곳에서 식어 만들어진 화성암입니다. (5) '가치관'은 사람이 어떤 행동이나 일을 하는 네 바탕이 되는 생각을 말합니다.

**반대말**

## 3~4

## 3 안의 낱말과 뜻이 반대인 낱말을 찾아 ○표 하세요.

감소   거래   증가   추락

해설 | '감소'는 양이나 수가 줄어든다는 뜻으로, 반대말은 '증가'입니다. '증가'는 수나 양이 더 늘어나거나 많아진다는 뜻입니다.

## 4

놓다   잇다   접다   끊다

해설 | '잇다'는 두 끝을 맞대어 붙인다.'라는 뜻으로, 반대말은 '끊다'입니다. '끊다'는 '실, 줄, 끈 등이 이어진 것을 잘라 따로 떨어지게 하다.'라는 뜻입니다.

---

**뜻을 더해 주는 말**

## 5 빈칸에 공통으로 들어갈 말은 무엇인가요? ( ③ )

☐문화  ☐방면
☐문  ☐다  ☐네

① 전 ② 신 ③ 다 ④ 네 ⑤ 소

해설 | '다-'는 '여러 또는 많은'의 뜻을 더해 주는 말로, '다문화', '다방면', '다채널'이 알맞습니다.

**헷갈리는 말**

## 6 빈칸에 들어갈 알맞은 낱말을 찾아 선으로 이으세요.

(1) 주위서 이름을 ☐ 잤다.   •

(2) 운동을 했더니 ☐ 숨이 찼다. •

• 업고

• 없고

해설 | (1)은 이불을 쓰고 잤다는 것이므로 무엇이 보이지 않도록 다른 것을 얹어서 싸다.'라는 뜻이 '업다'가 알맞습니다. '업다'는 다시 어떤가가 알맞습니다. (2)는 기운이 몹시 지쳤다는 것이므로 '몸으로 느끼다'에 기운이 남다, '라는 뜻이 '없다'가 알맞습니다.

**낱말 활용**

## 7~10 ( ) 안에 들어갈 알맞은 낱말을 보기 에서 찾아 쓰세요.

보기
우대   판결   발자취   대중 매체

## 7 실력이 있는 사람이 ( 우대 )을/를 받아야 한다.

해설 | 실력이 있는 사람이 분이 받아야 하는 것을 말하고 있으므로 '우대'가 알맞습니다.

## 8 우리는 대부분 ( 대중 매체 )을/를 이용해서 정보를 얻는다.

해설 | 정보를 얻는 수단을 말하고 있으므로 '대중 매체'가 알맞습니다.

## 9 나와 동생은 어머니께 싸운 이유를 말씀드리고 ( 판결 )을/를 기다렸다.

해설 | 누구의 잘못인지 판단을 기다린다는 것이므로 '판결'이 알맞습니다.

## 10 이곳 사람들을 돕기 위해 노력한 장기려 선생님의 ( 발자취 )을/를 본받고 싶다.

해설 | 장기려 선생님이 지나온 과정을 말하는 것이므로 '발자취'가 알맞습니다.

어휘가
문해력이다

초등 4학년 2학기

4주차 정답과 해설

정답과 해설 ▶ 50쪽

# 국어 교과서 어휘

수록 교과서 국어 4-2 ㉯
7. 독서 감상문을 써요

다음 중 낱말의 뜻을 잘 알고 있는 것에 ✓하세요.

☐ 흥미진진하다  ☐ 목록  ☐ 동기  ☐ 감명  ☐ 관심  ☐ 간략하다

낱말을 읽고, 부분에 알맞은 그으면서 낱말 공부를 해 보세요.

## 흥미진진하다
興 일어날 흥 + 味 기운 미 + 津 넘칠 진 + 津 넘칠 진 + 하다
👉 '미(味)'의 대표 뜻은 '맛', '진(津)'의 대표 뜻은 '나루'야.

뜻 넘쳐흐를 정도로 흥미가 매우 많다.
예 주인공이 자신의 일을 해결해 나가는 과정이 흥미진진해서 책을 손에서 놓지 못했다.

관련 어휘 흥미
'흥미'는 마음을 쏠리게 하는 재미를 뜻해.
예 무용에 흥미가 생기다.

## 목록
目 눈 목 + 錄 기록할 록
👉 '목(目)'의 대표 뜻은 '눈'이야.

뜻 어떤 것들의 이름이나 제목 등을 일정한 차례대로 적은 것.
예 재미있게 읽은 책을 떠올려 보고, 책의 제목과 내용을 간단히 정리해서 목록을 만들어 보세요.

무엇을 심든 목록을 정리해야 오니까 편해!

Tip '목록'은 '리스트'와 뜻이 비슷해요.

## 동기
動 움직일 동 + 機 기틀 기
👉 '기(機)'의 대표 뜻은 '틀'이야.

이것만은 꼭!

뜻 어떤 일이나 행동을 하게 된 까닭.
예 책을 읽은 동기와 관련 있는 문장은 "책 표지의 도깨비 표정이 재미있어서 골랐습니다."이다.

글자는 같지만 뜻이 다른 낱말 동기
'동기'는 학교나 회사 등을 같은 때에 함께 들어간 사람을 뜻하는 낱말로도 쓰여.
예 엄마와 아빠는 대학 동기이다.

## 감명
感 느낄 감 + 銘 새길 명

뜻 잊을 수 없는 큰 감동.
예 어머니께서 품속에 넣어 온 새 양말과 새 신발을 이듬해게 갈아 신기신 부분에서 감명을 받았다.

비슷한말 감동
'감동'은 강하게 느껴 마음이 움직이는 것을 뜻해. 예 책 내용에 감동을 받았다.

## 관심
關 관계할 관 + 心 마음 심

뜻 어떤 것에 끌리는 마음.
예 표지에 있는 지구와 담 사진을 보고 관심이 생겨서 책을 읽었다.

속담 소 닭 보듯
아무런 관심도 두지 않고 생각 없이 대하는 것을 이르는 말이야.

## 간략하다
簡 간략할 간 + 略 간략할 략 + 하다
👉 '간(簡)'의 대표 뜻은 '대쪽'이야.
Tip '대쪽'은 대를 쪼갠 조각을 말해요.

뜻 간단하고 짤막하다.
예 독서 감상문을 쓸 때에는 책 내용을 너무 길게 쓰지 말고 간략하게 쓰는 것이 좋다.

# 꼭 알아야 할 속담

## 꼬리가 길면 밟힌다

반전 채우기

'꼬리가 길면 밟힌다'는 나쁜 일을 아무리 남모르게 한다고 해도 오래 두고 여러 번 계속하면 결국에는 들키고 만다는 것을 이르는 말입니다.

# 국어 교과서 어휘

수록 교과서 국어 4-2 ④
8. 생각하며 읽어요 ~
9. 감동을 나누며 읽어요

◆ 다음 중 낱말의 뜻을 잘 알고 있는 것에 ✔ 하세요.

□ 따르다  □ 적절하다  □ 평가  □ 관련성  □ 낭독  □ 들려주다

✏️ 낱말을 읽고, ░░ 부분에 알맞을 그으면서 낱말 공부를 해 보세요.

## 따르다

뜻 정해진 규칙이나 다른 사람의 의견 등을 그대로 지켜서 하다.

예 잘못된 의견을 따르면 문제를 해결하지 못할 수도 있기 때문에 의견이 알맞은지 판단해야 한다.

글자는 같지만 뜻이 다른 낱말 **따르다**

'따르다'는 "액체가 담긴 물건을 기울여 액체를 밖으로 조금씩 흐르게 하다.'라는 전혀 다른 뜻으로도 써.

예 컵에 우유를 따르다.

물을 따르다.

안전 규칙을 따르다.

## 적절하다

이것만은 꼭!

뜻 꼭 알맞다.

예 아버지와 어른들은 다른 사람이 말할 때마다 그것이 적절한지 그렇지 않은지 생각하고 그대로 따랐다.

비슷한말 **알맞다**

'알맞다'는 "넘치거나 모자라지 않고 꼭 맞다.'라는 뜻이야.

예 감자가 알맞게 익어서 맛있다.

Tip '적절하다'와 '적절하지 않다'의 뜻이 서로 비슷해요. '적절하다'는 '들어맞다', 알맞다'라는 뜻이에요, 이 뜻은 앞에 피어 연습을 하기에 적절하다.

• '적절하다'의 반대말은
'부적절하다'
• '부적절하다'는 "알맞지
않다.'라는 뜻이야.

## 평가

評 평할 평 + 價 값 가

뜻 사물의 값이나 중요성, 수준 등을 헤아려 정함.

예 글쓴이의 의견이 적절한지 평가를 하려면 의견을 뒷받침하는 내용이 확인 해야 한다.

'평가'와 '값'은 뜻이
비슷해서 서로 바꾸어 쓸 수
있는 경우가 있어도.

---

## 관련성

關 관계할 관 + 聯 잇닿을 련 + 性 성질 성

↳ '성(性)'의 대표 뜻은 '성질'이야.

뜻 서로 관계가 있는 상태.

예 의견이 드러나는 글을 쓸 때에는 의견과 뒷받침 내용이 관련성을 확인해야 한다.

## 낭독

朗 밝을 낭 + 讀 읽을 독

뜻 글을 소리 내어 읽음.

예 시의 장면을 떠올리며 시를 낭독해 보면 느낌이 잘 살아날 것 같아.

비슷한말 **낭송**

'낭송'은 시나 문장 등을 소리 내어 읽는 것을 말해.

예 시를 낭송하다.

## 들려주다

뜻 소리나 말을 듣게 해 주다.

예 동생에게 이야기를 실감 나게 들려줄 거야.

재미있는 동화를
들려줄게요.

---

## 꼭! 알아야 할 관용어

꿈 깨시지,
가수들 표정이 보여 모르겠어요

누나,
시끄러워

가수가 되려면
연습이 익숙해야 해

꿈 깨지,
가수들 표정이 보여 모르겠어

✓ 표
하기

(꿈) '꿈 깨다'는 희망을 낮추거나 버린다는 뜻입니다.

# 확인 문제

108~109쪽에서 공부한 낱말을 떠올리며 문제를 풀어 보세요.

**1** 뜻에 알맞은 낱말을 색칠하고, 어떤 숫자가 나오는지 쓰세요. (낱말은 가로(—), 세로(|) 방향에 숨어 있어요.)

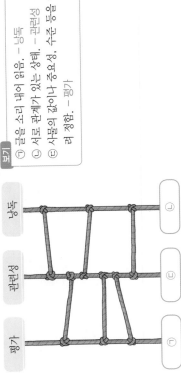

| 간 | 략 | 하 | 다 | ④동 |
|---|---|---|---|---|
| 략 | 관 | 소 | 심 | 기 |
| 목 | 심 | 담 | 중 | 미 |
| 록 | 소 | 명 | 흥 | ② |

❶ 간단하고 짤막하다.
❷ 잊을 수 없는 큰 감동.
❸ 마음을 쓸리게 하는 재미.
❹ 어떤 일이나 행동을 하게 된 까닭.
❺ 어떤 것들의 이름이나 제목 등을 일정한 차례대로 적은 것.

( 0 )

해설 | ❶ "간략하고 짤막하다."는 '간략하다'의 뜻입니다. ❷ 잊을 수 없는 큰 감동은 '감명'입니다. ❸ 마음을 쓸리게 하는 재미는 '흥미'입니다. ❹ 어떤 일이나 행동을 하게 된 까닭은 '동기'입니다. ❺ 어떤 것들의 이름이나 제목 등을 일정한 차례대로 적은 것은 목록입니다.

**2** 빈칸에 들어갈 알맞은 낱말은 무엇인가요? ( ③ )

"소 닭 보듯"
아무런 관심도 두지 않고 생각 없이 대하는 것을 이르는 말이야.

① 틈         ② 거리
③ 관심       ④ 목표
⑤ 시간

해설 | '소 닭 보듯'은 아무런 관심도 두지 않고 생각 없이 두지 않고 생각 없이 대하는 것을 이르는 '간과하다' 쓴다는 중심으로 '간과하다' 쓴다는 속담입니다.

**3** 빈칸에 들어갈 알맞은 낱말에 ○표 하세요.

(1) 초등학생이 꼭 읽어야 할 책의 ( 목록 . 목적 )을 만들었다.

(2) 독서 감상문에는 책을 읽은 ( 동기 . 일기 ), 책 내용, 책을 읽고 생 각하거나 느낀 점이 들어간다.

(3) 이야기가 ( 횡성수설 . 흥미진진 )해서 시간 가는 줄 모르고 읽었다.

(4) 독서 감상문을 쓰기 위해 책 내용을 정리할 때에는 ( 간단하게 . 간편하게 ) 인상 깊은 장면을 중심으로 쓴다.

---

110~111쪽에서 공부한 낱말을 떠올리며 문제를 풀어 보세요.

**4** 낱말의 뜻을 [보기]에서 찾아 사다리를 타고 내려간 곳에 기호를 쓰세요.

평가     관련성     낭독

[보기]
㉠ 글을 소리 내어 읽음. – 낭독
㉡ 서로 관계가 있는 상태. – 관련성
㉢ 사물의 값이나 중요성, 수준 등을 헤아려 정함. – 평가

해설 | (1) 평가는 사물의 값이나 중요성, 수준 등을 헤아려 정하는 것을 말합니다. (2) 관련성은 서로 관계가 있는 상태를 말합니다. (3) 낭독은 글을 소리 내어 읽는 것을 말합니다.

**5** 밑줄 친 낱말의 뜻으로 알맞은 것에 ○표 하세요.

아무 생각 없이 다른 사람의 말만 따르면 안 된다.

(1) 정해진 규칙이나 다른 사람의 이전 등을 그대로 지켜야 한다. ( )

(2) 예제가 담긴 물건을 가운데 예제를 밖으로 조금씩 흐르게 하다. ( )

해설 | 다른 사람의 말을 그대로 지켜서 한다는 것이므로 (1)의 뜻입니다.

**6** 밑줄 친 낱말과 뜻이 비슷한 낱말에 ○표 하세요.

내가 쓴 글을 친구들 앞에서 낭독했다.

( 구독 . 낭송 . 암기 )

해설 | '낭독'과 뜻이 비슷한 낱말은 '낭송'입니다. 낭송은 시나 문장 등을 소리 내어 읽는 것을 말합니다.

**7** ( )안에 들어갈 알맞은 낱말을 [보기]에서 찾아 쓰세요.

[보기]
평가     관련성     들려주고     작성하고

(1) 이전이 드러나는 글은 주제와의 ( 관련성 )음/를 확인해야 한다.

(2) 시의 내용을 한 편의 이야기로 만들어 친구에게 ( 들려주고 ) 싶다.

(3) 친구들이 ( 평가 ) 내용을 바탕으로 하여 자신의 글을 고쳐 쓴다.

(4) 뒷받침 내용이 믿을 만하므로 글쓰이의 의견이 ( 작성하고 ) 생각한다.

해설 | (1) 주제와 관계가 있는 것을 말하므로 '관련성'이 알맞습니다. (2) 친구에게 듣게 해 주는 것을 말하므로 '들려주고'가 알맞습니다. (3) 자신의 글의 수준 등을 헤아린 것이므로 '평가'로 평가가 알맞습니다. (4) 꼭 알맞은지 자신이 쓴 글을 만드는 것을 말하므로 '작성하고'가 알맞습니다.

# 4주차 2회 사회 교과서 어휘

수록 교과서 사회 4-2
3. 사회 변화와 문화의 다양성

다음 중 낱말의 뜻을 잘 알고 있는 것에 ✓ 하세요.

□ 정보화  □ 저작물  □ 세계화  □ 실시간  □ 유출  □ 의존

사람들은 인터넷을 이용해서 여러 가지 정보를 빠르게 얻어. 그리고 세계 여러 나라는 활발하게 교류하고 있지. 이런 변화는 우리 생활에 나쁜 영향을 주기도 해. 관련 낱말을 통해 더 자세히 공부해 보자.

✏️ 낱말을 읽고, ▨ 부분에 밑줄을 그으면서 낱말 공부를 해 보세요.

## 이것만은 꼭!

### 정보화
情 뜻 정 + 報 알릴 보 + 化 될 화

뜻 사회가 발전해 나가는 데 정보가 중요한 역할을 하는 것.

예 정보화 사회가 되면서 세계 곳곳에서 일어나는 일들을 빠르게 알 수 있고, 가게에 직접 가지 않아도 쉽게 물건을 살 수 있다.

Tip 정보는 어떤 일에 대한 지식이나 자료를 말해요.

▶ 정보화 사회의 모습

### 저작물
著 나타낼 저 + 作 지을 작 + 物 물건 물

뜻 자신만의 생각, 감정, 아이디어 등을 담아 만들어 낸 작품.

예 인터넷에서 다른 사람의 저작물을 함부로 내려받으면 안 된다.

'저작권'은 어떤 저작물에 대해 그 저작물을 만든 사람이나 그 권리를 이어받은 사람이 가지는 권리를 말해.

---

### 세계화
世 인간 세 + 界 경계 계 + 化 될 화

뜻 교통·통신 수단이 발달하면서 세계 여러 나라들이 다양한 분야에서 가까워지는 것.

예 우리 가족이 스마트폰을 즐겨 사 먹는 것도 세계화의 영향으로 바쁜 생활 모습이라고 할 수 있다.

▶ 다른 나라의 음식을 즐기는 모습

### 실시간
實 참으로 실 + 時 때 시 + 間 사이 간
↪ '설(雪)'의 대표 뜻은 '얼매'야.

뜻 실제 시간과 같은 시간.

예 길도우미를 통해 실시간으로 교통 정보를 얻어 빠른 길로 갈 수 있다.

▶ 실시간으로 교통 정보를 주는 길도우미

### 유출
流 흐를 유 + 出 나갈 출
↪ '출(出)'의 대표 뜻은 '나오다.

뜻 귀한 물건이나 정보 등이 불법적으로 외부로 나가 버림.

예 개인 정보가 유출되어 모르는 사람들에게 자꾸 연락이 온다.

'밖'이나 '밖에 어긋나는 것'을 뜻해.

### 의존
依 의지할 의 + 存 있을 존

뜻 어떤 일을 자신의 힘으로 하지 못하고 다른 것의 도움을 받아 의지함.

예 스마트폰에 지나치게 의존하는 초등학생이 늘고 있다.

비슷한말 의지

'의지'는 다른 것에 마음을 기대어 도움을 받는 것을 뜻해.
예 내가 가장 의지하는 사람은 형이야.

# 4주차 2회

## 사회 교과서 어휘

수록 교과서 사회 4-2
3. 사회 변화와 문화의 다양성

다음 중 낱말의 뜻을 잘 알고 있는 것에 ✓ 하세요.
□ 편견  □ 출신  □ 부당하다  □ 지원자  □ 장벽  □ 발휘

> 그림에 나오는 사람들은 한쪽으로 치우친 생각을 가지고 있나 봐. 사람을 똑같이 대하지 않고 다르게 대하고 있네. 왜 이런 일이 일어나는지 관련 낱말을 공부하며 알아보자.

낱말을 읽고, ▨ 부분에 밑줄을 그으면서 낱말 공부를 해 보세요.

**이것만은 꼭!**

### 편견
偏 치우칠 편 + 見 볼 견
뜻 공정하지 못하고 한쪽으로 치우친 생각.
예 다문화 가정 어린이가 우리말을 잘 못할 것이라는 편견은 옳지 않다.
속담 **암탉이 울면 집안이 망한다**
수탉 대신 암탉이 울면 집안이 망한다는 뜻으로, 아내가 남편을 제쳐 놓고 나서면 집안일이 잘 안된다는 말이야. 여자에 대한 편견이 담긴 속담이지.

### 출신
出 날 출 + 身 몸 신
뜻 어떤 지역에서 태어났는지, 어떤 학교나 회사 등에 속했는지를 이르는 말.
예 피부색이 검은색 모두 아프리카 출신이라고 생각하는 것도 편견이다.

> 나는 아프리카 출신이 아니라 미국 출신이야.

### 부당하다
不 아닐 부 + 當 마땅할 당 + 하다
뜻 사람으로서 반드시 지켜야 할 도리에 맞지 않다.
예 옛날에는 여자라는 이유만으로 부당한 대우를 받는 경우가 많았다.
반대말 **정당하다**
'정당하다'는 "사람으로서 반드시 지켜야 할 도리에 맞아 올바르다."라는 뜻이야.
예 사람은 누구나 정당한 대우를 받아야 한다.

### 지원자
志 뜻 지 + 願 바랄 원 + 者 사람 자
뜻 회사나 학교 같은 집단에 들어가거나 일을 맡기를 원하는 사람.
예 장애인도 다른 지원자와 동일하게 대우해서 실력이 좋으면 회사에 들어갈 수 있게 해야 한다.
글자는 같지만 뜻이 다른 낱말 **지원자**
'지원자'는 지지하여 돕는 사람을 뜻하는 낱말로도 쓰여, 이때 쓰인 '지원'은 물질이나 행동으로 돕는 것을 뜻해.
예 이번 봉사 이웃 돕기 행사는 넓은 지원자의 도움으로 잘 끝마쳤다.

### 장벽
障 막을 장 + 壁 벽 벽
뜻 방해가 되거나 이겨 내기 어려운 것.
예 청각 장애를 가진 사람은 영화를 볼 때 장애이 되는 소리를 자막으로 바꿔 주면 불편 없이 영화를 볼 수 있다.
Tip '장벽'는 기대나 벽을 뜻하기도 해.
예 외부의 침입을 막기 위해 장벽을 세웠다.

▲ 청각 장애인을 위해 자막을 넣은 영화(배리어프리 영화)

### 발휘
發 필 발 + 揮 휘두를 휘
뜻 재능이나 실력 등을 잘 나타냄.
예 다문화 가정 어린이가 차별을 받지 않고 자신의 능력을 마음껏 발휘할 기회를 주어야 한다.

# 확인 문제

◇ 114~115쪽에서 공부한 낱말을 떠올리며 문제를 풀어 보세요.

**1** 뜻에 알맞은 낱말을 글자판에서 찾아 묶으세요. (낱말은 가로(─), 세로(│), 대각선(╲) 방향에 숨어 있어요.)

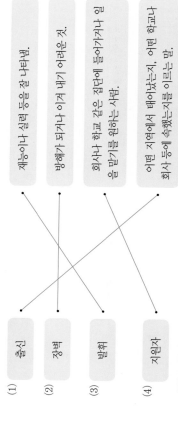

❶ 실제 시간과 같은 시간.
❷ 귀한 물건이나 정보 등이 불법적으로 외부로 나가 버림.
❸ 사회가 발전해 나가는 데 정보가 중요한 역할을 하는 것.
❹ 자신만의 생각, 감정, 아이디어 등을 담아 만들어 낸 작품.
❺ 교통·통신 수단이 발달하면서 세계 여러 나라들이 다양한 분야에서 가까워지는 것.

해설 | ❶ 실제 시간과 같은 시간은 '실시간'입니다. ❷ 귀한 물건이나 정보 등이 불법적으로 외부로 나가 버리는 것은 '유출'입니다. ❸ 사회가 발전해 나가는 데 정보가 중요한 역할을 하는 것은 '정보화'라고 합니다. ❹ 자신만의 생각, 감정, 아이디어 등을 담아 만들어 낸 작품을 저작물이라고 합니다. ❺ 교통·통신 수단이 발달하면서 세계 여러 나라들이 다양한 분야에서 가까워지는 것은 '세계화'라고 합니다.

**2** 빈칸에 들어갈 알맞은 낱말을 ○표 하세요.

(1) 우리는 □□ 통해 다른 나라의 다양한 음식을 먹을 수 있어.
( 세계화, 정보화 )

(2) □□ 사회가 되면서 우리는 필요한 정보와 지식을 언제 어디에서나 쉽고 빠르게 얻을 수 있어.
( 세계화, 정보화 )

해설 | 다른 나라의 다양한 음식을 먹을 수 있게 되는 것은 '세계화'와 관련 있고, 필요한 지식을 언제 어디에서나 쉽고 빠르게 얻을 수 있게 되는 것은 '정보화'와 관련 있습니다.

**3** ( )안에 들어갈 알맞은 낱말을 보기 에서 찾아 쓰세요.

보기
| 유출 | 의존 | 실시간 | 저작물 |

(1) 다른 나라에서 하는 독구 경기를 ( 실시간 )(으로 보았다.
(2) 다른 사람의 ( 저작물 )을 사용하려면 허락을 받아야 한다.
(3) 우리나라의 문화가 다른 나라로 ( 유출 )되지 않도록 해야 한다.
(4) 정보화 사회가 되면서 인터넷에 지나치게 ( 의존 )하는 사람들이 늘어나고 있다.

해설 | (1) 실제 시간과 같은 시간에 보았다는 내용을 먹을 수 있게 된 것은 '세계화'와 관련 있고 필요한 '실시간'이 알맞습니다. (2) 허락을 받고 사용해야 한다고 했으므로 저작물이 알맞습니다. (3) 다른 나라로 나가는 내용이므로 '유출'이 알맞습니다. (4) 정보화 사회에서 심해지는 것은 인터넷에 의존하는 현상이므로 '의존'이 알맞습니다.

---

◇ 116~117쪽에서 공부한 낱말을 떠올리며 문제를 풀어 보세요.

**4** 낱말과 그 뜻을 알맞게 선으로 이으세요.

(1) 출신 ·          · 재능이나 실력 등을 잘 나타냄.

(2) 장벽 ·          · 방해가 되거나 이겨 내기 어려운 것.

(3) 발휘 ·          · 회사나 학교 같은 집단에 들어가거나 일을 맡기를 원하는 사람.

(4) 지원자 ·          · 어떤 지역에서 태어났거나, 어떤 학교나 회사 등에 속했었는지를 이르는 말.

해설 | (1) '출신'은 어떤 지역에서 태어났는지, 어떤 학교나 회사 등에 속했었는지를 이르는 말입니다. (2) '장벽'은 방해가 되거나 이겨 내기 어려운 것을 뜻하지 않습니다. (3) '발휘'는 재능이나 실력 등을 잘 나타내는 것입니다. (4) '지원자'는 회사나 학교 같은 집단에 들어가거나 일을 맡기를 원하는 사람입니다.

**5** '편견'과 관련 있는 말을 한 친구에게 ○표 하세요.

(1) 그 지역에 사는 사람들은 모두 빠르게 일을 것 같아.

(2) 약속 시간을 지키지 않는 친구에게 화가 나.

해설 | '편견'은 공정하지 못하고 한쪽으로 치우친 자우친 생각을 말합니다. 따라서 (1)의 친구가 한 말에 편견이 담겨 있습니다.

**6** 밑줄 친 낱말이 알맞게 쓰였는지 ○, ×를 따라가며 선을 긋고 몇 번으로 나오는지 쓰세요.

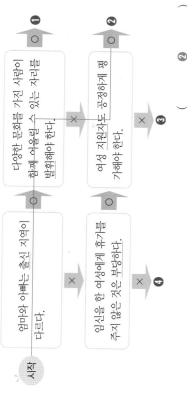

시작

○ 엄마와 아빠는 출신 지역이 다르다. → × 다양한 문화를 가진 사람이 함께 어울릴 수 있는 자리를 발휘해야 한다.

○ 임신을 한 여성에게 휴가를 주지 않는 것은 부당하다. → × 여성 지원자도 공정하게 평가해야 한다.

→ ❶
→ ❷
→ ❸
→ ❹

( ❷ )

해설 | '발휘'는 재능이나 실력 등을 잘 나타내는 것을 뜻하므로 "자리를 발휘하다."는 어색합니다.

# 수학 교과서 어휘

**수록 교과서** [수학 4-2] 5. 꺾은선그래프

다음 중 낱말의 뜻을 잘 알고 있는 것에 ✓ 하세요.

□ 꺾은선그래프  □ 날수  □ 전년  □ 계속되다  □ 최고  □ 적설량

미소의 키를 두 그래프로 나타냈어. 왼쪽은 막대그래프인데, 오른쪽은 무슨 그래프지? 그리고 그래프를 어떻게 봐야 할까? 관련 낱말을 배우면 알 수 있을 거 같아. 함께 공부해 보자.

| 키 \ 나이 | 3세 | 5세 | 7세 | 9세 | 11세 |
|---|---|---|---|---|---|

낱말을 읽고, [  ]부분에 알맞은 글자를 그으면서 낱말 공부를 해 보세요.

## 꺾은선그래프
꺾은 + 線 선 선 + 그래프

**뜻** 수와 양을 점으로 표시하고, 그 점들을 선분으로 이어 그린 그래프.
**예** 미소의 키 변화를 꺾은선그래프로 나타내려면 나이별로 키가 얼마인지 점을 찍고, 점끼리 선분으로 이어져 있다.
**Tip** 꺾은선그래프에서 필요 없는 부분을 줄여서 나타낼 때 사용하는 선을 물결선이라고 해요.

## 날수
날 + 數 셈 수

**뜻** 날의 수.
**예** 눈이 온 날수를 연도별로 조사하여 꺾은선그래프로 나타냈다.
**비슷한말** 일수
'일수'는 날의 수를 뜻해.
**예** 우리 지역은 비가 오는 일수가 적어서 과일 농사가 잘된다.

(그래프) 선수 수(명) 70 65 60 55 50 / 연도 2014 2015 2016 2017

---

## 전년
前 앞 전 + 年 해 년

**뜻** 이번 해의 바로 전의 해.
**예** 눈이 온 날수는 2013년과 비교하여 2014년에는 5일이 늘어났고, 2015년과 비교하여 2016년에는 4일이 늘어났으므로 전년과 비교하여 눈이 온 날수가 가장 많이 늘어난 해는 2014년이다.
**비슷한말** 작년
'작년'은 지금 지나가고 있는 해의 바로 전 해를 뜻해.
**예** 작년에 이어 올해에도 날씨가 따뜻하다.

## 계속되다
繼 이을 계 + 續 이을 속 + 되다

**뜻** 끊어지지 않고 이어져 나가다.
**예** 2015년에는 황사가 발생하여 22일 동안 계속되었다.
**비슷한말** 연속되다
'연속되다'는 "끊이지 않고 계속 이어지다."라는 뜻이야.
**예** 연속되는 추위로 감기에 걸렸다.

## 최고
最 가장 최 + 高 높을 고

**뜻** 가장 높음.
**예** 2월 최고 기온을 나타낸 꺾은선그래프를 살펴보면 7일이 가장 따뜻했다는 것을 알 수 있다.
**반대말** 최저
'최저'는 가장 낮음을 뜻함.
**예** 최저 점수를 받았다.
**Tip** 최고는 가장 오래했음을 뜻하는 낱말로 쓰여요.
예 이 책은 최고의 책이라서 매우 감동이 남았다.

최고 점수 / 최저 점수

## 적설량
積 쌓을 적 + 雪 눈 설 + 量 헤아릴 량

**뜻** 땅 위에 쌓여 있는 눈의 양.
**예** 연도별 적설량을 나타낸 꺾은선그래프를 보니, 전년과 비교하여 눈이 가장 많이 온 해는 2015년이다.
**관련 어휘** 강우량
'강우량'은 일정한 동안 일정한 곳에 내린 비의 양을 뜻해.

## 육각형

六 여섯 육 + 角 모 각 + 形 모양 형

- 뜻 변의 수가 6개인 다각형.
- 예 육각형은 점 종이에서 점을 6개 선택하여 이으면 쉽게 그릴 수 있다.

**관련 어휘** 칠각형, 팔각형
'칠각형'은 변이 7개인 다각형, '팔각형'은 변이 8개인 다각형이야.

Tip '육각형', '칠각형', '팔각형'은 모두 다각형에 포함되는 말이에요.

## 정다각형

正 바를 정 + 多 많을 다 + 角 모 각 + 形 모양 형

- 뜻 변의 길이가 모두 같고, 각의 크기가 모두 같은 다각형.
- 예 어린이 과학관을 위에서 내려다보면 변의 길이와 각의 크기가 모두 같은 정다각형 모양이다.

## 대각선

對 대할 대 + 角 모 각 + 線 선 선

- 뜻 다각형에서 서로 이웃하지 않는 두 꼭짓점을 이은 선분.
- 예 삼각형은 이웃하지 않는 꼭짓점이 없기 때문에 대각선을 그을 수 없다.

Tip 꼭짓점은 길을 이루는 두 변이 만나는 점을 말해요.

## 가장자리

- 뜻 어떤 것의 둘레나 끝이 되는 부분.
- 예 도형의 가장자리에 있는 선분이 변이야.

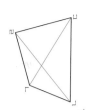

'가장자리'와 뜻이 비슷한 낱말로 '가'나 '가장'이라는 말도 있어.

가장자리에 있는 선분(변)

---

## 4주차 3회

### 수학 교과서 어휘

**수학 교과서 수학 4-2**
6. 다각형

다음 중 낱말의 뜻을 잘 알고 있는 것에 ✓ 하세요.

□ 곡선 □ 다각형 □ 육각형 □ 정다각형 □ 대각선 □ 가장자리

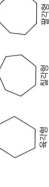

도형이 종류가 참 많지? 이중에서 ㉮, ㉯, ㉰를 빼고는 모두 선분으로만 둘러싸인 도형이야. 이런 도형을 무엇이라고 부를까? 또 각각의 도형을 부르는 이름도 따로이 있어. 지금부터 알아볼까?

낱말을 읽고, 부분에 밑줄을 그으면서 낱말 공부를 해 보세요.

## 곡선

曲 굽을 곡 + 線 선 선

- 뜻 굽거나 휘어진 선.
- 예 선분으로만 둘러싸인 도형과 곡선이 포함된 도형으로 나누어 보자.

▲ 곡선이 포함된 도형
▲ 선분으로만 둘러싸인 도형

## 다각형

多 많을 다 + 角 모 각 + 形 모양 형

- 뜻 선분으로만 둘러싸인 도형.
- 예 과학관 건물의 옆부분은 곡선에서 볼 수 있는 도형은 곡선이 포함되어 있으므로 다각형이 아니다.

**이것만은 꼭!**
크기가 작아지는 삼각형과 사각형도 다각형이야.

Tip '모든 선과 선이 꼭 만나 면이 만들어져야' 해요.

# 확인 문제

120~121쪽에서 공부한 낱말을 떠올리며 문제를 풀어 보세요.

**1 낱말의 뜻이 무엇인지 빈칸에 들어갈 알맞은 말을 완성하세요.**

(1) 날수 → [날]의 수.

(2) 전년 → 이번 해의 바로 [전] 의 해.

(3) 적설량 → 땅 위에 쌓여 있는 [눈]의 양.

해설 | (1) 날수는 날의 수를 말합니다. (2) 전년은 이번 해의 바로 전의 해를 말합니다. (3) 적설량은 땅 위에 쌓여 있는 눈의 양을 말합니다.

**2 친구가 말하는 것은 무엇인지 빈칸에 알맞은 말을 쓰세요.**

수의 양을 점으로 표시하고, 그 점들을 선분으로 이어 그린 그래프야.

[꺾은][선][그][래][프]

해설 | 수의 양을 점으로 표시하고 그 점들을 선분으로 이어 그린 그래프는 '꺾은선그래프'입니다.

**3 서로 반대되는 낱말을 보고, 빈칸에 알맞은 말을 쓰세요.**

| 최고 | ↔ | [최][저] |
| --- | --- | --- |
| 가장 높음. | | 가장 낮음. |

해설 | '최고'와 '최저'는 반대말입니다. 최고는 가장 높은 것을 뜻하고, 최저는 가장 낮은 것을 뜻합니다.

**4 ( )안에서 알맞은 낱말을 골라 ○표 하세요.**

(1) 황사가 발생한 ( 개수, (날수) )가 늘었다.

(2) 올해에는 ( 매년, (전년) )보다 기록이 많이 올랐다.

(3) 전국에서 황사가 발생하여 ( (계속도), 계획되 ) 남추는 늘었다가 다시 줄어들고 있다.

(4) 우리나라는 겨울에 눈이 얼마나 내리는지 궁금해서 5년 동안의 ( 운동량, (적설량) )을 조사했다.

해설 | (1) 황사가 며칠 동안 발생했는지 말하는 것이므로 '날수'가 알맞습니다. (2) 지나간 해를 말하는 것이므로 '전년'이 알맞습니다. (3) 끊이지 않고 이어지는 것이므로 '계속도'가 알맞습니다. (4) 눈이 얼마나 내리는지 궁금했다고 했으므로 '적설량'이 알맞습니다.

---

122~123쪽에서 공부한 낱말을 떠올리며 문제를 풀어 보세요.

**5 뜻에 알맞은 낱말이 되도록 보기 에서 글자를 찾아 쓰세요.**

> **보기**
> 대 국 가 각 자 장 선

(1) 굽지 않고 곧은 선. → [국][선]

(2) 어떤 것의 둘레나 끝이 되는 부분. → [가][장][자][리]

(3) 다각형에서 서로 이웃하지 않는 두 꼭짓점을 이은 선분. → [대][각][선]

해설 | (1) 굽지 않고 곧은 선은 '직선'입니다. (2) 어떤 것의 둘레나 끝이 되는 부분은 '가장자리'입니다. (3) 다각형에서 서로 이웃하지 않는 두 꼭짓점을 이은 선분은 '대각선'입니다.

**6 빈칸에 알맞은 낱말이나 숫자를 쓰세요.**

(1) 육각형, 칠각형, 팔각형 등과 같이 선분으로만 둘러싸인 도형을 ㉠ 이라고 한다. 육각형은 변의 수가 ㉡ 개, 칠각형은 ㉢ 개, 팔각형은 ㉣ 개이다.

㉠ : 다각형
㉡ : 6
㉢ : 7
㉣ : 8

(2) 정삼각형, 정사각형, 정오각형 등과 같이 변의 길이가 모두 같고 각의 크기가 모두 같은 다각형을 [ 정다각형 ] 이라고 한다.

해설 | 선분으로만 둘러싸인 도형은 다각형입니다. 육각형은 변의 수가 6개, 칠각형은 7개, 팔각형은 8개입니다. (2) 변의 길이가 모두 같고 각의 크기가 모두 같은 다각형은 정다각형입니다.

**7 ( )안에서 알맞은 낱말을 골라 ○표 하세요.**

(1) 원은 ( (곡선), 직선 )으로만 이루어진 도형이다.

(2) 사각형에 그을 수 있는 ( (대각선), 등고선 )은 모두 2개이다.

(3) 빨대를 7개로 자르면, ( 육각형, (칠각형), 팔각형 )을 만들 수 있다.

(4) 도형의 ( (가장자리), 보조자리 )를 빨간색 크레파스로 굵게 그렸다.

해설 | (1) 원은 곧은 선으로 되어 있으므로 '곡선'이 알맞습니다. (2) 이웃하지 않는 두 꼭짓점에 선분을 잇는 것이므로 '대각선'이 알맞습니다. (3) 변이 7개이므로 '칠각형'이 알맞습니다. (4) 도형의 둘레를 말하므로 '가장자리'가 알맞습니다.

정답과 해설 ▶ 59쪽

# 과학 교과서 어휘

수록 교과서 과학 4-2
5. 물의 여행

다음 중 낱말의 뜻을 잘 알고 있는 것에 ✓하세요.

□ 물의 순환  □ 머무르다  □ 나무줄기  □ 스며들다  □ 흡수  □ 지하수

물이 한곳에 있지 않고 상태를 바꾸어 가며 자유롭게 돌아다니고 있어. 어디에 있는지에 따라 물의 상태도 다르지. 물이 세상 곳곳을 어떻게 여행하는지 나랑 공부를 통해 알아보자.

🖊 낱말을 읽고, 　 부분에 낱말을 그으면서 낱말 공부를 해 보세요.

## 물의 순환
물 水 + 돌 循 + 고리 環

뜻 물이 상태를 바꾸면서 육지, 바다, 공기 중, 생명체 등 여러 곳을 끊임없이 돌고 도는 과정.

예 물은 상태를 바꾸면서 여러 곳을 돌고 돌기 때문에 물의 순환은 계속되지만, 지구 전체의 물이 양은 변하지 않는다.

**이것만은 꼭!**
관련 어휘 순환
'순환'은 되풀이하여 도는 것을 뜻해.

## 머무르다

뜻 중간에 멈추거나 잠깐 어떤 곳에 묵다.

예 물은 한곳에 머무르지 않고 상태를 바꾸며 자유롭게 돌아다닌다.

Tip 표준어는 한 나라에서 대표로 정한 말이고, 방언은 어느 한 지방에서만 쓰는 표준어가 아닌 말이에요. 일부 지방에서는 '머무르다'를 '머물르다'로 쓰기도 하는데, '머무르다'가 표준어예요.

## 나무줄기

뜻 아래에는 뿌리가 있고 위로는 가지와 연결된 나무의 한 부분.

예 땅속에 있다가 식물이 뿌리로 빨려 들어간 물은 나무줄기 속을 거쳐 잎을 통해 다시 밖으로 나간다.

## 스며들다

뜻 빛이나 기체, 액체 등이 틈 사이로 들어오거나 배어들어 퍼지다.

예 땅으로 떨어진 물은 땅속으로 스며들기도 하고, 호수나 강을 이루어 바다로 흘러가기도 한다.

비슷한말 스미다
'스미다'는 "서서히 배어들거나 흘러들다."라는 뜻이야.
예 물이 스펀지에 스미다.

## 흡수
마실 吸 + 물 水

뜻 물을 빨아들임.

예 땅에 내린 빗물은 호수와 강, 바다, 땅속에 머물다가 공기 중으로 증발하거나 식물의 뿌리로 흡수되었다가 얼마서 수증기가 된다.

'흡수'는 식물이 물을 빨아들일 때도 쓰고, 무언가를 안으로 빨아들일 때도 써. '충격 흡수', '땅 흡수' 등과 같이 쓰이지.

## 지하수
땅 地 + 아래 下 + 물 水

뜻 땅속에 고여 있는 물.

예 땅속에는 지하수가 흐른다.

## 생활용수
生 날 생 + 活 살 활 + 用 쓸 용 + 水 물 수

뜻 일상생활에 쓰이는 물.
예 이스라엘은 비가 적게 내리고 국토의 절반이 사막이어서 일상생활에 쓸 수 있는 생활용수가 부족하다.

▲ 생활용수의 예

## 공업용수
工 장인 공 + 業 업 업 + 用 쓸 용 + 水 물 수

뜻 공장에서 물건을 만들 때 쓰는 물.
예 최근에는 환경 오염과 기후 변화로 생활용수뿐만 아니라 공장에서 이용하는 공업용수도 부족해지고 있다.

관련 어휘 공업
'공업'은 사람의 손이나 기계로 재료를 다루어서 새로운 물건을 만들어 내는 산업을 말해.

## 해수
海 바다 해 + 水 물 수

뜻 맛이 짜고 비릿한, 바다에 있는 물.
예 해수는 소금기가 있어서 생활에 이용하기 어렵다.

비슷한말 바닷물
'바닷물'은 맛이 짜고 비릿한, 바다에 있는 물을 말해.
예 바닷물이 빠지고 개별이 드러났다.

## 담수화
淡 맑을 담 + 水 물 수 + 化 될 화

이것만은 꼭!
뜻 강이나 호수의 물처럼 소금기가 없는 물로 만듦.
예 바닷물은 소금기가 있어서 그대로 사용하기 어렵기 때문에 물이 부족한 나라는 담수화 기술을 연구하고 있다.

관련 어휘 담수
'담수'는 강이나 호수의 물처럼 소금기가 없는 물을 말해.

---

# 4주차 4회

## 과학 교과서 어휘

다음 중 낱말의 뜻을 잘 읽고 있는 것에 √ 하세요.
□ 현황  □ 충분하다  □ 생활용수  □ 공업용수  □ 해수  □ 담수화

수록 교과서 과학 4-2
5. 물의 여행

물 부족 국가라는 말 들어 봤어? 바다에 이렇게 물이 많은데, 왜 물이 부족하다고 하까? 바닷물을 우리가 이용할 수 있는 물로 바꿀 수 있다면 참 좋을 텐데. 관련 낱말을 통해 더 자세히 알아보자.

낱말을 읽고, █ 부분에 알맞을 말을 그으면서 낱말 공부를 해 보세요.

## 현황
現 지금 현 + 況 생활 황
↳ '현행(現行)'의 대표 뜻으로 나타나다.

뜻 현재의 상황.
예 나라별 물 부족 현황을 파악해 보자.

'상황'과 '현황'은 뜻이 비슷해 보이지만 조금 달라. 상황 가운데 현재의 상황을 가리키는 말이 '현황'이야.

## 충분하다
充 가득할 충 + 分 나눌 분 + 하다

뜻 모자라지 않고 넉넉하다.
예 우리는 언제든지 물을 충분하게 이용할 수 있을까?

반대말 부족하다
'부족하다'는 "모자라거나 넉넉하지 않다."라는 뜻이야.
예 시간이 부족해서 숙제를 다 하지 못했다.

아이 춥분해.

Tip '충분하다'의 반대말로 '불충분하다'도 있어요. '불충분하다'는 "만족할 만큼 넉넉하지 않고 모자라다."라는 뜻이에요.

# 확인 문제

126~127쪽에서 공부한 낱말을 떠올리며 문제를 풀어 보세요.

**1** 뜻에 알맞은 낱말을 보기 에서 찾아 쓰세요.

보기: 흡수   지하수   스며들다   머무르다

(1) 물을 빨아들임. ( 흡수 )
(2) 땅속에 고여 있는 물. ( 지하수 )
(3) 중간에 멈추거나 잠깐 어떤 곳에 묵다. ( 머무르다 )
(4) 빛이나 기체, 액체 등이 틈 사이로 들어오거나 배어들어 퍼지다. ( 스며들다 )

해설 | (1) 물을 빨아들이는 것은 '흡수'입니다. (2) 땅속에 고여 있는 물은 '지하수'입니다. (3) "중간에 멈추거나 잠깐 어떤 곳에 묵다."는 물로 '지하수'입니다. (3) "중간에 멈추거나 잠깐 어떤 곳에 묵다."는 '머무르다'의 뜻입니다. (4) "빛이나 기체, 액체 등이 틈 사이로 들어오거나 배어들어 퍼지다."는 '스며들다'의 뜻입니다.

**2** 친구가 말한 뜻을 가진 낱말이 무엇인지 빈칸에 알맞은 글을 쓰세요.

(1) 물이 상태를 바꾸면서 육지, 바다, 공기 중, 생명체 등 여러 곳을 끊임없이 돌고 도는 과정이야.
→ 물 의 순 환

(2) 아래에는 뿌리가 있고 위로는 가지와 연결된 나무의 한 부분이야.
→ 나 무 줄 기

해설 | (1) 물이 상태를 바꾸면서 육지, 바다, 공기 중, 생명체 등 여러 곳을 끊임없이 돌고 도는 과정을 '물의 순환'이라고 합니다. (2) 아래에는 뿌리가 있고 위로는 가지와 연결된 나무의 한 부분은 '나무줄기'입니다.

**3** 빈칸에 들어갈 알맞은 낱말을 글자 카드로 만들어 쓰세요.

(1) 비가 내려 땅속으로 스며들면 지 하 수 가 된다.
(2) 나무가 내 방 창문을 가려서 가지를 모두 쳐 내고 나 무 줄 기 만 남겼다.
(3) 많은 햇빛을 받으면 열을 흡 수 하여 식혀 준다.

해설 | (1) 땅속에 흐르는 물이므로 '지하수'가 알맞습니다. (2) 가지를 치고 남은 것이므로 '나무줄기'가 알맞습니다. (3) 열을 빨아들이는 것이므로 '흡수'가 알맞습니다. 이때 쓰인 흡수는 식물이 흡수 빨아들이는 것을 뜻하지 않습니다.

---

128~129쪽에서 공부한 낱말을 떠올리며 문제를 풀어 보세요.

**4** 낱말의 뜻은 무엇인지 빈칸에 들어갈 알맞은 글을 완성하세요.

(1) 현황 - 현재의 상 황 .
(2) 해수 - 맛이 짜고 비릿한, 바 다 에 있는 물.
(3) 담수화 - 강이나 호수의 물처럼 소 금 기 가 없는 물로 만듦.

해설 | (1) '현황'은 현재의 상황을 말합니다. (2) '해수'는 맛이 짜고 비릿한, 바다에 있는 물입니다. (3) '담수화'는 강이나 호수의 물처럼 소금기가 없는 물로 만드는 것을 말합니다.

**5** 다음 뜻을 가진 낱말은 무엇인지 빈칸에 알맞은 말을 쓰세요.

(1) 일상생활에 쓰이는 물. → 생 활 용 수
(2) 공장에서 물건을 만들 때 쓰는 물. → 공 업 용 수

해설 | 일상생활에 쓰이는 물은 '생활용수'이고, 공장에서 물건을 만들 때 쓰는 물은 '공업용수'입니다. 해설 | (1) 빗물을 모아서 쓰이는 물로 '생활용수'가 알맞습니다. (2) 화분이 식물이 '생활용수'가 알맞습니다. (3) 우리나라의 물 부족 상황을 말하므로 '현황'이 알맞습니다. (4) 소금기를 없애야 한다고 했으므로 '해수'가 알맞습니다. (5) 바닷물이 소금기를 없애야 한다는 것이므로 '담수화'가 알맞습니다.

**6** ( )안에 들어갈 알맞은 낱말을 보기 에서 찾아 쓰세요.

보기: 해수   현황   증발   담수화   생활용수

(1) 빗물을 모아 ( 생활용수 )(으)로 사용할 수도 있다.
(2) 물이 ( 증발 )하게 않아서 화분의 식물이 모두 시들었다.
(3) 우리나라의 물 부족 ( 현황 )을 살펴본 결과, 우리나라는 물이 부족한 것으로 나타났다.
(4) 물을 아껴 쓰지 않아 먹을 물까지 부족해지면 ( 해수 )에 있는 소금기를 없애는 기술이 필요하다.
(5) 바닷물이 눈에 들어가면 피해가 크므로 강물이 바다로 흘러 들어가는 어귀에서 바닷물을 지으려면 ( 담수화 )이/가 꼭 필요하다.

## 落 (락)이 들어간 낱말

✏ '落(락)이 들어간 낱말을 읽고, ▨ 부분에 알맞은 낱말을 그으면서 낱말 공부를 해 보세요.

落
떨어질 락

'락(落)'은 풀, 물, 입구에 도착한 발의 모습을 합쳐 표현한 글자야. 입구에 도착한 발은 '가다'라는 뜻을 나타내. 그래서 '락(落)'은 내앞이나 비가 떨어지는 것을 표현해 '떨어지다'라는 뜻이야. '떨어지다'라는 뜻을 나타내 '이루다'라는 뜻으로 쓰이기도 해.

오비이락 落
추락 落
군락 落
부락 落

**이루다 落**

군락 群무리 군 + 落이룰 락
뜻 같은 지역에 모여 있는 여러 마을.
예 산 위에 올라가서 내려다보니 마을들이 듬성듬성 군락을 이루고 있다.

부락 部떼 부 + 落이룰 락
뜻 주로 시골에서, 여러 집이 모여 사는 곳.
예 우리 마을은 류 씨 성을 가진 사람들이 부락을 이루고 있다.
비슷한말 마을
'마을'은 여러 집이 모여 있는 곳을 말해. 나는 조용한 시골 마을에서 자랐다.

**떨어지다 落**

오비이락 烏까마귀 오 + 飛날 비 + 梨배 리 + 落떨어질 락
뜻 까마귀 날자 배 떨어진다는 뜻으로, 아무 관계도 없이 한 일이 우연히 맞가 같아 의심하게 의심을 받을 이르는 말.
예 오비이락이라더니, 내가 들어오자마자 옆자가 떨어져 버렸다.

추락 墜떨어질 추 + 落떨어질 락
뜻 높은 곳에서 떨어짐.
예 비행기 추락 사고가 발생해서 많은 사람이 목숨을 잃었다.

---

## 故 (고)가 들어간 낱말

✏ 故(고)가 들어간 낱말을 읽고, ▨ 부분에 알맞은 낱말을 그으면서 낱말 공부를 해 보세요.

故
연고 고

'고(故)'는 방패와 입, 막대기로 치는 모습을 합쳐서 표현한 글자야. 오래전에 있었던 전쟁 이야기를 한다는 뜻에 '치다'라는 뜻이 더해져 전쟁이 별어지게 된 이유를 뜻하게 되었어. 그래서 '고(故)'가 '연고'라는 뜻을 갖게 되었어. '옛'이라는 뜻으로도 써.

고향 故
고국 故
죽마故우
고사 故

Tip '연고'는 일의 까닭을 뜻하기도 하고, 정이나 묏음, 밤 등으로 맺어진 관계를 뜻하기도 해요.

**옛 故**

죽마고우 竹대 죽 + 馬말 마 + 故옛 고 + 友벗 우
뜻 대나무 말을 타고 놀던 옛 친구라는 뜻으로, 어릴 때부터 같이 놀며 자란 가까운 친구를 이르는 말.
예 나와 지호는 어렸을 때부터 한 동네에서 자란 죽마고우 사이이다.

고사 故옛 고 + 事일 사
뜻 유래가 있는 옛날의 일 또는 그런 일을 표현한 말.
예 친구의 이야기를 듣고 있으니 '죽마고우'라는 고사가 생각난다.

**연고 故**

고향 故연고 고 + 鄕시골 향
뜻 태어나서 자란 곳.
예 명절이 되면 사람들은 고향으로 내려가 가족과 친척을 만난다.

고국 故연고 고 + 國나라 국
뜻 남의 나라에 가 있는 사람이 자기 나라를 부르는 말.
예 할아버지는 고국에 가고 싶어 하신다.
비슷한말 조국
'조국'은 조상 때부터 대대로 살던 나라를 말해. 가족들은 언제나 조국을 그리워했다.

# 확인 문제

◆ 132쪽에서 공부한 낱말을 떠올리며 문제를 풀어 보세요.

## 1 뜻에 알맞은 낱말을 빈칸에 쓰세요.

| | | | | |
|---|---|---|---|---|
| ❶족 | 마 | ❷고 | | 우 |
| | | 향 | | |
| ❸고 | 국 | | | |
| 사 | | | | |

가로 열쇠
❶ 매나무 말을 타고 놀던 옛 친구라는 뜻으로, 어릴 때부터 같이 놀며 자란 가까운 친구를 이르는 말.
❸ 남의 나라에 가 있는 사람이 자기 나라를 부르는 말.

세로 열쇠
❷ 태어나서 자란 곳.
❸ 유래가 있는 옛날의 일 또는 그런 일을 표현한 말.

해설 | ❶ 매나무 말을 타고 놀던 옛 친구라는 뜻으로, 어릴 때부터 같이 놀며 자란 가까운 친구를 이르는 말은 '죽마고우'입니다. ❷ 태어나서 자란 곳은 '고향'입니다. ❸ 남의 나라에 가 있는 사람이 자기 나라를 부르는 말은 '고국'이고, 유래가 있는 옛날의 일 또는 그런 일을 표현한 말은 '고사'입니다.

## 2 안의 낱말과 뜻이 비슷한 낱말을 찾아 ○표 하세요.

고국

( 애국   조국   타국 )

해설 | '고국'과 뜻이 비슷한 낱말은 조상 때부터 살던 나라를 뜻하는 '조국'입니다. '타국'은 자기 나라가 아닌 다른 나라를 뜻하므로 답이 될 수 없습니다.

## 3 밑줄 친 낱말을 알맞게 사용한 친구에게 ○표 하세요.

(1) 나와 짝꿍은 죽마고우 사이라서 기껏해야 마주쳐도 모른 체한다.

(2) 나와 짝꿍은 4학년이 되어 처음 만났지만 죽마고우처럼 가깝게 지내고 있다.

해설 | 가깝게 지내고 있는 사이라는 뜻으로 쓴 (2)가 알맞게 사용한 것입니다.

## 4 ( ) 안에서 알맞은 낱말을 골라 ○표 하세요.

(1) 할아버지께서는 ( 고난 , 고향 )을 떠나고 싶어 하지 않으셨다.
(2) 선생님께서 들려주신 ( 고사 , 고장 )의 뜻을 듣고 교훈을 얻었다.
(3) 미국으로 이민을 온 우리 가족은 ( 고국 , 외국 )으로 돌아가기 위해 준비하고 있다.

해설 | (1) 할아버지께서 떠나고 싶어 하지 않으셨다고 했으므로 '고향'이 알맞습니다. (2) 듣고 교훈을 얻었다고 했으므로 '고사'가 알맞습니다. (3) 이민을 갔다가 돌아가는 장소를 말하는 '고국'이 알맞습니다.

---

◆ 133쪽에서 공부한 낱말을 떠올리며 문제를 풀어 보세요.

## 5 낱말의 뜻을 보기 에서 찾아 사다리를 타고 내려간 곳에 기호를 쓰세요.

보기
㉠ 높은 곳에서 떨어짐. – 추락
㉡ 같은 지역에 모여 있는 여러 마을. – 근락
㉢ 주로 시골에서, 여러 집이 모여 사는 곳. – 부락
㉣ 까마귀 날자 배 떨어진다는 뜻으로, 아무 관계도 없이 한 일이 우연히 때가 같아 억울하게 의심을 받게 됨을 이르는 말. – 오비이락

| 근락 | 부락 | 추락 | 오비이락 |
|---|---|---|---|
| ㉢ | ㉠ | ㉡ | ㉣ |

해설 | '근락'은 같은 지역에 모여 있는 여러 마을을, '부락'은 주로 시골에서 여러 집이 모여 사는 곳을, '추락'은 높은 곳에서 떨어지는 것을 뜻합니다. '오비이락'은 까마귀 날자 배 떨어진다는 뜻입니다.

## 6 밑줄 친 낱말과 뜻이 비슷한 낱말은 무엇인가요? ( ② )

우리 부락에서는 추석을 맞아 마을 회관에 모여서 윷놀이를 했다.

① 부분     ② 마을     ③ 나라
④ 모둠     ⑤ 모임

해설 | '부락'은 여러 집이 모여 있는 곳을 뜻하는 '마을'과 뜻이 비슷해서 바꾸어 쓸 수 있습니다.

## 7 ( ) 안에 들어갈 알맞은 낱말을 보기 에서 찾아 쓰세요.

보기     근락     추락     오비이락

(1) 산에 올라갈 때에는 발을 ( 추락 )하지 않도록 조심해야 한다.
(2) 제주도는 돌을 구하기 쉬운 바닷가 근처에 ( 근락 )이 형성되어 있다.
(3) 꽃밭에 떨어진 축구공을 주우려다 꽃을 꺾으려고 했다는 오해를 받게 되니 ( 오비이락 )이라는 말이 실감 났다.

해설 | (1) 발을 잃으로 떨어지지 않도록 조심하라는 내용이 되어야 하므로 '추락'이 알맞습니다. (2) 돌을 구하기 쉬운 바닷가 근처에 형성되어 있다고 했으므로 '근락'이 알맞습니다. (3) 우연히 때가 같아 의심을 받게 된 상황이므로 '오비이락'이 알맞습니다.

# 4주차 어휘력 테스트

4주차 1~5회에서 공부한 낱말을 떠올리며 문제를 풀어 보세요.

**낱말 뜻**

**1** 낱말의 뜻이 알맞지 <u>않은</u> 것은 무엇인가요? ( ③ )

① 적절하다: 꼭 알맞다.
② 담수: 강이나 호수의 물처럼 소금기가 없는 물.
③ 편견: 어떤 기준을 두어 대상을 구별하고 다르게 대우하는 것.
④ 저작물: 자신만의 생각, 감정, 아이디어 등을 담아 만들어 낸 작품.
⑤ 꺾은선그래프: 수와 양을 점으로 표시하고, 그 점들을 선분으로 이어 그린 그래프.

해설 | 편견은 공정하지 못하고 한쪽으로 치우친 생각을 구별을 두어 대상을 구별하고 다르게 대우하는 것은 차별입니다.

**낱말 뜻**

**2** ( ) 안에 들어갈 알맞은 낱말을 **보기**에서 찾아 쓰세요.

보기
선분    까닭    감동    상황    생활

(1) '현황'은 현재의 (     )을 말한다.
(2) '감명'은 잊을 수 없는 큰 ( 감동 )을 말한다.
(3) '다각형'은 선분 (     )으로 둘러싸인 도형을 말한다.
(4) '동기'는 어떤 일이나 행동을 하게 되 ( 까닭 )을 말한다.

해설 | (1) '현황'은 현재의 상황을 말합니다. (2) '감명'은 잊을 수 없는 큰 감동을 말합니다. (3) '다각형'은 선분으로만 둘러싸인 도형을 말합니다. (4) '동기'는 어떤 일이나 행동을 하게 된 까닭을 말합니다.

**반대말**

**3** 밑줄 친 낱말의 반대말은 무엇인가요? ( ③ )

어머니께서 준비하신 음식은 우리 가족의 먹거리에 <u>충분했다</u>.

① 넉넉했다      ② 만족했다      ③ 충실했다
④ 화려했다      ⑤ 풍성했다

해설 | '모자라거나 넉넉하지 않다.'라는 뜻의 '부족하다'와 뜻이 반대입니다.

**비슷한말**

**4** 비슷한말끼리 짝 짓지 <u>못한</u> 것은 무엇인가요? ( ⑤ )

① 이론 - 이치      ② 납수 - 입수      ③ 전념 - 작념
④ 계속되다 - 연속되다      ⑤ 스며들다 - 빠져들다

해설 | '스며들다'는 '빛이나 기세, 예체 등이 틈 사이로 들어오거나 배어들다.'라는 뜻이고, '빠져들다'는 '어떤 상황에서 벗어나지 못하고 깊이 들어가다.'라는 뜻입니다.

---

**글자는 같지만 뜻이 다른 낱말**

**5** 빈칸에 공통으로 들어갈 낱말은 무엇인가요? ( ② )

• 규칙을 [     ] 한다.      • 크기은 물은 조심히 [     ] 한다.

① 정해야      ② 따라야      ③ 세워야
④ 고쳐야      ⑤ 마셔야

해설 | (1) 앞 문장에는 "정해진 규칙이나 다른 사람의 의견 등을 그대로 지켜서 하다."라는 뜻이 '따라가다', 뒤 문장에는 "액체가 담긴 물건을 기울여 액체를 밖으로 조금씩 흐르게 하다."라는 뜻의 '따라야'가 들어가야 합니다.

**속담**

**6** 밑줄 친 속담을 알맞게 사용한 친구에게 ○표 하세요.

(1) 이준이는 마음이 순하여 닷새도 지나지 않아 두고도 소 닭 보듯 해.    ( ○ )

(2) 소 닭 보듯 한다더니, 정말 그 일은 힘들구나.    (     )

해설 | (1)은 인접이가 지겹게 관심을 두지 않았다는 뜻으로 사용했습니다.

**낱말 활용**

**7~10** ( ) 안에 들어갈 알맞은 낱말을 **보기**에서 찾아 쓰세요.

보기
흑수    추락    장벽    세계화

**7** 빗길을 달리던 자동차가 다리 아래로 ( 추락 )했다.

해설 | 다리 아래로 떨어졌다는 내용이이야 하므로 '추락'이 알맞습니다.

**8** 오랜만에 화분에 물을 주었더니 금세 ( 흑수 )해 버렸다.

해설 | 물을 빨아들였다는 내용이이야 하므로 '흑수'가 알맞습니다.

**9** 조선 시대에는 신분이 ( 장벽 )을/를 뛰어넘기 힘들었다.

해설 | 뛰어넘기 힘들었다는 내용이 뒤에 나오므로 '장벽'이 알맞습니다.

**10** 한국 음식이 ( 세계화 )을/를 통해 우리의 전통 음식을 세계에 알리자.

해설 | 우리의 전통 음식을 세계에 알리자고 했으므로 세계화가 알맞습니다.